D0294082

El tiempo de los emperadores extraños

Alfaguara es un sello editorial del Grupo Santillana

www.alfaguara.com

Argentina
Av. Leandro N. Alem, 720
C 1001 AAP Buenos Aires
Tel. (54 114) 119 50 00
Fax (54 114) 912 74 40

Bolivia
Avda. Arce, 2333
La Paz
Tel. (591 2) 44 11 22
Fax (591 2) 44 22 08

Chile
Dr. Aníbal Ariztía, 1444
Providencia
Santiago de Chile
Tel. (56 2) 384 30 00
Fax (56 2) 384 30 60

Colombia
Calle 80, 10-23
Bogotá
Tel. (57 1) 635 12 00
Fax (57 1) 236 93 82

Costa Rica
La Uruca
Del Edificio de Aviación Civil 200 m al Oeste
San José de Costa Rica
Tel. (506) 220 42 42 y 220 47 70
Fax (506) 220 13 20

Ecuador
Avda. Eloy Alfaro, 33-3470 y Avda. 6 de Diciembre
Quito
Tel. (593 2) 244 66 56 y 244 21 54
Fax (593 2) 244 87 91

El Salvador
Siemens, 51
Zona Industrial Santa Elena
Antiguo Cuscatlan - La Libertad
Tel. (503) 2 505 89 y 2 289 89 20
Fax (503) 2 278 60 66

España
Torrelaguna, 60
28043 Madrid
Tel. (34 91) 744 90 60
Fax (34 91) 744 92 24

Estados Unidos
2105 N.W. 86th Avenue
Doral, F.L. 33122
Tel. (1 305) 591 95 22 y 591 22 32
Fax (1 305) 591 91 45

Guatemala
7ª Avda. 11-11
Zona 9
Guatemala C.A.
Tel.(502) 24 29 43 00
Fax (502) 24 29 43 43

Honduras
Colonia Tepeyac Contigua a Banco Cuscatlan
Boulevard Juan Pablo, frente al Templo
Adventista 7º Día, Casa 1626
Tegucigalpa
Tel. (504) 239 98 84

México
Avda. Universidad, 767
Colonia del Valle
03100 México D.F.
Tel. (52 5) 554 20 75 30
Fax (52 5) 556 01 10 67

Panamá
Avda. Juan Pablo II, nº15. Apartado Postal
863199, zona 7. Urbanización Industrial
La Locería - Ciudad de Panamá
Tel. (507) 260 09 45

Paraguay
Avda. Venezuela, 276,
entre Mariscal López y España
Asunción
Tel./fax (595 21) 213 294 y 214 983

Perú
Avda. Primavera 2160
Surco
Lima 33
Tel. (51 1) 313 4000
Fax. (51 1) 313 4001

Puerto Rico
Avda. Roosevelt, 1506
Guaynabo 00968
Puerto Rico
Tel. (1 787) 781 98 00
Fax (1 787) 782 61 49

República Dominicana
Juan Sánchez Ramírez, 9
Gazcue
Santo Domingo R.D.
Tel. (1809) 682 13 82 y 221 08 70
Fax (1809) 689 10 22

Uruguay
Constitución, 1889
11800 Montevideo
Tel. (598 2) 402 73 42 y 402 72 71
Fax (598 2) 401 51 86

Venezuela
Avda. Rómulo Gallegos
Edificio Zulia, 1º - Sector Monte Cristo
Boleita Norte
Caracas
Tel. (58 212) 235 30 33
Fax (58 212) 239 10 51

ALFAGUARA

El tiempo de los emperadores extraños

Ignacio del Valle

2006, Santillana Ediciones Generales, S. L.
Torrelaguna, 60. 28043 Madrid
Teléfono 91 744 90 60
Telefax 91 744 92 24
www.alfaguara.com

ISBN: 84-204-7078-3
Depósito legal: M. 32.290-2006
Impreso en España - Printed in Spain

Diseño:
Proyecto de Enric Satué

A mi padre, que siempre ha estado.

Algún día los hombres mirarán atrás y dirán que conmigo nació el siglo XX.

JACK EL DESTRIPADOR, 1888

1. La pieza sacrificada

—Si aquí ya no importan los vivos, imagínese los muertos.

La frase sin esperanza que le había dirigido meses atrás un oficial retumbó en la cabeza del sargento Espinosa como si hubiera sido pronunciada en el interior de una catedral. Minutos antes, su asombrada orden había hecho que, en un acto reflejo, el grupo de soldados se pusiera en pie cambiando precipitadamente las latas de carne y los cubiertos del condumio por máusers. Vistos desde lejos sobre la congelada superficie del río Sslavianka, envueltos en sus pesados uniformes de invierno, semejaban un grupo de desorientados pingüinos. Al cabo, sus ojos siguieron la línea imaginaria de la mirada del sargento, y cuando toparon con la causa de su voz, la mayoría adoptaron una actitud de recién despertados, de quien no ha entendido aún los límites entre aquello que están viendo y lo que veían en sueños. En una visión dadaísta, un conjunto de unas veinte cabezas de caballo sobresalían esparcidas sobre el lago helado como un ajedrez monotemático. Las ijadas abiertas, la tensión de sus cuellos, los ojos extraviados, todo indicaba que habían sido capturados por el frío en plena carrera. Pero no era el fantástico cuadro lo que mantenía su atención en suspenso, sino el hombre enterrado en el hielo hasta el torso que se hallaba pegado a una de ellas. El sargento Espinosa se adelantó y fue esquivando en zigzag cabezas equinas hasta quedar a la altura del cuerpo. Hasta ese momento habían utilizado las cabezas como improvisados asientos donde tomar la comida del día, y sólo cuando se levantó la niebla que, como un muro, les venía acompañando desde por la mañana, pudo el sargento descubrir al hombre. Se agachó con dificultad y observó su uniforme y el rostro helado. A continuación limpió la escarcha de las mangas y comprobó en la izquierda el águila del emblema nacional alemán y en la derecha el distintivo con los colores rojo y gualda y la leyenda «España». El muerto pertenecía a su división, pero su cara no le sonaba. Claro que no resultaba extraño: había más de dieciocho mil que recordar. Cuando dio por concluido su examen, se irguió de nuevo y contempló Rusia, su cielo abovedado por la grisalla, su tierra inmensa y blanca, sin puntos de fuga ni dominantes. Experimentó un ligero mareo y buscó entre las hileras de abedules que pespuntaban las márgenes del río, hasta fijar la vista en las cúpulas tornasoladas del monasterio ortodoxo de Molewo. La tradición contaba que en él, una noche, un monje que hacía la ronda se había encontrado a Dios sentado en un oscuro rincón; de inmediato, el monje se había echado de bruces al suelo y exclamado qué hacía su señor Dios allí. Y Dios le respondió, pero no con voz de trueno, sino con voz apagada: «Estoy cansado, pope, muy cansado». El sargento Espinosa siempre se sentía reconfortado por aquella imagen rayana en la herejía. Se le antojaba un dios como debía ser: humano. Murmuró una rápida súplica de descargo y a continuación se dio la vuelta y llamó con un gesto a uno de los soldados. Éste se colocó el fusil en bandolera y copió el recorrido de su superior, resbalando en algunos trechos.

—Ya ve —le dijo el sargento resignado cuando se cuadró ante él, como si fuera lo más normal del mundo encontrar aquello en aquel lugar—. ¿Le reconoce?

El soldado se agachó y observó el rostro glacial del cadáver. Su máscara mortuoria, formada por una capa irregular de escarcha, le recordó a los habitantes de Pompeya mineralizados por la lluvia de cenizas del Vesubio. El somero vistazo le hizo llegar a la misma conclusión que su sargento.

—Creo que es de los nuestros, mi sargento.

—Acaba de descubrir usted la pólvora —respondió el sargento Espinosa con la mala leche que le caracterizaba—. ¿Y cree usted que también habrá que tomarle el pulso?

El soldado mantuvo un respetuoso silencio, avisado de la perpetua alianza de su superior con una úlcera de estómago. El sargento Espinosa, un voluntario que en la vida civil era ayudante de la cátedra de Química de la Universidad de Madrid, y en la vida militar era igual de precavido, masculló un «esto es muy raro» y, ante lo irregular del caso, aplicó las nociones que tenía sobre la rutina en las investigaciones y organizó con rapidez los pasos a seguir.

—Lo primero de todo, usted se queda aquí.

A continuación, el sargento Espinosa paseó su mirada por el resto de los hombres, consciente de la fascinación que produce un accidente mortal, aun en unos individuos acostumbrados a la muerte. Antes de que hablara, el soldado leyó las órdenes en sus ojos.

—Y lo segundo, éstos que no se acerquen.

—A sus órdenes, mi sargento.

—Ahora voy a avisar por radio al teniente.

El soldado observó cómo el sargento se acercaba al grupo que, a juzgar por su inquieto movimiento coral, mostraba un inusual nerviosismo, acentuado tanto por hallarse en zona desguarnecida como por el cercano fragor de la artillería soviética, y le explicaba someramente los hechos. El soldado también se removió inquieto; aún tenían muy reciente la ofensiva rusa sobre el lago Ladoga que había aniquilado casi por completo un batallón del 269. Acto seguido, se humedeció los labios agrietados, apoyó sobre el hielo la culata del máuser, se metió una mano en el bolso del uniforme para sobar la rugosa carne de una naranja y estudió de nuevo al muerto en su blanco mausoleo a medida. Mientras lo hacía, y a pesar de que habían elegido las horas cercanas al mediodía, siempre menos frías, calculó que el mercurio debía de andar unos treinta grados por debajo del cero. Se le vino a la mente otra imagen: Dante, el último círculo de su infierno, y su formidable Lucifer enterrado hasta la cintura en otro lago de hielo. Se preguntó si aquel desgraciado se encontraría también allí; en todo caso, sería de envidiar, al menos estaría caliente. Sacó brevemente la naranja y su nota de color brilló como un espejo; volvió a guardarla y siguió palpando. Mientras lo hacía, su instinto, afinado en el frente, se sintió atraído por el poderoso campo de fuerza de un mínimo detalle: el muerto no sonreía. Lo habitual cuando se producía una congelación —y por desgracia no era la primera ni la última que vería— era que el frío tensara los músculos risorios de tal manera que proporcionaba al cadáver una macabra sonrisa. Su pensamiento, al igual que el recorrido que se había visto obligado a trazar entre las cabezas de caballo, comenzó a bandear de un lado a otro, considerando el hecho desde todos los ángulos posibles. Posó el máuser y terminó por acercarse más al muerto, contradiciendo la prohibición de su superior. Hurgó en el cuello en busca de la chapa de identificación, «la chapa de la muerte», lo que provocó que se desprendieran varias láminas de escarcha. Los ojos del soldado pasaron entonces de la inocencia a la perplejidad, y a continuación parecieron contemplar una explosión. Su corazón se movió a puñetazos. Levantó la vista y buscó al sargento Espinosa. Distinguió su figura alejándose por la pista de patinaje en que se había convertido el río Sslavianka, hacia los camiones aparcados en su orilla. Gritó con toda la fuerza de que fue capaz, pero el suboficial no alcanzaba a oírle. El soldado, tras sortear de nuevo el laberinto equino, comenzó a correr tras él ante la desconcertada sorpresa del grupo. Cuando logró alcanzarle, en el rostro ganchudo y seco del sargento fue dibujándose un rictus de aversión proporcional a la excelencia de las explicaciones que el soldado, entre pitido y pitido de un aliento agotado por la carrera, iba dándole. Regresaron apresuradamente hasta el cuerpo. El sargento Espinosa aplicó esta vez una curiosidad distante, casi académica. Su estómago ulcerado crujió de angustia y se hizo una señal de la cruz especialmente trabajada. En la garganta del cadáver se abría la sonrisa que debería haber estado en sus labios. Un tajo de oreja a oreja, oscuro, que había quedado mimetizado por la nieve junto con la fina corbata de cristales de sangre que manchaba su pecho.

—Esto ha sido cosa de los ruskis —dictaminó.

El soldado consideró que podría haber sido una explicación plausible; los soviéticos realizaban con frecuencia misiones de castigo; esquiadores que aparecían de noche por sorpresa, como fantasmas, envueltos en sus blancos blusones de camuflaje, deslizándose velozmente por el río, y cuando desaparecían dejaban tras de sí isbas incendiadas, búnkers volados, cadáveres... Pero negó con la cabeza.

—Igual no, mi sargento —le contradijo.

El sargento Espinosa le miró con unos ojos de piedra.

—Hombre, a lo mejor se ha cortado afeitándose, y luego ha salido a pasear por el río, y luego le ha cogido en medio la estampida, y luego se ha roto el hielo...

El soldado, inquieto, se arrebujó en el interior de su uniforme invernal en su obsesión por mantener los treinta y seis grados.

—No, no me entiende, mi sargento. Fíjese bien en la herida.

—¿Qué me quiere decir?

—Que desde cuándo los ruskis se preocupan por nuestra alma. Fíjese.

Espinosa siguió su consejo y concentró tanto su atención que su pensamiento fue casi visible. Esta vez observó al soldado con una extraña aleación de admiración y extrañeza. Bajo la garganta abierta, sobre una de las clavículas, había un detalle que se le había pasado por alto; unas mayúsculas pequeñas, grabadas a punta de cuchillo: «MIRA QUE TE MIRA DIOS». Pasó un viento rafagado y con él los segundos. La idea se le escapaba como una pastilla de jabón, pero logró retenerla.

—¿Me habla de un asesinato?

—Yo sólo digo que esto es muy raro.

—¿Está seguro? —Espinosa afirmó interrogativamente.

—¿Seguro? Yo sólo estoy seguro de mis dudas, mi sargento.

El rostro conservado en vinagre de Espinosa se quedó un rato ausente.

—¿Quién sabe? Con la suerte que estamos teniendo en este maldito lugar... Y ya conocemos lo que viene después de la mala suerte...

—¿Qué viene, mi sargento?

—Una suerte aún peor.

El soldado disimuló una dolorida sonrisa; aunque fuese una persona difícil, no dejaba de valorar el negrísimo humor de su superior, porque el cinismo era la consecuencia, casi la obligación de las mentes lúcidas para sobrevivir.

—Hay que avisar al teniente —liquidó Espinosa—. Y a la policía militar. Y a los sanitarios. Y... —sostuvo un intervalo de duda—, y habrá que pedir también que nos manden al fotógrafo —concluyó.

Al mismo tiempo que tomó la decisión, comenzó a trapear; copos grandes, casi transparentes de nieve. Ambos se quedaron contemplando aquel paisaje concebido para hordas de gigantes, un lugar que anulaba cualquier existencia individual.

—¿Su nombre?

La pregunta del sargento, hecha de una manera inesperada, a bocajarro, sobresaltó al soldado.

—Arturo, mi sargento. Arturo Andrade.

Su voz fue tumbal, hueca.

—Arturo... ¿Usted cuántos hijos de puta cree que estarán naciendo en estos momentos?

El desconcierto de Arturo se elevó al cuadrado. Se entretuvo en las tonalidades verdes que relucían bajo el cristal del río.

—No sé, mi sargento.

—No sabe... Hay cosas que más vale no saber, ¿verdad, guripa?

2. Reducción al infinito

El tajo de arriba abajo abrió en canal la panza del caballo suspendido del gancho, dejando al descubierto su teclado de costillas y vomitando una catarata de sangre y vísceras colgantes que estalló contra el suelo. A continuación, el matarife, ajustando el cuerpo del animal al esquema por secciones que tenía en la cabeza, se lo pensó un poco afilando un par de enormes cuchillos, como desafiándose a sí mismo, balanceó uno de ellos y no tardó en comenzar su desollamiento. A su alrededor, el personal de la compañía de Carnización se afanaba en trasladar las piezas de carne de los caballos ya cuarteados y eviscerados. Dos días antes, el servicio de Intendencia de la 250 División de Infantería de la Wehrmacht había dado parte de un incidente en una de las cuadras que tuvo como resultado la fuga de un grupo de caballos, y tras su consiguiente hallazgo en el Sslavianka, había cursado la orden de que efectivos de la compañía se trasladasen hasta allí para aprovechar la carne de los animales. Aunque no se realizaban sacrificios desde hacía meses debido a que las bajas temperaturas no permitían orear suficientemente la carne, siendo abastecidos entretanto por la intendencia alemana, el botín de calorías era demasiado goloso como para abandonarlo en su gélido ataúd. El espeluznante hallazgo que allí habían hecho, no obstante las medidas que se habían tomado para que no trascendiese, era ya la comidilla de toda la División. Como había comentado un alférez: «Contra Radio Macuto no hay censura que valga».

El teniente veterinario que supervisaba la salubridad del proceso se disponía a dar el visto bueno a otro de los caballos, cuando entró en la sala con paso firme un cabo primero tan musculoso que andaba con los brazos separados, como si llevara cubos. Tras saludarle, le comunicó algo entregándole una orden firmada. El oficial asintió y frunciendo el entrecejo buscó entre el atareado personal. Le embargó un sentimiento de contrariedad. La capucha de las amplias camisolas blancas utilizadas para no manchar los uniformes no le permitía ver con claridad los rostros. Optó por lo más expeditivo.

—Arturo Andrade —dijo con un vozarrón.

Al no encontrar respuesta en ninguno de los rostros que se volvieron, repitió el nombre varias veces. Al cabo, uno de los hombres que estaban inclinados sobre un animal, advertido por los codazos de un compañero, se descubrió y se quedó mirando al teniente con aire ausente. Éste contempló a un individuo más alto que la media, de unos treinta y pico años, de rostro chupado, marcado por la viruela, ojos azulísimos y una apariencia de náufrago.

—¿Qué te pasa? ¿Estás atontolinado o qué? ¿No me has oído?

Arturo reaccionó usando los resortes de la costumbre y se cuadró ante el oficial.

—A sus órdenes, mi teniente.

—Tienes que presentarte en el cuartel general. Te vas con el cabo.

El aire extraviado de Arturo se transformó en auténtico pasmo.

—¿El cuartel general?

El teniente asintió dando a entender que aquello ya había dejado de ser noticia. Le devolvió la orden al cabo y se volvió impaciente hacia un grupo que comenzaba a hacerse el longuis aprovechando la distracción de la visita.

—A ver, vosotros, que es para hoy.

Arturo pidió permiso para cambiarse de uniforme y recoger su arma y se fue tras el hercúleo cabo. Con su espalda como único horizonte, se preguntó cuál sería el motivo por el que le habían reclamado en el cuartel general. En su cabeza, montones de razones impidieron con sus gritos que se oyeran unas a otras, pero había dos que le inquietaban sobremanera: cierto asunto de trapicheo con tabaco y licores y su impulsiva curiosidad durante el episodio del río. Por cualquiera de ellas se hubiera sentido inquieto. Nunca sabes por qué te van a empapelar. En el exterior, bajo un legamoso cielo y rodeado por manchas de bosques, les recibió el paisaje nevado de Mestelewo, sede de la Intendencia, Sanidad y Municionamiento divisionario en el frente de Leningrado. La explanada cubierta de barracones, talleres, almacenes y búnkers, acotada por una vía férrea, se hallaba repleta por un pandemónium de soldados, caballos, piezas de artillería, camiones, tractores, ambulancias, remolques... El topónimo de Mestelewo lo tomaba prestado del pueblo original, un conjunto de isbas que se maltenían a lo largo de un camino, sobre un levísimo repliegue del terreno, rodeadas por graneros, cobertizos vacíos, almiares afilados, pozas de pértiga y, no muy lejos, un molino negro, de madera, de grandes aspas desnudas. Una aldea que, como la mayoría en Rusia, daba fe de que nada había cambiado en aquellas tierras desde prácticamente el medioevo. Arturo tiritó un poco y respiró con precaución por la nariz; el olor era ozonado, eléctrico, no se trataba sólo de la nieve, sino más bien de su proceso físico, de su origen. El cabo había traído un Peugeot lleno de mataduras y rayones, procedente de las múltiples requisas en Bélgica y Francia, militarizadas y uniformadas con una pintura gris-verde, y le invitó a montarse en él. De camino hacia el vehículo, Arturo oyó un sonido metálico parecido al roce de una cadena culebreando tras un ancla que acabase de ser soltada. Sólo tuvo tiempo de girar la cabeza unos grados antes de recibir un fuerte golpe y encontrarse tendido en el suelo intentando zafarse de unos pavorosos colmillos. Todo sucedió muy rápido, tanto, que en el cerebro de Arturo se produjo el efecto contrario:

se desarrolló con una lentitud de buzo. Milagrosamente, logró salvar su cuello de la embestida y se arrastró hacia atrás por la nieve con la fuerza del pánico, acosado por las dentelladas del enorme pastor alemán que, tras fallar su ataque, se ensañaba con el trozo de bota en el que había hecho presa. El cabo reaccionó con presteza y con un par de demoledoras patadas logró que el animal se retirara. Luego, cogiéndole por los sobacos, ayudó a Arturo a ponerse de pie, pero al apoyar éste el pie izquierdo un dolor le llenó de filos el tobillo. Agarrotado por el nerviosismo, con una fina película de sudor cubriendo su frente, volvió a entrar junto con el cabo en el interior del edificio. Antes de quitarse la bota, Arturo ya se temía ver sus músculos al aire o, como poco, una rojez de carne torturada, pero tras el laborioso proceso de desabrocharse la bota descubrió con alivio que no era de esas heridas que pedía a gritos una infección. Magulladuras en dos o tres puntos y un susto capital. Nada grave. Esperó hasta que se le compuso el cuerpo.

—La bota no ha salido bien parada —apuntó el cabo.

—No se pierde mucho, ya las tenía muy viajadas.

—Igual tendríamos que ir al hospital.

—Descuide, mi cabo, ha sido más el susto. No me explico quién ha podido dejar suelta una bestia así.

Arturo se levantó todavía algo aturdido y fue palpando el suelo con el pie. Cuando estuvo seguro de poder soportar su peso, volvieron a salir. Buscó el casco que había perdido en el forcejeo, se tocó con él y se acercó al perro. Éste les aguardaba quieto, produciendo un gruñido constante, amenazador; su hocico ahusado dejaba ver las únicas razones que valían en su mundo y, en realidad, en cualquier mundo, pensó Arturo. Se midieron unos instantes; extrañamente, no podía sentir odio, porque aquel perro no era malo, ni siquiera bueno, sencillamente se limitaba a ser lo que era. El cabo optó por ver la parte medio llena de la botella.

—Un eslabón más y ahora estarías probándote el traje de pino.

Arturo se fijó en la cadena que había detenido en seco la carrera del perro, anclada en un perno encastrado en la nieve, y se cercioró de hallarse en una zona perimetral segura. En ese instante, doblando una esquina, apareció un soldado alemán, uno de esos que se movían como si alguien tirara de sus hilos. En una mano llevaba un grueso papel de estraza con despojos de carne y huesos. Arturo se le acercó ceñudo y empuñando las palabras le interpeló en su lengua. Mantuvieron un acalorado enfrentamiento durante el cual el germano exhibió una actitud fría, autosuficiente. El cabo no hablaba alemán y se vio obligado a seguir la discusión de boca en boca, al igual que el perro. No entendió las palabras pero sí el sentido global, dándose cuenta de que hablaban cada vez en círculos más cerrados, y se decidió a intervenir. Se interpuso entre los dos y, haciendo uso de su mayor graduación, se dirigió al alemán; le habló lentamente, como si su cerebro no pudiera soportar demasiado tráfico intelectual, aunque siempre sonriendo.

—Hijodeputa, cabrón, mariconazo, gilipollas... Manta, que eres un manta... Me cago en todos tus muertos...

Estuvo perorando así un rato, mientras el *grenadier,* perplejo, iba respondiendo con un «*ja*» monocorde a cada una de sus barbaridades. Fue mano de santo. Cuando se le agotó el diccionario, acercó su cara a la del alemán justo hasta el límite donde se podía considerar ofensivo.

—¿Teto teto? —le preguntó cachazudo.

El alemán interpretó que ésa era la expresión española para corroborar algo.

—*Ja, ja, mein obergefreiter. Teto teto.*

—Vale, pues por detrás te la meto.

Con un ademán toreador levantó una montera imaginaria y la lanzó a sus espaldas, conminando a Arturo a seguirle. Éste a duras penas podía mantener un postizo de seriedad. El teutón se olió la chamusquina y, a pesar de haber cedido, le amagó a Arturo una embestida, lo que le hizo dar un paso atrás. El alemán sostuvo el desafío con una sonrisa irónica, y luego palmeó al perro como si fuera un caballo de carreras que hubiese ganado un gran derby. El cabo ordenó a Arturo que hiciera caso omiso y le condujo hacia el coche.

—A estos mindundis no se les puede seguir la corriente —le aseguró—, son más cuadrados que una onza de chocolate. Y, coño —añadió admirativo—, si sabes alemán, ¿qué te ha dicho?

—Pues que lo van a poner aquí por los partisanos, parece que está entrenado y los huele a distancia.

—Y me da que también para cazar españolitos... Para ellos no somos más que unos guarros, poco menos que micos. Pero como me llamo Aparicio Tárrega que a mí no se me suben a la chepa.

Arturo recordó con deleite las constantes quejas de los germanos a causa de la relajación ibérica: guerreras desabrochadas, manos en los bolsillos, pitillos colgando de los labios... «Se puede sacar a un español de España, pero no a España de un español», pensó. El cabo se detuvo con un pie en el estribo del Peugeot.

—¿No te olvidas de algo?

—Sí, de calzarle una hostia —afirmó Arturo con el odio agolpado en sus ojos.

El cabo Aparicio sonrió.

—No, no es eso.

Arturo pulsó el teclado de su memoria. Negó con la cabeza y aguardó con expectación.

—Tu chopo de la guarda.

Arturo hizo un aspaviento reconociendo su torpeza y buscó el máuser que había perdido durante la lucha, cuya estilizada forma destacaba en una hornacina de nieve. Fue a recogerlo y regresó al vehículo.

—Mira de hacerte sitio —le indicó el cabo señalando varias sacas de correos que ocupaban la mayoría del vehículo—. Teníamos un camión, pero se nos ha jorobado. Están a ver si lo componen.

Arturo encajó el cuerpo como pudo entre el correo que, por lo visto, el cabo se encargaba de transportar a la estafeta sita en el Estado Mayor. Al poco, las burradas que éste le había soltado al alemán sonaron a beatería en comparación con los juramentos que comenzó a proferir. El sonido torturado del arranque justificó su cabreo.

—¿Qué pasa? —se alarmó Arturo.

—¿Qué pasa? ¿Qué va a pasar? Que ya la hemos hecho. Que dejé encendido el motor y entre tanto follón se ha apagado. Y ya no carbura. Primero el camión y ahora esto...

Arturo no necesitó más explicaciones. Al igual que los hombres, los vehículos sufrían toda clase de congelaciones.

—La última vez tardamos cuatro horas para que *andara* —se lamentó el cabo—. A caballo de un burro vamos a tener que volver.

—Pruebe otra vez.

—Podemos estar hasta mañana.

Aun así, el cabo desplazó toda su esperanza al extremo de su brazo mientras trataba de resucitar el motor. Las repetidas tentativas no hacían más que volver sus rasgos más escarpados, hasta que terminó por dar un golpe en el volante. Todo el automóvil se sacudió bajo su solidez de roble al cuadrado.

—Se acabó. Éste no pita más.

—Inténtelo otra vez, cabo.

—Coño, que no tira y punto.

—Por favor —insistió Arturo.

El cabo le vigiló con cierto rencor y Arturo pudo contemplar al pormenor su cara, en la que destacaban unos ojos negros que titilaban de frío, la nariz grande, sólida como una quilla, y una cicatriz que suturaba su mejilla derecha y que sumada al resto de rasgos daba un conjunto a medio camino entre lo afable y lo brutal. Aparicio acabó por quitarse los guantes, como si el contacto directo pudiera imprimir mayor determinación a su gesto, y giró la llave. Inesperadamente, el motor se llenó a rebosar de vida; el sincopado petardeo fue lo más melodioso que les pareció oír en mucho tiempo. El cabo aceleró en punto muerto como aclarando la voz del coche.

—Ya me dirás la receta —comentó risueño.

—Las ganas de no coger un trineo, mi cabo. Y antes de que se me olvide, muchas gracias por el capote de antes.

—La cosa no pasó a mayores. Y, antes de que se me olvide a mí también, ¿qué le pasa a uno por la cabeza cuando se le ven las barbas a San Pedro?

Arturo sonrió algo incómodo.

—¿De verdad quiere saberlo, mi cabo?

—Si no te da mucho reparo.

Arturo echó atrás la memoria y volvió a situarse en uno de esos instantes que dan acceso a la eternidad. El cabo observó su perfil con ojos inquisitivos. El silencio se dilataba.

—La muda —respondió con decisión forzada.

El rostro del cabo reflejó desorientación.

—¿La muda? —repitió.

—Sí, sólo podía pensar en ella. Hace una semana que no me la cambio y sólo podía pensar en que me la vieran sucia en el hospital.

«Hasta para morirse hay que ir cagado y meado.» El cabo, riéndose a carcajada suelta, soltó el freno de mano y enfiló hacia el cuartel general. Arturo limpió de vaho la ventanilla y se pegó a ella; lo último que contempló fue la alegría simple y salvaje del pastor alemán ante la comida que cada poco le lanzaba su dueño.

El viaje hasta Pokrosvskaia habría discurrido sin contratiempos si no hubiera sido por la conducción del cabo. Éste manejaba el vehículo como un suicida, por una carretera helada y ocupada por un doble tráfico, civil y de guerra, aunque Arturo reconocía que jamás se le iba la mano. Mientras recorrían los cerca de tres kilómetros que les separaban del cuartel general —afortunadamente, el coche disponía de aparato de calefacción—, y ante la visión de la desolada grandeza del invierno desplegada sobre magníficos bosques y campos de nieve que se perdían de vista, Arturo no pudo quitarse de la cabeza que toda aquella belleza hipnótica, repetitiva, era una trampa; en realidad, toda Rusia era una inmensa trampa. Tras las victorias del III Reich sobre Polonia y Francia, resultaba evidente que no había ejército capaz de parar a la Wehrmacht, todo dependía del espacio que se tuviera para huir; los polacos habían retrocedido durante veinte días, los franceses tardaron un mes en estar contra la pared, pero Alemania no había contado con el territorio infinito que los rusos tenían detrás. Desde que hacía casi dos años, en junio del 41, iniciara la invasión de la Unión Soviética, el país había ido mostrando sus cartas con la paciencia lenta pero irrevocable de un maestro, dejando a los alemanes penetrar con engañosa facilidad a través del Ejército Rojo, a la espera de que el invierno abriera los ojos. Y cuando lo hizo, todo empezó a crujir: los hombres, las máquinas, las estrategias, el valor... El paisaje blanco que en un principio les había parecido mullido, como empapado en leche, se había revelado como un infierno equivocado de color. Y, allí, entre el martillo ruso y el yunque de la Historia se encontraban ellos, la 250 División Hipomóvil, la División Azul. Tras aplastar países como se aplastan uvas, el rayo verdugo de Hitler había presionado a Franco para pagar la deuda moral contraída durante la guerra civil por la ayuda nazi. El Caudillo había demorado la intervención española alegando la lamentable situación en que se hallaba el país —Arturo había sumado dos y dos y creía que, como siempre, esperaba algo a cambio; en este caso sólo cabía una cosa: concesiones territoriales en el Marruecos francés—, hasta que, temeroso de quedar al margen del botín tras una más que previsible victoria del Eje, optó por un brocado político-militar; es decir, apenas un mes después de iniciarse la Operación Barbarroja, comenzó a enviar a Alemania los primeros trenes con los expedicionarios que conformarían la ayuda española. La jugada, reconocía Arturo, había resultado sutilísima: la División Azul, como la habían bautizado los periódicos nacionales por las camisas azules de los numerosos falangistas que la conformaban, era oficialmente la DEV, División Española de Voluntarios, lo que la diferenciaba de una unidad regular de las Fuerzas Armadas, que podría ser interpretada por Rusia e Inglaterra como un acto de guerra, y al mismo tiempo mantenía a Franco enganchado al carro alemán sin comprometerse del todo. La llegada al cuartel general interrumpió sus reflexiones; una entrada a tal velocidad que todos se quedaron mirando atrás esperando que el mismísimo demonio apareciera persiguiéndoles.

El cuartel general de la División Azul, en Pokrosvskaia, había sido durante el periodo zarista un pabellón de caza que, posteriormente, habían reconvertido en palacete. Se hallaba situado en medio de una llanura delimitada por un espeso bosque de abedul, pino y abeto, rodeado de una trinchera cavada en torno, y dirigía un sector lineal cubierto a la derecha por el regimiento 262, con su puesto de mando en Krasny Bor, por el 269 en el centro, con el suyo sito en Ssluzk, y por el 263 a la izquierda, con su puesto de mando en Puschkin. A su alrededor, tropeles de soldados y vehículos que se movían enardecidos de un lado para otro; oficiales que salían con sus órdenes bajo el brazo y que tomaban de inmediato trineos hacia sus posiciones; enlaces dando gas a sus motocicletas mientras derrapaban peligrosamente en las salidas o montando en caballos, como si estuvieran en una película del Oeste. El avispero humano delataba la comprometida situación en que se hallaba el sector, hecho que el constante machaqueo de los cañones rusos no dejaba de testimoniar. Esquivando a un brigada que se desgañitaba para poner orden y gritaba por igual a hombres, animales y máquinas, el cabo Aparicio le guió como pudo hasta las formas clásicas del atrio de acceso a la entrada y, siguiendo el procedimiento, salvó los controles accediendo a un amplio vestíbulo de arcadas y columnas. El cambio de temperatura resultó casi violento. El barullo nervioso que reinaba allí era una copia a escala del exterior: voces de mando, tonos explicativos, taconeos apresurados, metralleos dactilográficos... A pesar de ello, Arturo se sintió inexplicablemente tranquilo; aquel mundo geométrico, jerarquizado, le daba una ilusión de orden frente a los espacios ilimitados y amenazadoramente ilógicos que le esperaban fuera. Fiel a su costumbre de fijarse en todo, estudió el interior del palacete con propósitos mnemotécnicos: una gran escalera central que caía del primer piso como una catarata de mármol; una chimenea encendida, grande como la entrada del infierno; cabezas disecadas de aves, cornamentas y panoplias vacías colgadas de las paredes... No le dio tiempo a mucho más, ya que el cabo Aparicio encontró con rapidez a un capitán chupatintas que recogió su testigo burocrático, despidiéndose afablemente. Arturo le vio abrirse paso por el vestíbulo con su colosal envergadura, y resolvió que calcular lo que medía su espalda podía ser agotador para cualquier intelecto, así que se limitó a determinar su edad: aparentaba los veinte, pero no sabía a qué altura. Imaginó que en su casa lo llamarían con algún diminutivo, como sucede con las personas grandes, y que todo el mundo en su pueblo lo echaría de menos; sí, posiblemente fuera de esos tipos que merecen que se les eche de menos. Dilató sus fosas nasales y respiró con fuerza. El capitán le condujo por las escaleras hasta el primer piso y, siguiendo un largo pasillo flanqueado por estatuas mitológicas de mármol, abarrotado de puertas y soldados, a lo largo del cual se distribuía el comedor de oficiales, el despacho del general y las secciones tercera y cuarta del Estado Mayor, llegaron a las habitaciones destinadas a esta última. Allí, el capitán le invitó a cambiarse en un tabuco contiguo al antedespacho del jefe. Arturo, nervioso por la incertidumbre, se deshizo con premura de su segunda piel invernal, del casco y del arma y, acomodándose la guerrera, se encasquetó una aerodinámica gorra. Cuando estuvo dispuesto, el chupatintas, con la sonrisa convencional y estúpida de quien ha recibido a muchos visitantes, le dio una sucinta explicación acerca de quién le esperaba y le invitó a seguirle. Abriéndole una puerta con exquisito cuidado, como si toda la vida se hubiera dedicado a la ciencia exacta de abrir puertas, introdujo a Arturo en un despacho donde la comodidad había cedido en prioridad a la funcionalidad. Tras una mesa de pino atestada de mapas y papeles, carpetas de gomas con más mapas y papeles, tazas de estaño llenas de café, a juzgar por el olor, y una aparatosa Biblia, se hallaba el teniente coronel Navajas del Río, jefe de la sección cuarta del Estado Mayor. A su alrededor, ocupando dos sillas a su derecha y una a su izquierda, había tres personas más. Arturo hizo un enérgico saludo entrechocando los talones y se sintió inmediatamente expuesto a un sistema de miradas y valoraciones. Mientras aguardaba que se dirigieran a él, echó otro apremiado vistazo para entretener la angustia. Distinguió una ventana que daba a un paisaje de postal navideña; los retratos en la pared del Caudillo y el Führer; una estufa grande; una máquina de escribir con caries —en concreto le faltaba la letra «ñ»—, encima de una diminuta mesa escritorio; un archivador y, sobre él, en el tabique, un almanaque de esos con refranes o meditaciones bajo la fecha. 29 de enero de 1943. Arturo leyó la frase del día: «Muchos trucos conoce la zorra, pero el erizo uno decisivo». Finalmente, el teniente coronel basculó sus ojos entre la cuartilla que tenía entre las manos y Arturo, y los dejó clavados en él. Tenía un aspecto enteco, con un rostro cansado y maldormido, de barba cerrada, sin afeitar, que si se observaba con atención, casi podía verse crecer. Tras unas gafas montadas al aire, sus ojos eran dos puntos negros que parecían succionar toda la realidad circundante. Arturo buscó la forma de contrarrestar su mirada con un gesto seco.

—Salude, soldado —le espetó el jefe sin contemplaciones.

—Se presenta el soldado Arturo Andrade, del segundo grupo de Sacrificio, compañía de Carnización, servicio de Intendencia, mi teniente coronel —respondió con rigor enfatizado.

Navajas del Río asintió dando a entender la satisfacción que le producían los detalles de disciplina.

—Bien. La mayoría de los presentes en la habitación consideran que usted pinta aquí menos que un perro en misa —abarcó todo el despacho con un gesto—. Yo, sinceramente, creo que no; pienso que podría sernos de gran ayuda. ¿Usted qué opina?

—Depende de para qué, mi teniente coronel.

—¿No sabe con qué fin le he hecho venir?

—No, mi teniente coronel —mintió Arturo, encogiendo los hombros con elocuencia.

—¿No tiene ni un aire?

—No, mi teniente coronel.

—Ya —su expresión fue la de una paciencia razonable llevada a su punto límite—. Puede sentarse.

El capitán que le había conducido a la habitación, y que aún permanecía a sus espaldas, le acercó una silla; acto seguido, abandonó el despacho. Arturo se descubrió, tomó asiento con la espalda recta y las rodillas muy juntas, y coronó éstas con su gorra. Al fijarse en las tazas de estaño, por su mente circularon imágenes de granos de café tostándose muy, muy lentamente, removiéndose en un bombo como si fuera un premio de lotería.

—¿Le apetece un café?

—No, mi teniente coronel, muchas gracias —respondió con gran dolor de su corazón.

Navajas del Río aflojó la presión de sus ojos y se ahorró más prolegómenos.

—Bien, ¿cree que podrá ayudarnos a dar con esa bestia?

—¿A qué se refiere?

—Creemos que el guripa que encontró en el río fue asesinado.

—Así que la cosa va en serio —Arturo sintió un alivio infinito al ver que no se trataba de sus trapicheos.

—Muy en serio. Y, a propósito, estoy al tanto de que fue gracias a usted que saltó la liebre.

—Se terció así. Si no hubiera sido yo, habría sido otro —argumentó Arturo sin falsa modestia.

—Ya, pero fue usted.

Arturo guardó silencio y constató por defecto que el sargento Espinosa no se había reservado la relativa gloria, sintiéndose en deuda con él.

—Pero, antes de continuar —prosiguió Navajas—, deberíamos convencer a estos señores de su pertinencia. Sé quién es usted, *teniente* Arturo Andrade.

La mención de su antigua graduación le tensó los músculos de la espalda como la cuerda de un arco.

—Ya veo, mi teniente coronel.

—Bien, siendo así espero me permita un breve resumen de su vida a los presentes. Por supuesto, y creo que hablo por todos, nada saldrá de aquí.

—A sus órdenes, mi teniente coronel.

Arturo adivinó que, aunque Navajas del Río se disculpase, en realidad todo era puro teatro. Lo más probable era que tuviese tomada ya la decisión de asignarle el trabajo. No obstante, Arturo presintió que era una especie de prueba. Adoptó una gravedad fría, relajada.

—Bien —Navajas del Río quiso hacerle creer que buscaba algo en una hoja—, me ahorraré los antecedentes...

—Pues son de lo más interesante, sobre todo los policiales —acotó con suavidad uno de los presentes; un tipo de respiración resollante, grande en todas direcciones, con una cabeza de trofeo africano.

Un chasquido de hojas ilustró el ligero cabreo de Navajas del Río, que tuvo una cualidad instantánea de apaciguamiento.

—¿Decía, comandante?

—Disculpe, mi teniente coronel.

Arturo encajó el desplante y comprendió el enojo del teniente coronel al ver desbaratada su escenificación. Notó una ligera corriente de antipatía entre ambos.

—Bien —rehiló Navajas del Río—, el ex teniente Arturo Andrade Malvido sirvió durante la guerra en la sección de criptografía del SIPM. En ese capítulo su hoja de servicios no tiene lunares; es más, diría incluso que es brillante. Una vez terminada la guerra, se le asignaron diversas tareas en relación con las purgas de rojos. Domina el inglés y el alemán...

Navajas le miró como un compañero de baraja, pidiendo confirmación.

—Los datos son correctos, mi teniente coronel. Últimamente también he aprendido ruso y algo de estonio...

—Pues miel sobre hojuelas. Entremedias, seguro que recordarán la tabla que los rojos robaron del Prado durante su traslado —miró al segundo de los presentes, un oficial alemán, como disculpándolo de conocer el hecho—. Fue hace cuatro años. Tuvo mucho bombo en la prensa.

—*El arte de matar dragones*.

Quien había acotado el nombre de la tabla había sido el tercero de los presentes. Un capitán de la Guardia

Civil con un color de piel ahumado, como de vieja bola de billar, y una de esas calvas delimitadas con franjas de pelos en las sienes y una especie de quiqui formado por los últimos vestigios de cabellos. Resultaba ser el único que conocía Arturo: era el jefe de la policía militar de la División y uno de los primeros que se había presentado en el río Sslavianka tras el aviso de Espinosa, encargándose con eficacia de los trámites previos al levantamiento del cadáver.

—Efectivamente —corroboró el teniente coronel—, así se llamaba. Pues bien, el ex teniente fue quien llevó a cabo con éxito la búsqueda y recuperación de la obra. Y llegados a este punto, se preguntarán: ¿qué hace un teniente a punto de ser ascendido por su contribución a nuestra Cruzada, tan lejos de la Patria y en un modesto pasar de clase?

Arturo aguantó la respiración. Sintió tres pares de ojos recorriéndole de arriba abajo, como curiosas lagartijas.

—Digamos que fue culpa de un asunto de faldas —continuó Navajas—. El problema es que nuestro hombre se llevó por delante todo lo que había que llevarse y hubo muertos. Los suficientes para pasar tres años en la cárcel hasta que el Caudillo tuvo a bien darle la oportunidad de redimirse y purgar sus culpas. Y qué mejor ocasión que aquí, dando la sangre por España en la destrucción del bolchevismo.

Sus palabras habían entrado en la mente de Arturo con la suavidad de una cornada. Echó los ojos hacia dentro recordándolo todo como una pesadilla. Nombres, rostros, hechos... Anna, Publio Medina... Román.

—¿Me da su permiso, mi teniente coronel? —tanteó con cautela el comandante.

—Adelante.

—Usted tenía tuberculosis cuando entró en Porlier —objetó el comandante sacando a Arturo de sí mismo; al parecer, también él tenía sus fuentes de información.

—Será mejor que les presente —intentó mediar el teniente coronel Navajas; fue señalando alternativamente—: El comandante Reyes Zarauza, jefe de la Segunda, el capitán Joaquín Isart, de la gendarmería, y el capitán Wolfram Kehren, de la plana mayor de enlace alemana.

—Cuando entró estaba tísico —insistió el comandante Zarauza; la palabra, en sus labios, sonaba como un insulto.

—En efecto.

—Y creo que estaba mal.

—Estaba fastidiado, sí.

—Además, le habían condenado a muerte.

—Sí.

—Entonces, ¿cómo es que está aquí?

Arturo estuvo a punto de decir que de milagro.

—Pues precisamente porque estaba condenado. A los sentenciados nos dejaban en paz y nos proporcionaban más cosas que al resto de presos. Pero lo que realmente me salvó fue que recibía una ración extra de comida. Estuve condenado dos años y pico hasta que me conmutaron la pena; lo suficiente para recuperarme.

—Sigo opinando que este guripa no es alguien pertinente —añadió resoplante.

—Cuando Napoleón elegía a sus generales, ¿saben lo que les preguntaba?

Inesperadamente, el alemán había abandonado su estólida frialdad; su español apenas estaba sedimentado por el hierro de su lengua nativa.

—No —terció el teniente coronel.

—Después de considerar su talento, su hoja de servicios, su actitud, lo que decidía la balanza a su favor era una sencilla pregunta: ¿tiene usted suerte? Este hombre tiene suerte, quizá nos convenga su ayuda.

—Al parecer tenemos un empate —certificó el teniente coronel Navajas—. Le ha tocado a usted romperlo, capitán —le propuso a Joaquín Isart.

Durante los siguientes segundos hubo un silencio en marcha, únicamente roto por el inquietante crujir de los cristales que recogían el turbión sonoro de la batería soviética y la contrabatería española.

—Yo lo que ustedes digan —resolvió sin comprometerse.

Arturo consideró las prebendas que le reportaría la misión y, viendo la tortilla en el aire, se propuso no dejar que cayera. Debía actuar con rapidez.

—Mi teniente coronel, estoy seguro de que podría serles de mucha utilidad. Y puedo demostrarlo.

—¿Y cómo estima hacerlo?

—Tengo... cierta habilidad para los detalles. Me sirvió bien en el asunto del Prado. Usted lee con frecuencia la Biblia, ¿me equivoco? —señaló el pesado ejemplar que reposaba sobre la mesa.

—No, no se equivoca.

—Y seguro que tiene párrafos preferidos, líneas que suele releer.

—Puede ser.

—¿Los subraya?

—No tengo costumbre.

—Mejor que mejor. Entonces seguro que se los sabe de memoria.

—Eso creo.

—Entonces, ¿me permite indicarle cuáles son?

El teniente coronel Navajas se tomó unos segundos buscándole el peligro a la pregunta y acto seguido le dio vía franca.

—¿Por qué no?

—¿Puedo? —apuntó de nuevo a la Biblia.

—Adelante.

—Esto no viene a cuento —intervino el comandante Zarauza con una mueca exasperada.

Arturo buscó una nueva validación en el teniente coronel, que la volvió a otorgar con un manotazo. Luego se levantó, agarró el libro y, colocándose de espaldas a todos, cumplió un par de movimientos de los que sólo sus codos daban pistas. A continuación, se dio la vuelta; en sus manos sostenía la Biblia cerrada.

—Si los presentes se fían de la palabra del teniente coronel... —Arturo le entregó enfáticamente el libro, marcándole una página.

Navajas del Río acomodó el libro entre sus manos, se quitó las gafas y lo abrió por la hoja indicada. Leyó en silencio, entrecerrando un poco los ojos, y soltó un bufido de admiración. El teniente coronel cerró la Biblia y recitó el texto de memoria.

—«Yo estaba viendo a Lucifer, que caía del cielo como un rayo. Mirad, os he dado el poder de pisar sobre serpientes y escorpiones, y autoridad contra toda la fuerza del enemigo, y nada podrá dañaros.» Lucas, capítulo diez, versículos diecinueve al veinte.

Arturo festejó su éxito con una muda sonrisa.

—Pura chiripa —impugnó el comandante.

Navajas del Río se disponía a replicar cuando un teléfono, oculto bajo unos cartapacios, empezó a dar secos timbrazos. El teniente coronel se pegó al auricular, se puso las gafas y respondió mediante estructuras mántricas; en el mismo lapso, con una pluma Conklin, anotaba cosas, encerraba palabras en círculos y trazaba flechas hacia fuera. Mientras permanecía en línea, Arturo tuvo tiempo de cuantificar las reacciones y acomodarse al latido del lugar. Empezó por lo único que le resultaba conocido, el capitán Joaquín Isart, pero estimó difícil juzgarle; ya en el río se había dado cuenta de que su rostro era hermético, elusivo, aunque estaba seguro de que no perdía comba. Pasó al capitán Wolfram Kehren; con un perfil seco, recto, de caballo de ajedrez; de largo esqueleto, el cabello negro característico de los alemanes del sur, y ojos de acerada transparencia. Era quien más distante había permanecido, incluso físicamente, al situar su silla en el extrarradio de la reunión. Su mirada estaba fija en la camisa azul mahón que asomaba por encima del uniforme del comandante Reyes Zarauza, y en sus ojos se dibujaba un leve rictus de dentera. Arturo aventuró sus reflexiones y se decantó por la habitual irritación que producía en los envarados teutones la anarquía con que los españoles iban a la guerra, un desbarajuste producido por la mezcla de complementos y emblemas: Falange, SEU, Frente de Juventudes... con el uniforme reglamentario alemán. Continuó con su ilación, y el mismo objeto que se le habría atravesado al alemán le dio la clave para su siguiente premisa. Estudió al propietario de la camisa; el comandante Reyes Zarauza gastaba uno de esos bigotitos que parecían vender con la camisa azul, pelo abrillantado hacia atrás, cara color ternera demasiado cocida y una barriga que le sobresalía como un monito abrazado a su madre. Aquella simple camisa podía ser la causa de la subterránea corriente de antipatía que circulaba entre el comandante y el teniente coronel. En el 41, cuando no hacía nada que se había decidido el envío de voluntarios al frente del Este, los banderines de enganche se habían erigido de inmediato como un nuevo episodio de la guerra secreta que mantenían los militares y la Falange. Franco, siguiendo con sus planes de ir apartando gradualmente del poder a los camisas azules, había impuesto al final sus condiciones en la recluta, dándole al Ejército el control del contingente. Pero la pugna continuaba en todas las esferas, cierto es que cada vez menos virulenta, siendo el último capítulo el fulminante relevo del general de la División, Muñoz Grandes, un camisa vieja, por un pretoriano del régimen como Esteban-Infantes. Arturo se imaginaba lo quemados que debían de estar unos hombres que, a cambio del régimen de poetas y condotieros renacentistas que habían soñado implantar, se enfrentaban al simple gobierno de pícaros, patanes y meapilas. De hecho, la División Azul era la prueba palpable de su total desacuerdo: mientras para unos suponía la aplicación práctica de un frío malabarismo político, la manera perfecta de apaciguar al temible amigo alemán, para otros representaba una última llamarada de grandeza, una aventura estética y romántica mediante la que enfrentarse al materialismo marxista. Arturo, toda vez que había logrado una primera hipótesis global, la sopesó un momento y no le pareció desechable, aunque había partes del conjunto que no le casaban. Que le hubiera convocado el jefe de la sección cuarta, entre cuyas atribuciones se hallaba orden y policía, y en la reunión se encontrara el encargado de la gendarmería, era razonable; lo era incluso que se convocara al jefe del servicio de Información de la sección segunda; pero lo que no acababa de pasar por su razón era un oficial de enlace alemán. Las relaciones con los alemanes no eran todo lo óptimas que proclamaba la propaganda oficial, debido a las continuas injerencias de éstos en los asuntos internos de la División, y normalmente los trapos sucios se lavaban en casa. El chasquido del teléfono al ser colgado le arrancó de sus averiguaciones. El teniente coronel Navajas del Río le miró de una forma que le hizo sentir culpable de todo lo malo que había hecho, de lo que no había hecho, y de lo que todavía no se le había ocurrido hacer. La estilográfica con la que había tomado notas rodó unos centímetros y goteó puntos de tinta sobre la lustrosa superficie de la mesa.

—Abreviemos —dijo tajante—, hay asuntos que esperan.

Abrió un cajón y sacó una cartera de cuero, entregándosela a Arturo.

—El muerto era el alférez Luis del Águila, sexta compañía del segundo batallón del 262. Ahí tiene toda la información que necesita sobre el finado.

Arturo abrió la cartera y comprobó que, acompañando a unas hojas mecanografiadas, estaban también las fotos que se habían tomado en el río Sslavianka.

—Hay que ponerle un cascabel a ese gato —apuntilló Navajas del Río—. El honor de la División así lo exige.

Su Excelencia, el general Esteban-Infantes, desea estar informado en persona de nuestros logros. Confía en Dios y en nuestra pericia, y no vamos a defraudarle. Ahora mismo le firmaré una orden con instrucciones detalladas acerca de su misión. Para el resto de asuntos tiene a su disposición a la Segunda y a la gendarmería. Y quiero que me tenga informado regularmente. ¿Alguna pregunta?

Dudó unos segundos, pero la demanda fue imperiosa.

—No, pero le pediría un favor, mi teniente coronel.

—¿Y es?

—Necesitaré ayuda.

—¿Más? —se sorprendió el capitán Joaquín Isart.

Nuevamente, Arturo tuvo la dolorosa e inconfundible sensación de justificarse por hechos no cometidos; no obstante, había sentido una irrazonable necesidad de contar con alguien de confianza.

—Sería trabajo de campo. Y estoy seguro de que tanto la Segunda como la gendarmería tienen ya suficiente trabajo.

El comentario resbaló sobre la cara del capitán Joaquín Isart. Ni siquiera volvió a irritar al comandante Zarauza, que se limitó a agarrarse la panza.

—¿Y en quién ha pensado? —se interesó el teniente coronel.

—El sargento Espinosa.

—¿Espinosa? ¿No fue él quien inició el operativo en el río?

—En efecto.

—Ya. Bueno, usted sabrá. Firmaré otra orden para él. Puede entregársela en persona.

El teniente coronel Navajas llamó al capitán que le hacía de secretario y le comunicó las instrucciones pertinentes. Éste mecanografió con rapidez las órdenes dictadas y se las pasó a la firma. Navajas del Río rubricó con decisión y, tras un último trazo, se las ofreció a Arturo.

A continuación se quitó los anteojos de nuevo; sin ellos tenía una mirada menos fría.

—Ahí tiene. No hay más que hablar. Y la próxima vez me tendrá que explicar el truco —señaló la Biblia con el mentón.

Arturo sonrió y devolvió el saludo; cogió las hojas, las plegó limpiamente introduciéndolas en la cartera y se puso en pie. Acto seguido, se colocó la gorra y se cuadró con un firme chasquido de tacones. El resto de los presentes dividió sus afectos entre lo huraño, lo evasivo y lo indiferente. Antes de darse la vuelta, tuvo un fugaz intercambio de miradas con el capitán Kehren. Luego, la puerta del despacho se abrió al instante, como si el ayudante hubiera estado todo el tiempo detrás de ella, escuchando.

Cuando salió del cuartel general, el cielo continuaba del color de las aceras. Sintió la quemadura del frío en los párpados, en los arcos superciliares, en la frente, en los huesos del pómulo, sufriendo un leve episodio de ansiedad, como si fuera de aquel mundo racional las fuerzas de lo imprevisible se apretaran como sogas en torno a su cuerpo. Pisó con fuerza la nieve, imponiéndose a sí mismo, se recolocó el máuser en el hombro y se aferró a la valija de cuero. Reflexionó sobre el inesperado regalo que había recibido de su jefe. Le hacía sentirse bien, aunque no del todo, porque sabía que todo regalo era terrible en sí mismo: siempre obligaba a una contraprestación. Permaneció así hasta que un camión entoldado, con soldados bamboleantes sentados en la trasera, le pasó repentinamente al bies, dándole un susto de muerte. El vehículo dejó el aire cargado de un humo negro, irrespirable, pero agradable en su calidez. Súbitamente, como un genio surgido del humazo, el cabo Aparicio se colocó frente a él, respingándole de nuevo:

—¿Le llevo?

Arturo, con su graduación restituida por la memoria del teniente coronel, sufrió un ataque de dignidad y a punto estuvo de mandar parar. Rectificó sobre la marcha.

—Sí, mi cabo. Muy agradecido.

En ese intervalo, un sol blando, sin fuerza, logró abrirse paso entre la cerrazón marmórea de nubes. El cabo Aparicio y Arturo se quedaron mirando el cielo en un remedo de los hombres épicos e imponentes que poblaban los carteles de la propaganda del Soviet. La nieve, hasta ese momento opaca, comenzó a destellar, como si alguien hubiera hecho una siembra de cientos de diminutos diamantes.

El Peugeot, tras otro rally de vuelta esquivando cocinas de campaña, trineos y correos en motocicleta, volvió a dejar a Arturo en el acantonamiento de Mestelewo. Se despidió del cabo Aparicio y fue a realizar las gestiones pertinentes en la Jefatura de Intendencia a fin de regularizar su nueva situación. Cuando recibió el visto bueno, comprobó la hora: eran cerca de las cuatro. El día se hallaba ya en esa frontera indefinible en que la luz comienza a sufrir una imperceptible mutación, únicamente captada por el espíritu, y que anunciaba su progresiva degradación. En Rusia los días eran así de cortos, y por ello Arturo no tenía tiempo que perder, disponiéndose a seguir la línea de acción que había planeado durante el viaje. Avivó el paso y en primer lugar se encaminó hacia el edificio de Carnización. Cuando llegó, se plantó frente al pastor alemán, que parecía haber intuido su regreso y le esperaba con las pezuñas clavadas en la nieve y unos brillos violentos y afilados en el morro. Arturo, con un hormigueo lejano en el tobillo, que perdonaba pero no olvidaba, se encaró con el perro. A continuación se puso en cuclillas y empezó a insultarle. Éste comenzó a dar vueltas como si estuviera cubierto de avispas, ladrándole, y no tardó en salir disparado hacia su yugular. En su carrera, la cadena fue desenrollándose tras él con un escalofriante chasquido metálico. Arturo aguantó firme, aferrado a su valija, pero la amenaza dibujada en las fauces del animal, más concreta a medida que se acercaba, hizo que en su rostro aparecieran las primeras señales del miedo. Como había previsto, la cadena detuvo su carga en seco, haciéndole rebotar en el aire y derribándole al suelo, justo en el borde del arco que marcaba la diferencia entre los vivos y los muertos. Sin embargo, Arturo se dio cuenta con un estremecimiento de que sus cálculos habían resultado demasiado ajustados, a juzgar por la babilla con que el pastor alemán había salpicado su rostro. El perro se retiró hasta la pared del barracón y permaneció temporalmente calibrando la incomprensible situación. Arturo volvió a increparle. La situación se repitió de nuevo, pero esta vez Arturo sintió cómo el miedo se disolvía en su garganta al igual que una pastilla de mentol y le invadía un placer perverso. Una y otra vez el animal respondió a sus provocaciones con un resultado idénticamente doloroso. Arturo sabía que aquel pastor alemán le odiaba, y también sabía que no había mayor castigo para cualquier ser, mejor forma de aniquilar su moral, que darle a su trabajo un carácter inútil, una carencia de sentido total. Cuando decidió que por ese día era suficiente, el perro se hallaba absolutamente exhausto, molido, cayéndose en el suelo sin siquiera fuerzas para ladrar cuando se dio la vuelta y se marchó.

El siguiente paso en sus planes le orientaba hacia el sargento Espinosa. Terminó por localizarle en los depósitos de Intendencia, cerca de unos trineos, supervisando una labor de carga y descarga de víveres junto a un barracón adornado con una espectacular cabellera helada de estalactitas que colgaban del techado. Su figura, enfundada en un grueso abrigo de mutón, un gorro de piel y unas botas *balenki,* que indicaba que el sargento había comprendido con rapidez las ventajas de adoptar las usanzas rusas contra el frío, no se diferenciaba demasiado de los prisioneros embutidos en gruesos abrigos guateados y gorros de piel de cordero que ayudaban a acarrear unos enormes quesos del radio de soles. Cuando se presentó al sargento, éste le miró con aire de culpabilidad, como si le hubiera sorprendido pensando en algo prohibido, y Arturo se sintió incómodo porque, por primera vez desde que le conocía, le veía con la guardia bajada y una tristeza sin ironía, desamparada. Espinosa se apercibió de ello y se rehízo con una orden seca, cortante, conminándole a cuadrarse. Arturo se puso firme, llevándose con energía la mano al casco, y le entregó las órdenes firmadas por Navajas del Río mientras le explicaba la situación enarbolando la valija. Incluyó una versión rebajada de su escabroso pasado para que no hubiera ni preguntas ni malentendidos posteriores: le habló de la muerte de sus padres y de su marcha a Madrid, durante la guerra, para abrirse camino en el nuevo régimen, hasta llegar a teniente del servicio secreto; de su exitosa intervención en la búsqueda de *El arte de matar dragones;* de su pasión por una puta, Anna, y de su enfrentamiento con Román, el capitán con quien le traicionó, y del posterior baño de sangre que se produjo; de su estancia en la cárcel y de su enrolamiento en la División. Lo que se guardó de contar era que hasta entonces había creído en la moral, en el honor, en todas esas virtudes de caballero que a un hombre le cuesta una vida alcanzar, y que a su instinto de conservación le había bastado un segundo para borrarlas, devolviéndole a un estado animal. Espinosa atendió imperturbable a la exposición, especialmente cuando estuvo salpicada por pausas y titubeos. Al final, se guardó su orden y se encogió de hombros de una manera curiosa; su parte derecha quiso decir: bueno, qué se le va a hacer; y la izquierda: y qué es la vida sin emociones, y hoy no hace demasiado frío, y no me duele la úlcera, y de momento seguimos vivos.

—¿Así que alguien no ha observado el quinto mandamiento? —resumió.

—Por lo visto...

—Y no han sido los ruskis.

—No, mi sargento.

Espinosa asintió, se protegió del viento que corría inclemente y, tomándose su tiempo, sacó una cajetilla de tabaco de Filipinas, salvavidas proveniente de los suministros regulares que llegaban desde España y con el que eludían los infectos cigarrillos de las raciones alemanas. Encendió uno cubriendo la punta con las manos en forma de bocina y lo disfrutó con deleite moroso, envolviéndose todo lo que pudo en el humo. Arturo le observó; el sargento tenía un rictus perpetuo de mala hostia y una nariz ganchuda que le daban un aire de ir disfrazado de águila, y no pudo menos que envidiar su perfil corvado y cabreado: su amor por el tabaco era tan profundo que, aunque no fueras fumador, te apetecía hacerte.

—¿Quiere? —le ofreció la cajetilla.

—No, muchas gracias, mi sargento.

—¿Y un caramelo? —Espinosa se metió una mano en el bolsillo del abrigo—. Dicen que los *doiches* les ponen vitaminas.

—También dicen que les ponen bromuro.

El sargento sonrió, aunque más que sonrisa, parecía una lesión de carácter permanente.

—Con este frío no se nos empalma ni aunque nos pongan a la Lilí Marlén esa a cuatro patas. ¿Lo quiere o no?

—Sí, gracias, mi sargento.

Arturo cogió el caramelo y deslió el envoltorio. Lo chupó con fruición. Permanecieron así, hombro con hombro, cumpliendo puntualmente con uno de los deportes nacionales: mirar cómo trabajaban otros. Arturo apreció que los prisioneros laboraban con esa indiferencia o resignación característica de los rusos, como si todos sus antepasados prevalecieran sobre sus huesos, y éstos lo hubieran visto todo, incluso por ellos también.

—Mi bisabuelo y mi abuelo murieron de esto —comentó Espinosa de pasada, levantando el cigarrillo a medio consumir mientras expulsaba hilillos de humo por la nariz—. Mi padre también tenía el vicio y se planteó dejarlo. Al final lo vio claro.

—Dejó de fumar.

—No, qué va, vio claro que tenía que dejar de pensar en ello. Incluso cogió otro vicio más: la bebida. Sí, vicio que cogía, vicio que conservaba, el muy ganapán. Y claro, al final el cuerpo no aguanta. Con uno ya palmamos, imagínese con dos. Se quedó en los huesos; los gusanos tuvieron que comer mierda.

—¿Y hace mucho que murió?

—La tumba ya tiene musgo.

—Entonces ya hace.

Espinosa se parapetó tras una amarga sonrisa e incitó a los rusos a aplicarse más a la faena: «*Davai, Davai*». Arturo terminó el caramelo, dejando que su vista se perdiera en un cielo de plata oxidada. El sargento observó el perfil de Arturo.

—No le arriendo la ganancia, *teniente* —enfatizó el grado sin mala leche, refiriéndose al encargo del cuartel general.

—Es lo que hay.

—¿Y se puede saber por qué me ha metido en este Cristo?

En ese instante, Espinosa perdió los nervios entre maldiciones porque se le acababa de apagar el cigarro; Arturo observó cómo lograba prender de nuevo su punta con infinito esfuerzo. En el ínterin, racionalizó el irrefrenable impulso que le había llevado a pedirle su ayuda al teniente coronel: si había que hacer algo, más valía hacerlo de una forma ordenada, minuciosa, y ésa era una virtud de la que él carecía, pero que un hombre como el sargento, acostumbrado a manipular drogas y medicamentos, debía de poseer en abundancia. Arturo podía mirar de manera inductiva, con la imaginación, viendo el enano bajo la roca, pero previamente necesitaba dar con la piedra, y ahí entraba la mirada deductiva de Espinosa. No obstante, se dio cuenta de que había también otra razón, más solapada, inconfesable: Arturo identificaba al sargento con la seguridad, la solidez, es decir, la secreta filiación con la que todo huérfano asocia a determinadas personas: un padre. Lo resumió con una frase.

—Porque confío en usted, mi sargento.

Espinosa le miró duro, sin solemnizar demasiado su agradecimiento.

—¿Y usted por qué no se guardó toda la gloria en el Sslavianka? —inquirió Arturo a su vez.

—¿Le digo la verdad?

—Por favor.

—No había mucha gloria que guardar.

Acabó el cigarrillo con un par de profundas caladas y encendió otro con la punta del anterior.

—Oscurece rápido —dijo.

—Sí, mi sargento.

—Así que es usted de Extremadura, guripa.

—De Badajoz, mi sargento.

—Yo soy de Valencia. Tenemos el mismo sol.

—El mismo.

—¿Y usted qué cree?

—¿De qué?

—De todo esto.

—Que es cosa de algún loco.

—Aquí hay mucho de eso, aunque siempre es más fácil decir que estás loco y los demás que se jodan.

Arturo no supo interpretar la frase y, poniéndose la valija bajo un sobaco, palmeó los guantes para calentarse.

—En cuanto estudie los informes le diré más.

Siguieron observando unos instantes más a los prisioneros; entretanto, un grupo de soldados ociosos se fue apelotonando alrededor de los rusos, cumpliendo con el castizo talento patrio de aportar cien opiniones diferentes acerca de cómo manejar una escoba antes de ocurrírsele siquiera ponerse a barrer. Definitivamente, nadie adivinaría la fiereza con la que combatían por cada centímetro de terreno. La escena pareció darle una idea a Espinosa.

—Yo tengo una manera de cazar a ese cabrón sin dar un palo al agua.

—Pues no se lo guarde, mi sargento.

—Sólo tenemos que volver al río y esperar.

—Me acabo de perder.

—¿No dicen que el asesino siempre vuelve al lugar del crimen?

—No nos lo pondrá tan a huevo, mi sargento —se temió Arturo con una sonrisa.

—Bueno, entonces recemos, que buena falta nos hace.

—Sí. Y hemos de dar gracias porque podemos reducir el número de sospechosos. Ya no tendremos que investigar toda la Rodina.

—Sí, ahora sólo tendremos que investigar a toda la División —respondió Espinosa con una punta de acidez—. Aunque, si tenemos suerte, a lo mejor nos dan la Cruz de Hierro por esto.

—Con que no sea la de madera, me conformo.

El sargento sonrió, todo un espectáculo en su cara, aunque lo hiciera de la misma manera que puede bailar un lisiado.

Mientras, siguió anocheciendo.

Nubes titánicas. Apilándose unas sobre otras.

A gran altura.

Algo titiló finalmente en su interior.

3. Espíritus y cuerpos

Arturo salió del sueño de una manera gradual, como un líquido derramándose lentamente. Lo vago fue haciéndose preciso, concreto. Bostezó y se restregó los ojos un par de veces. Los ecos agudos del cornetín de órdenes del turuta habían comenzado a sonar de una forma desquiciante, capaces de destemplar al mismísimo Job, pero, por primera vez desde que llegara a Rusia, a Arturo la diana le dejó en la más absoluta indiferencia. Todavía permaneció un tiempo acostado, recreándose en su pereza, prácticamente hasta que los grandes lienzos de sombra comenzaron a descorrerse. El pequeño tabuco del que le habían provisto los jefes en el mismo edificio de la plana mayor, instalándole incluso una línea telefónica propia, y en el que, durante el tiempo que durase la investigación, haría vida al margen de sus obligaciones diarias, resultaba acogedor. No era más grande que una cofa colgada de lo alto de un mástil, y además debía disputarse el espacio con un catre, un banquetín, una pequeña cómoda, un lavabo y una mesita, pero resultaba suficiente para cubrir las necesidades espartanas de su vida. No obstante, echaba de menos el espacio colectivo del barracón, los silbidos, las toses, los ronquidos nocturnos... Porque el cuarto le resultaba angustiosamente privado: lo peor del silencio es que te deja oír las voces que hay dentro de ti. Sobre la mesita, junto al teléfono de baquelita negra, había una naranja, la misma que el día del Sslavianka no se había decidido a comer; estudió su belleza coloreada por soles lejanos, colmada de agua bajo su fina piel. Quizás no la había abierto porque mirar un color cálido siempre quitaba algo de frío. Terminó por levantarse y, tiritando, se acercó a la pequeña estufa con una cafetera encima que se agazapaba en una esquina del cuartucho. Ni siquiera se había desvestido, pero en Rusia daba igual lo que te pusieras, siempre parecía un hilo de ropa. Removió el carbón dejando al descubierto el corazón encendido de las brasas. «Echar una firmita», decían allá en su Badajoz natal, durante los duros inviernos sobrellevados a base de mantener braseros encendidos todo el día, removiéndolos con las badillas hasta reanimar el color y el calor de las brasas. Una melancolía íntima y pastosa que no le hacía nada bien le retrotrajo por el álbum de una memoria rectilínea hasta su ardiente Extremadura, lejana, purificada por el recuerdo. Porque esa noche había soñado con una tarde inmensa, soleada, de pequeño, yendo a bañarse al río. La fragancia evanescente que provenía de un bosquecillo que rodeaba el agua, los angostos caminos que serpenteaban entre los árboles. Había permanecido toda la mañana tomando el sol, jugando, y ahora sentía el agua fría y cálida hasta el estómago. Nadaba. Buceaba. Reía. Más tarde había ido a tumbarse sobre la hierba, para secarse al sol. Allí, tirado, sin hacer nada, feliz. Porque la felicidad era eso, no hacer nada, estar. La felicidad. El lejano fragor de los órganos de Stalin le devolvió a Rusia. Carraspeó y echó un vistazo por un ventanuco, descubriendo un vértice de la mañana. Debían de ser alrededor de las siete, en medio de uno de esos eternos amaneceres rusos que nunca concluían. Espió Mestelewo. Ocupando un lugar preferente tras su cristal, la fábrica de electricidad con su inmensa chimenea, que era respetada tanto por alemanes como por rusos, porque suministraba fluido a ambos, funcionaba ya a pleno rendimiento. Alrededor, también lo hacían los servicios divisionarios; pelotones en marcha, secciones antitanque arrastrando sus piezas, prisioneros rusos con sus capotes terrosos y sus trajes acolchados en dirección hacia cualquier punto asignado por la organización de trabajo alemana Todt, una máquina quitanieves levantando a su paso blancas oleadas... Se apartó de la ventana y encendió un candil de aceite, brotando un hilo de humo; una luz pequeña, de agonizar lento, proveyó de tenues matices y contornos a todo lo que le rodeaba. Observó el catre; había un par de libros sobre él. Sonrió. Esa noche había dormido con los pies en Lérmontov y la cabeza en Agustín de Foxá. Los ejemplares, en cuero repujado, procedían del servicio de préstamos de la División. Volvió a sonreír. Aquellas obras trataban sobre una larga lista de problemas existenciales, sin tener en cuenta que donde se hallaban debían arrostrar el más importante: cómo seguir existiendo. Sintió hambre. Cogió una caja de madera con el sello de plomo roto que había sobre la cómoda y volvió a sentarse sobre el lecho. Rebuscó con avidez en su interior. Era lo que le quedaba del aguinaldo de esa Navidad: un poco de turrón de Jijona, mazapán de Toledo, carne de membrillo, pasas, almendras... Cada vez que veía la caja tenía la sensación de estar exprimiendo un país ya agobiado por la escasez y las cartillas de racionamiento. El contrapunto tragicómico lo ponía el pedazo de periódico con que habían forrado el fondo de la caja; a medida que había consumido los productos, había ido haciéndose visible el texto de un anuncio central del *ABC:*

PARA ADELGAZAR
SABELÍN
COMPOSICIÓN DE HIERBAS MEDICINALES
No deja señales de la obesidad, conservando las carnes fuertes y sin arrugas
NUNCA PERJUDICA

En un país de Carpantas donde se soñaba a diario con langostas termidor y cocidos madrileños, resultaba poco menos que una broma macabra. Comió reconcentrado, sólo pendiente de sí mismo. Cuando terminó, se pasó la mano por el mentón, confirmando una barba de lija. Sobre el pequeño lavabo con palangana dispuso los instrumentos de la razón: qué gesto requería más temple y lógica que pasarse el filo de una navaja de afeitar sobre la piel. Durante el rasurado, y a pesar del mimo con el que había deslizado la hoja sobre el jabón, se hizo un pequeño corte, brotando una perla de sangre. Lo desinfectó y lo cubrió con un trocito de papel. Terminó de acicalarse frente a un espejito pasándose el peine con una mezcla de agua y fijador que dejó perfectamente igualado su cabello. Después se preparó un poco de café y con la boca aromatizada por el brebaje, volvió a sentarse en el catre y se acercó la valija con la documentación. Estudió los folios con atención, cumplimentados con eficacia por el capitán Joaquín Isart, aunque no exentos de abundantes faltas de ortografía que Arturo examinó con ojo clínico. En resumen, Luis del Águila, que así se llamaba el fiambre, había sido un alférez destinado al regimiento 262, estacionado en Krasny Bor. De veintidós años, natural de Baleares, había hecho toda la guerra con la segunda bandera de Falange pegando tiros por Extremadura hasta Toledo, y luego se había alistado para la División Azul en el banderín de enganche de Valencia. Llegado con el relevo de mayo, hasta la fecha no había borrones en su hoja de servicios, salvo un arresto por embriaguez. Su estancia en Mestelewo se había debido a una herida en el brazo, de la que ya había sido dado de alta, disponiéndose a regresar a su compañía. En Ibiza dejaba padres y una hermana. De momento, no había declaraciones de testigos, porque en medio de un río no suele haber nadie a quien interrogar. Acerca de hipotéticas huellas, la necesidad en Rusia de no quitarse los guantes ni para mear no dejaba abierta esa posibilidad. Y la búsqueda exhaustiva por los alrededores de algún objeto relacionado con el cadáver, enturbiada inevitablemente por la presencia previa de los soldados encargados de rescatar los caballos, había resultado negativa. Sobre el incidente de las cuadras que había provocado la fuga de los caballos, apenas había un inciso sobre una puerta de los establos abierta, sin más explicaciones. El resto del informe se completaba con anotaciones rutinarias sobre la posición y características del muerto, escuetos testimonios de Espinosa y él mismo, hora de su hallazgo y conclusiones particulares.

Arturo memorizó todos los detalles, especialmente la hora, las once y cuarto, y acto seguido completó el cuadro con su propio recuerdo. La primera conclusión a la que pudo llegar era que el capitán Joaquín Isart escribía muy mal. La segunda, que el finado era un tipo ordinario inmerso en circunstancias extraordinarias, como todos. Metro y medio de tierra, una cruz de abedul y, sobre ella, un casco de acero. Ahí se acababa la historia. Supuso que la muerte sería notificada a unos padres abrumados por el dolor como una heroica baja en combate. Si en España se supiera que en la División había un asesino se armaría la marimorena, y no estaba el horno para bollos. A continuación se concentró en las fotos. Un rostro alargado, con unos ojos oscuros sobrevolados por una ceja única y cierta mansedumbre en su fisonomía. Un tipo normal. Lo único que le llamaba la atención era el toque artístico que destilaban las imágenes. Éstas se sucedían en un orden original, estableciendo ritmos, concentrándose en diversas partes del cuerpo, trabajando sobre ellas, rozando casi su transformación. Revisó el informe de la autopsia. Lo leyó hasta tres veces con una concentración intensa. Luego dejó los papeles y se recostó ligeramente en el catre, aplicando la luz de la razón a lo que tenía. Cómo, dónde, cuándo, por qué, y la suma de todo: quién. El cómo resultaba evidente, un tajo de oreja a oreja ejecutado de una forma limpia, premeditada. El dónde se presumía que en el río, pero, según la autopsia, no quedaba una sola gota de sangre en el cuerpo, y por lo que recordaba Arturo, la que había sobre el uniforme era escasa, por lo que probablemente le habían degollado en otro lugar —no obstante, y aunque no significara nada, los sucesivos registros de los acantonamientos no habían procurado ninguna certeza—. El cuándo sería hacia las ocho de la tarde-noche del 27 de enero, porque según el informe del médico, Luis del Águila llevaba muerto unas quince horas. Respecto al porqué, bueno, salvo el dinero —se había encontrado en sus bolsillos parte de la paga—, debería usar los motivos de toda la vida: odio, envidia, venganza... Y, finalmente, la estrella de la función: quién. Suponiendo, por el mensaje grabado en su cuello, que no habían sido los rusos, y estirando esa suposición lo suficiente para que la presunción fuese en singular, es decir, que sólo hubiera un culpable, el asesino, un criminal con aparentes inclinaciones religiosas, debía de encontrarse entre las más de dieciocho mil almas que conformaban la División, almas que estaban desperdigadas a lo largo de un frente de veintinueve kilómetros. Arturo tosió con fuerza y llenó con idéntico ímpetu sus pulmones. Cogió los informes y volvió a leerlos una vez más, pero el contenido no había cambiado.

Todo continuaba siendo relativo; todo menos el muerto, que era absoluto. Comenzó a abrir vías de investigación. Lo primero sería encargar a Espinosa que se hiciera con los enseres personales del muerto que, según el informe, se custodiaban en las dependencias de la gendarmería, y para ello realizaría una llamada al capitán Joaquín Isart. Lo segundo, habría que examinar las listas de los banderines de enganche para informarse de aquellos miembros de la División que tuviesen antecedentes penales o hubieran cometido actos de similar violencia, y para ello requería la cooperación de la Segunda, es decir, del comandante Reyes Zarauza. Lo tercero, hacerle una visita al doctor, para contrastar de una manera directa las notas de la autopsia. Lo cuarto, habría que investigar hábitos y rutinas de la víctima para acotar una zona de sospechosos; a tal fin, y teniendo en cuenta que los victimarios suelen encontrarse siempre en un radio estrecho alrededor de ella, deberían interrogar a todos aquellos amigos o conocidos siguiendo una lógica concéntricamente expansiva. Arturo titubeó unos segundos en el siguiente paso a tomar, pero al final se guardó aún de depender de las tiradas de dados y decidió que los caballos en la nieve le daban ese toque surrealista que más adelante exigiría un salto intuitivo, una manera lateral de pensamiento. De momento, sólo había lugar para el trabajo benedictino y la cuarentena de juicios, y en esa dinámica, no sería mala idea interesarse por los encargados de los establos y esa puerta casualmente abierta, porque sabía por experiencia que, cuando hay muertos de por medio, las casualidades no existen. Y, teniendo en cuenta la peculiaridad de las fotos, no se olvidaría del fotógrafo; éstos poseían una mirada experta, dotada de más profundidad que la media, y a lo mejor podría haber visto algo que se le hubiera escapado. Resumiendo: era hora de dejar de ver los toros desde la barrera.

Arturo hizo las llamadas pertinentes poniéndose en contacto con la Segunda y con la gendarmería. En Información pudo hablar directamente con el comandante Reyes Zarauza, que, contra lo que suponía, no puso ninguna objeción a sus peticiones; sus formulaciones a la gendarmería tuvieron que ser notificadas a segundos, pues el capitán Joaquín Isart se hallaba fuera. Cuando estuvo seguro de que sus requerimientos quedaban claros, recogió todos los papeles, guardándose una de las fotos. Se vistió de invierno, se embadurnó la cara de crema Nivea para prevenir las quemaduras provocadas por la nieve, se calentó la mirada con la naranja por última vez, y se enfundó una Tokarev tomada a los rusos como recuerdo, mucho más manejable en aquel cometido que un máuser. Luego salió al paisaje omnicomprensivo de Rusia.

La perspectiva de tiza le deslumbró unos instantes. Respiró por la nariz para evitar que el aire congelado entrase sin filtrar en sus pulmones. Cuando pudo enfocar la vista de nuevo, se entretuvo contemplando más allá del dibujo del río, sobre las armonías tonales de los árboles que aparecían y desaparecían entre la nieve, las cúpulas bulbosas del monasterio de Molewo. Era consciente de que no se hallaba tan feliz desde tiempos casi legendarios; su carácter obsesivo, neutralizado temporalmente por las obligaciones lineales del Ejército, y que tanto le hacía sufrir, encontraba un sucedáneo equivalente en aquel trabajo, permitiéndole entregarse a él con la dedicación de un mártir. Siguió la pretensión teórica de su plan y, tras emplazarse con Espinosa, le hizo una relación nominal y numérica de los hechos, resaltando las vigas maestras del caso. Hizo especial hincapié en que le tomase el pulso a las reacciones que había suscitado la muerte en su compañía. Posteriormente se ocuparían de espigar los testimonios. Repasaron todas sus instrucciones y se despidieron. Se encaminó hacia el hospital de campaña, donde se hallaba el cadáver de Luis del Águila. Al tiempo que andaba, dando puntapiés a la nieve, rememoró que, según el dossier del cuartel general, el encargado de practicar la autopsia había sido el capitán médico Alfredo Larios, un facultativo con experiencia en el Anatómico de Madrid, así que habían tenido suerte. El *Feldlazarett* de la *Blau,* como decían los alemanes, estaba instalado en un casón de dos plantas con un frontis de madera y una docena de chimeneas en lo alto de su tejado a cuatro aguas. A la entrada, lo primero que le recibió fue el olor fúnebre, hostil, de los antisépticos. En su caldeado interior interrogó a uno de los sanitarios acerca de dónde podría encontrar al capitán, y éste le condujo a través de la nave central hasta una sala abarrotada de camas y literas, señalándole una cama esquinada, al fondo. Sobre ella, inclinada, distinguió la espalda de una bata blanca. Arturo agradeció la ayuda y recorrió los pasillos flanqueados de enfermos, heridos y amputados; toses arruinadas, lamentos, gemidos... En toda aquella moribundia había tal aglomeración de dolor que éste acababa neutralizándose entre sí. Terminó por situarse inmediatamente detrás del capitán, quitándose el casco; no quiso interrumpir su trabajo y éste tardó unos segundos en darse cuenta de su presencia. Habló sin mirarle, fingiendo que había sabido todo el tiempo que estaba allí.

—¿Sí?

—Se presenta el soldado Arturo Andrade, mi capitán. Vengo a ver el cuerpo del alférez Luis del Águila.

—Ya me habían avisado. Aguarde un momento.

Larios estaba terminando de ponerle una inyección a su paciente. Con un gesto eficaz, el capitán extrajo la aguja y colocó su mano en la frente del herido. A continuación se encaró a Arturo. Éste pudo observarle con más detenimiento. El galeno era un tipo serio, de mediana estatura, con unos ojos grandes y pelo espeso, áspero, entreverado de mechas blancas a pesar de su relativa juventud. Parecía una de esas personas que no daban ningún paso sin antes haberlo repensado mucho, carentes de reacciones reflejas, pero, inesperadamente, Larios comenzó a hacer un gesto veloz con su mano a la altura de su oreja, como si estuviera espantando moscas. Arturo permaneció quieto, desconcertado, mientras el médico se detenía, le observaba con un mohín interrogativo en su rostro y volvía a abanicarse la oreja con violencia. Arturo no supo a qué atenerse y mantuvo una actitud de sota.

—Tiene espuma en la oreja —le dijo Larios al fin.

Arturo, en un signo de adolescencia, se puso coloradísimo y pellizcó repetidas veces el lóbulo para hacerla desaparecer. El capitán, como si con la prevención hubiera agotado su obligada cuota de cortesía, volvió a una atención abstracta, sin destinatario.

—Sígame, tenemos poco tiempo y mucho trabajo.

Sin más preámbulos, le guió por la sala hasta un corredor adyacente que avanzaba flanqueado a ambos lados por una hilera de puertas, hasta detenerse en la tercera a la izquierda, una puerta de vaivén que, tras meter las manos en los bolsillos, abrió con el hombro. Cuando Arturo le siguió, entendió al instante la causa de su gesto friolero: la temperatura había descendido bruscamente. El vaho que de repente brotó de sus bocas marcaba la frontera del país de Thánatos. No era una morgue al uso, sino una habitación donde sencillamente no habían encendido estufas.

—Ahí le tiene.

El lacónico comentario de Larios había sido precedido por el *clic* que prendió una lámpara scialítica, imponiendo su luz en toda la habitación, y una elevación de barbilla apuntando a una camilla especial situada en el centro de la estancia. Sobre ella, cubierto por una sábana que le confería proporciones fantasmales, yacía el cadáver de Luis del Águila. A Arturo no le impresionó ni la tétrica sala ni su morador; únicamente experimentó un sentimiento fronterizo con la tristeza, mezcla de melancolía y fatalidad, al ver los pies que asomaban bajo la sábana y, en concreto, la etiqueta anudada en el dedo gordo del izquierdo. El médico se lavó las manos en una pileta con grifo a pedal y se acercó a una bandeja metálica repleta de gasas, bisturís, tijeras... de la que, tras enguantar sus manos, eligió uno de sus brillantes bisturís. Se aproximó a la camilla situándose en su lateral, justo a medio camino entre la cabeza y los pies del cadáver, y levantó con cuidado los bordes de la sábana, sin llegar a desvelar todavía su arqueología funeraria. Tras un titubeo, Larios terminó de descubrir el cuerpo y se limitó a sondear la reacción de Arturo con un interés suave, subliminal. Éste mantuvo su cara de mueble: el médico se había tomado la molestia de suturar el cuerpo, dejando sobre su torso una enorme cremallera en forma de Y. Se encallaron en un silencio embarazoso; los instantes de transición siempre son incómodos, sobre todo si hay que pasar de la urbanidad al asesinato.

—¿Qué me puede contar, mi capitán? —resolvió Arturo.

—¿Ha leído el informe?

—Unas cuantas veces, pero querría oírlo de su boca. A veces se pasan cosas por alto.

—¿Qué es lo que quiere saber?

—Hágame un resumen de lo que ha sacado en claro.

—Pues, básicamente, que este hombre ha muerto debido a un degollamiento con herida punzo-cortante...

Larios se detuvo, quedando en suspenso mientras observaba el escalpelo con fijeza. Arturo intuyó que era propenso a esas intermitencias.

—O sea —enlazó el doctor como si hubiera salvado un brusco corte de energía—, que ha muerto por un corte longitudinal profundo, efectuado de izquierda a derecha con un instrumento cortante, presumiblemente un cuchillo de hoja muy afilada —Arturo comprendió que había estado buscando un enfoque más profano—. El corte, en el lugar donde coincide con la punta del arma, es tan profundo que llegó a arañar las vértebras cervicales. No creo que le diera tiempo a gritar, porque le seccionó las cuerdas vocales y la tráquea. Con la carótida y la yugular abiertas, la pérdida de sangre fue masiva, así que nuestro hombre debió de morir en el acto.

—Así que conserva la cabeza de milagro.

—Sí, la cuchillada fue profunda; cortó músculos, vasos... Lesionó incluso las vértebras.

—¿Es obra de un profesional?

—Eso depende de lo que entienda por profesional. Es un corte continuo, sin dilaciones. Y la víctima no tiene cortes en los antebrazos, lo que indica que no se defendió...

—¿Me puede aclarar eso, mi capitán? —le interrumpió Arturo.

Larios recorrió con su escalpelo la longitud del brazo del muerto.

—¿Ve? Ni un rasguño. Si alguien te ataca con un cuchillo lo más natural es un movimiento defensivo, habitualmente interponiendo los brazos...

—Muchas gracias, mi capitán, puede continuar.

—Como le decía, todo esto indica que o se dejó matar o el asesino le sorprendió.

—¿Y usted por qué opción se inclina?

—Más bien por la segunda. Es un tipo delgado, pero muy fuerte, no creo que se dejara, y teniendo en cuenta la dirección de la degolladura, lo más probable es que el victimario le atacara por la espalda.

—Para hacer eso se requiere una persona con sangre fría.

—En otro sitio, no sé, pero aquí puede estar hablando de cualquiera.

—Sí, es probable. ¿Qué más puede decirme, mi capitán?

Larios movió el bisturí arriba y abajo.

—El contenido del estómago no reveló nada extraño. Restos de la comida del día y el alcohol habitual en estos casos. Por lo demás, tenía el hígado algo machacado, pero pertenecía aún a los curasolas.

—¿Curasolas?

—Sí, hay dos tipos de enfermedades: las que se curan solas o con antibióticos y las que no las cura ni Dios.

—Ya... Muy joven para ser alcohólico, ¿no?

—Si yo le contase... —la condescendencia atravesó su rostro en finas e innumerables líneas.

—Me imagino —cuadró maquinalmente el dato de la dipsomanía con la información que le había proporcionado Espinosa, y lo arrambló junto con el resto de calderilla indagatoria—. ¿Y había algún detalle que nos pudiera ayudar? ¿Marcas? ¿Huellas?

—Salvo la herida en el brazo que le causó la baja, nada —se envaró un poco; su voz jugó con un tono especulativo—. Aunque eso puede servirle.

—¿El qué?

—Que no haya nada.

—¿Cómo puede ayudarme eso?

—No tenía abrasiones, en ningún lugar.

—¿Y?

—Indica cómo lo movieron.

Arturo se olió la tostada.

—O sea que no lo arrastraron.

—Lo más cabal.

—Eso no venía en el informe, mi capitán —hiló con un finísimo matiz de reconvención.

Larios no respondió, pero sus grandes ojos se cargaron de severidad recordándole que la artesanía moral de su estoicismo era engañosa. Arturo hizo un gesto apaciguador, una señal animal de sometimiento y retroceso mucho más efectiva que las reglamentarias. Eso le dio tiempo para que su lógica entrelazase de inmediato los caballos con Luis del Águila: podían haber utilizado un animal para mover el cuerpo, lo que a su vez podría ser un indicativo de que el autor había actuado solo. Era un dato cardinal, aunque no definitivo, porque los caballos descartarían cómplices siempre y cuando el autor del crimen no fuese lo suficientemente hercúleo o la distancia a recorrer considerable. Eso entre otros cientos de posibilidades. «Depende, todo depende», pensó Arturo. Se limitó a registrar mentalmente las nuevas balizas del caso y continuó usando a Larios como una especie de médium para tantear el pasado.

—He leído en su informe que la hora de la muerte del alférez Luis del Águila fue hacia las ocho de la tarde.

—Aproximadamente.

—Bien, la precisaremos con los testigos. También he leído que en el cuerpo no había una sola gota de sangre. Ni dentro ni fuera.

—En efecto.

—¿Puede extenderse un poco más?

—No hay mucho que explicar. Cuando se produce una herida así, el plasma sale muy, muy rápido. Prácticamente es un surtidor de sangre.

—¿Cuánto puede tardar una persona en desangrarse?

—Si el chorro es constante, minutos.

—Es decir, que a su alrededor habría una verdadera inundación, un lago de sangre.

Larios torció el gesto y se volvió marrajo, reservón. Arturo le dejó reflexionar mientras jugaba con el filo de su casco. Al cabo, el galeno tradujo los hechos a un dato sin emoción.

—Es evidente.

Arturo comprendió que hablaba ya desde muy lejos detrás de las palabras, que había perdido interés.

—Siento aburrirle con toda esta reiteración, mi capitán, pero, si me permite una mala comparación, el jamón, para que sepa como está mandado, debe cortarse fino, cuanto más fino, mejor, ¿me comprende?

Larios continuó represado en sí mismo, como buscándose.

—¿Cómo puede ser que la sangre haya desaparecido? —insistió Arturo—. No tiene explicación, o sí la tiene y sólo nos quedará afilar las estacas.

Inesperadamente, Larios se paró allí donde se encontró.

—No sea lerdo, soldado, ¿no creerá que hay un vampiro en la División?

—Ya no sé qué creer.

—Que no hubiera sangre sólo significa que fue degollado en otro sitio.

—Pero las batidas y los registros no sirvieron para nada.

—En Rusia lo que sobra es espacio para hacer un San Martín.

Arturo se situó entre la neutralidad y el pesar y recordó la mínima corbata de cristales de sangre que manchaba el cuello de Luis del Águila.

—Cuando antes le pregunté por la cantidad de sangre, era por algo, mi capitán. El uniforme de Luis del Águila apenas estaba manchado. He estado considerando una idea, pero necesito que usted me la confirme: ¿cree que, inclinando el cuerpo y mediante la presión de escape de la sangre, se podrían evitar las salpicaduras?

—¿Quiere decir en decúbito prono? —inquirió Larios inclinándose hacia delante, cubriendo su cuello con la mano.

—Sí.

Larios volvió a incorporarse; no mostraba expresión alguna, pero tenía una arruga nueva en el entrecejo. Arturo no recordaba que siempre hubiera estado allí.

—En absoluto —categorizó.

—De acuerdo, probemos otra cosa. ¿Y si alguien le hubiese golpeado previamente, desnudado y matado y luego lo hubiera vuelto a vestir?

El galeno negó crédito a su teoría.

—Le recuerdo que no había signos de lucha; ni marcas en el cuerpo ni señales en las muñecas.

—¿Y si le sorprendió ya desnudo?

—¿Usted conoce a alguien que se haya quitado el uniforme desde que llegó aquí? —arguyó Larios con un trazo de ironía.

—Podrían haberle obligado a desnudarse. Es verosímil.

—¿Y luego dejarse matar como un conejo? Sí, es verosímil... Cualquier cosa lo es mientras no se demuestre lo contrario. Incluso que existan los vampiros.

El asunto pareció hacerle gracia y en sus labios hubo un prólogo de sonrisa. Guardaron silencio; no era un silencio amistoso, pero al menos parecía profesional. Arturo estudió al capitán; su oficio, al igual que su temporal encargo, se basaba en deshacer nudos para comprender los procesos, y en esa empresa, a veces, lo más fructífero no era buscar obcecadamente las respuestas, sino encontrar las preguntas adecuadas. Procuró continuar con el examen antes de que Larios decidiera poner de nuevo su atención en la luna de Valencia.

—Capitán, tiene usted que ayudarme. En cuanto a Luis del Águila le planten una cruz encima habremos empeñado no pequeña parte de nuestras posibilidades de encontrar a su asesino. ¿Qué me puede decir de la frase grabada en su piel?

—«Mira que te mira Dios»... —rememoró unos instantes con ese aire de los médicos de estar pensando en lo que escriben cuando recetan algo—. Eran trazos muy finos, hechos con un instrumento afilado... No sé, no puedo asegurar mucho más.

Larios se encogió de hombros y volvió a cubrir el cadáver con exquisito cuidado. Luego se quedó contemplándolo unos segundos hasta que se sincronizó con la realidad. Arturo adivinó que para el capitán toda aquella investigación era puro bizantinismo tejido en torno a un mundo y unas circunstancias crudamente prácticas. Su desidia no era tanto tristeza o abatimiento como cansancio de alguien que ha trabajado demasiado durante demasiado tiempo. «Para qué preocuparse por un muerto, cuando hay millones matándose.»

—Si al menos hubiera motivaciones... —se condolió Larios, inesperadamente.

Arturo agarró con rapidez el cabo.

—¿A qué se refiere?

—Sí, tendríamos más agarraderas.

—¿Qué me quiere decir, mi capitán?

Larios bajó el tono, como ahorrando energía.

—Motivos, causas... Mire, guripa, la frontera entre la demencia y la cordura es muy fina, mucho, y en el frente nosotros estamos más cerca que la mayoría de la gente —la cara de Arturo pidió una explicación—. Sí, aquí no hay medias tintas, todo se vuelve extremo, la ley se deforma, y un hombre sin ley es sólo instinto.

—¿Dónde quiere llegar, mi capitán?

—Quiero decir que espero por su bien que su asesino se mantenga cuerdo y tenga motivos. Porque si no, no lo atrapará jamás.

—Todo el mundo tiene un motivo, mi capitán. Hay tantos motivos como personas.

Larios chasqueó la lengua, se pasó la mano por sus cabellos encanecidos y se restregó los ojos. Habló sin titubeos.

—¿Usted sabe por qué no cogieron nunca a Jack el Destripador?

Arturo pensó que a Larios se le habían saltado los plomos.

—No, no mucho.

—Yo estudié el caso, mera deformación profesional. Y llegué a la conclusión de que no lo cazaron porque mató sin motivos; despiadadamente, pero sin motivos. Mató por matar, porque le gustaba hacerlo. Seguía su instinto, que no es diferente del de cualquiera de nosotros. Cuando el Destripador utilizó por primera vez su cuchillo...

«Inauguró el siglo XX, un siglo que bautizó con sangre», improvisó mentalmente Arturo tras comprobar que Larios se había extraviado en su lógica.

—... Pues eso —atrapó Larios al vuelo—, que se jorobó todo.

El aliento gélido de sus respectivas respiraciones se entremezcló creando espectrales figuras en el aire.

—Sin embargo —se corrigió Alfredo Larios tras sopesar sus pensamientos—, a lo mejor hay suerte. ¿Recuerda que antes le comenté que el corte había sido tan profundo que había arañado las vértebras cervicales?

—Lo recuerdo.

—Eso puede indicar algún tipo de pasión. Y una pasión siempre es una razón. Busque por ahí. Aunque lo hubiera planeado todo con frialdad, a lo mejor se le fue la mano a la hora de ejecutarlo. No se hace tanto destrozo así como así.

Arturo vaciló antes de hacer la pregunta, pero acabó decidiéndose.

—Disculpe lo que le voy a decir, mi capitán, pero es mi deber. ¿Dónde estaba usted el día de los hechos?

—¿Y usted? —le respondió algo mosqueado.

—Entiéndame, mi capitán.

De repente, su entrevista se vio tácitamente interrumpida por el distante pero creciente rugido cascado de la Parrala. Ése era el mote con que los guripas habían bautizado a los Stormovik. Arturo pudo imaginarse perfectamente las figuras de los monoplanos soviéticos que, en formación de cuña, aparecían por sorpresa ametrallando y bombardeando a todo bicho viviente. Arturo sintió los latidos de su corazón como detonaciones; no era exactamente miedo, sino una forma de expectación. Larios, sin embargo, sobrellevaba la tensión con desapego, como un reloj dentro de una nevera. Por fin, los cazabombarderos cruzaron en falso la vertical de Mestelewo respetando temporalmente aquel accidente llamado existencia humana. Arturo intentó continuar la charla con un par de preguntas menores, pero Larios ya no se creyó parte necesaria en la conversación, guardando silencio. Se acercó hasta la bandeja, posó el bisturí en su interior y se desenguantó con parsimonia las manos. Le encaró sin animadversión.

—Por si quiere comprobarlo, el día de los hechos estaba aquí, trabajando. ¿Dónde si no?

—Le agradezco la aclaración, mi capitán.

A continuación comenzó a oírse un temblor remoto, amenazante; un retumbar sincopado, como si un gigante estuviese golpeando la tierra con un martillo. Arturo estudió a Alfredo Larios con la misma atención con que le estudió él. El ruido, a medida que iba aproximándose, provocó que los instrumentos amontonados en la bandeja metálica comenzaran a saltar con un sonido de monedas. Como siniestro contrapunto, el mugido de la Parrala sonó de nuevo; cerca, cerca, cada vez más cerca. Larios y Arturo salieron sin apresurarse para no propagar un pánico innecesario, y el capitán empezó a ladrar órdenes secas que provocaron que sus cuerdas vocales se dibujaran en su cuello. Arturo no aguardó a ver los resultados de su gobierno y salió al exterior. Los árboles temblaban con cada pepinazo de la artillería rusa, desprendiéndose de la nieve acumulada. Buscó con premura la entrada de uno de los búnkers. Los Stormovik, complementando la acción destructora de los cañones, comenzaron a sembrar el suelo de balas, para luego alzar el morro, elevarse virando velozmente a la izquierda, y descender de nuevo soltando sus racimos de bombas. Hongos de fuego y humo, remolinos de nieve y tierra; llamaradas, fogonazos, resplandores. Arturo fue aislando pequeños episodios en aquel aluvión de acontecimientos. Una explosión horrísona, retumbante, levantó por los aires a un soldado, que cayó de bruces como una marioneta a la que alguien hubiera soltado los hilos. Otro disparaba a cero su ametralladora contra los aviones. Los camilleros se jugaban la vida entre cráteres y cadáveres. Al tiempo que era testigo de todo aquello, Arturo fue capaz de desentrañar la dialéctica eternamente circular de la guerra, un violento diálogo que terminaba en las baterías antiaéreas paridas por los bombarderos, y en el búnker, hijo bastardo de la artillería. En medio de tales cavilaciones, se escuchó un silbido; uno de tantos que precedían al estallido de los obuses. Pero Arturo supo que éste era distinto. El zumbido fue aumentando; un siseo que se aproximaba poco a poco. Arturo se resguardó en el búnker, se ajustó el casco, abrió la boca para que la explosión no le reventara los tímpanos. Era todo lo que podía hacer. Absolutamente todo.

Un silencio.
Más alto que un grito.

Y luego todo fue luz, fuego y carne quemada.

La embestida rusa empezó a escampar, pero a sus espaldas había dejado un panorama maltrecho y desangrado. Mestelewo se comportaba como un erizo tras el peligro, desenroscándose progresivamente, al tiempo que las ambulancias Steyr se movían alocadamente recogiendo soldados con rosetones de sangre: en la cara, en el pecho, en el vientre... Arturo logró salir con esfuerzo del búnker deshecho; tosiendo, jadeando, medio chamuscado. Tras él, le siguió una fila de hombres en idénticas condiciones. Se movió con precaución entre el desastre. Los incendios lanzaban oleadas de reconfortante calor creando un microclima tropical. Todavía algo aturdido, se sentó en el borde de una rueda de camión medio quemada. Tardó un buen rato en recuperarse. Tantos muertos en tan poco tiempo... Seguía siendo incomprensible, pero también enfermizamente fascinante. La visión de la nieve, una nieve ya no blanca, sino roja de sangre y negra de pólvora, hizo que tuviera la desagradable sensación de recordar que había olvidado algo. Parpadeó con fuerza. Se pasó la lengua por los labios cortados por el frío. Poco a poco pudo ir cerrando el radio de acción de su lógica hasta centrarse en ciertas palabras que había dicho el capitán Larios: «¿Usted conoce a alguien que se haya quitado el uniforme desde que llegó aquí?». Al contacto con la visión de la nieve sucia, el chispazo en su cabeza fue inmediato. Comenzó a recorrer los linderos que el asesino había transitado con anterioridad, y segundos después se dirigía a toda máquina hacia el hospital, mezclándose con la riada de carne abierta que fluía hacia sus puertas. Localizó la cabellera grisácea de Alfredo Larios en uno de los ángulos de la sala; de pie, muy erguido, tenía un algo de oficial a bordo de una nave que se hunde irremediablemente pero que, aun así, continúa dando órdenes inútiles y heroicas. Se fue directo hacia él sabiendo que su conducta era irregular. Por la mirada que desenvainó cuando reclamó su atención, también el capitán lo pensó, por lo que Arturo utilizó la única forma de que disponía en ese momento para neutralizar su ira: la decisión.

—Mi capitán, ¿estaba limpio o sucio?

—¿Qué? —su irritación se vio quebrada por una actitud desorientada.

—El cuerpo de Luis del Águila, antes de hacerle la autopsia, ¿estaba limpio o sucio?

Notó en sus ojos un signo de interrogación, dudaba qué respuesta dar. Arturo le metió prisa, como si fuese él quien tuviera que atender aquel moridero.

—Sí, lo estaba —decidió Larios ovinamente.

—¿Sí estaba qué, limpio o sucio?

—Limpio, limpio...

Demasiadas pocas palabras para todo lo que dijo. Arturo se despidió con unas apresuradas gracias y, antes de que Larios reaccionase, se largó por donde había venido. En el exterior, volvió a sentir el soplo cálido de las llamas. Respiró profundamente, dejando que el aire caliente llenara sus pulmones. «Qué hijo de puta», masculló. Ya tenía la prueba de que el asesino había cometido el asesinato mucho antes de ejecutarlo. «¿Usted conoce a alguien que se haya quitado el uniforme desde que llegó aquí?» Porque sólo había un lugar donde se cumplían los tres requisitos del crimen: hallarse desnudo, que la sangre pudiera desaparecer sin dejar rastro y que la víctima se encontrase desprevenida. Las duchas. Así de sencillo. Así de perverso. Todo indicaba premeditación, alevosía, nocturnidad... y lo que pudiera ocurrírsele o inventar el abogado de turno. Afortunadamente, había dejado de moverse en el terreno de las incertidumbres y acababa de entrar en el de las probabilidades. Intentó un perfil temporal. El victimario debía de conocer los hábitos del muerto, o al menos haberle sometido a una vigilancia frecuente que le brindó la ocasión para ejecutar sus planes, lo que implicaba que bien podía formar parte del acantonamiento de Mestelewo. También era demasiada coincidencia que, entre todas las cuadras dispersas por el campamento, la única puerta reventada perteneciese a un establo cercano a las duchas, así que, presumiblemente, había utilizado uno de los caballos para trasladar el cuerpo hasta el Sslavianka, distante de éstas un buen trecho. Tenía que ser también un tipo fuerte, por la profundidad del corte. A su vez, que fuese capaz de considerar una enorme suma de factores y elegir un procedimiento que, por simple y efectivo, rozaba la genialidad, así como de aguardar el tiempo necesario para que Luis del Águila se desangrase por completo, indicaba alguien cerebral, paciente, metódico. Lo que no acababa de acoplarse a su teoría era la fantástica estampa del río, así como la frase grabada en su pecho. Y la sangre..., ¿por qué correr un riesgo innecesario esperando a que el muerto se vaciase por completo? Un discurso coherente con las apariencias indicaría una manera de matar simbólica, profunda: con mensaje. No obstante, procuró no colocar prematuramente rejillas de intereses que impostasen su razón ni balizasen sus opiniones. Ahora lo fundamental era que el comandante Reyes Zarauza examinase con lupa los antecedentes de la División. De momento, eso sería todo; le gustaba avanzar como las arañas: dos patas en el aire, seis en el suelo. Volvió a tener presente la rígida y fría realidad, y en un ángulo del desastre, sobre un fondo de árboles ardiendo como gigantescas teas, distinguió lo último que esperaba ver en aquel lugar. Una especie de portal de Belén eslavo en el que un grupo de prisioneros rusos, de altos pómulos y ojos oblicuos, con más carne que ropa, permanecía mirando obsesivamente a una mujer que daba de mamar a un bebé. Arturo se maravilló de la terquedad biológica de la vida, enmarañando sus raíces, siempre con anhelo de inmortalidad. La madre, una mujer huesuda, con el rostro comido por el hielo y un cuerpo seguramente agobiado por los partos, mantenía una actitud dulce y primitiva mientras, sentada en la nieve, apoyaba a su hijo contra un pecho escuálido. La escena resultaba idílica salvo por uno de los hombres; Arturo adivinó por el temblor de sus hombros que estaba llorando. Algo no iba bien. Se acercó un poco más y entrecerró los ojos. Súbitamente, comprendió la causa del llanto: el bebé estaba muerto. Al poco, una de las mujeres del grupo se inclinó hacia la desdichada y logró separarla del cuerpecito con fórmulas consoladoras. Arturo vio cómo dos gotas de leche caían del pezón de la mujer y resbalaban lentamente siguiendo la forma ovalada de su pecho hasta quedar detenidas, cristalizadas por el frío. Otro de los hombres le abrochó los botones de la blusa. «La muerte no es algo que le ocurra a uno al final de la vida», pensó Arturo. Aunque, tanto como la magnitud de la tragedia, le impresionó la manera como la sobrellevaban. No había llantos destemplados, ni mujeres prorrumpiendo en alaridos histéricos, siendo silenciadas por otras con rapidez; pero, sobre todo, los ojos de aquella madre no reflejaban únicamente el abatimiento y el dolor, sino también una lejana, serena decisión de admitir lo inevitable, y se le ocurrió que sería imposible ganarle una guerra a un pueblo acostumbrado de aquella manera al sufrimiento. De repente, sintió que alguien le tiraba del uniforme y miró a su derecha. No había nadie. Un segundo tirón le advirtió de que su interlocutor se hallaba a la altura de su cadera. Al mirar se encontró con un pequeño duende que le observaba con fijeza; un crío ruso cubierto de harapos, un *malenki,* de ojos indescifrables, intensos, pero no hostiles. Le observaba con los labios entreabiertos, mostrando unos dientes con una gran abertura entre sus incisivos; posiblemente se había extraviado en el desbarajuste del bombardeo. Unas botas tres tallas más grandes le hacían parecer un joven Charlot.

—*Ñe mogu naiti mamu* «No puedo encontrar a mi mamá» —le informó el crío con seriedad.

—*I gdie byla tvoia mama?* «¿Y dónde estaba tu mamá?» —preguntó Arturo.

El niño señaló unas isbas derruidas. Arturo blindó su expresión contra cualquier compasión. Pensó en la cruel paradoja de la que era testigo: una madre que acababa de perder a un hijo, un hijo que acababa de perder a su madre.

—*Kak tiebia zovut?* «¿Cómo te llamas?».

—*Alexsandr.*

—*Jorosho, Jandrito, jochesh idti mamu iskat'?* «Bien, Jandrito, ¿quieres que vayamos a buscar a tu mamá?».

—*Da, no vo pervych mñe nado pisat'* «Sí, pero primero necesito hacer pis».

—*Poidi so mnoi. No ty ne dostatochno velik, chto by odin poiti?* «Pero ¿no eres mayorcito para ir tú solo?» —le preguntó sonriendo.

—*Ñet* «No».

Y empezó a hacer extrañas contorsiones con una mano en la entrepierna.

—*Nu, jorosho* «Bueno» —se rindió Arturo.

Le cogió de la mano y le llevó cerca de una de las hogueras para que no sufriese riesgos de congelación.

—*Vot zdies* «Aquí».

El chaval asintió y trasteó con los pantalones, quedándose a esperar el chorro. Se meneó hacia delante y hacia atrás como agitando el depósito, sin lograr expulsar ni una gota.

—*Shto s toboi?* «¿Qué te pasa?» —se interesó Arturo.

Al rostro de Alexsandr acudió una expresión rara, como si por equivocación se hubiera metido en la boca algo no de su gusto.

—*Ñe mogu* «No puedo».

—*Ono i vidno* «Ya veo».

Cada mirada entre ellos era un interrogante. El chaval parecía esperar a que Arturo adivinase algo a partir de sus insinuaciones.

—*S papoi my vmieste pisali* «Papá y yo hacíamos pis juntos» —terminó por confesar, en un tono contrito.

—*Gm* «Ya».

Arturo hundió sus ojos en el fuego, que braceaba violentamente entre colores amarillos, rojos, naranjas. En los tiempos antiguos todo el mundo adoraba el fuego, se lo pensaban mucho antes de apagar una llama. Porque una llama representaba a la divinidad. Esbozó una tenue sonrisa de asentimiento y se sacó el pene.

—*Dumaiesh, my iego potushim?* «¿Crees que lo apagaremos?» —le retó Arturo.

Apuntó al corazón de la hoguera y orinó ejecutando un elegante arco que desprendía hilachas de vapor. Alexsandr no se quedó atrás y al instante también él comenzó a orinar. Tras unos pocos mililitros de líquido, Alexsandr se concentró y consiguió elevar la curva de su chorrito unos centímetros por encima del de Arturo. Sus dientes separados aparecieron pícaros tras una sonrisa.

4. El arquitecto en ruinas

Hileras de peras metálicas alineadas a lo largo de una esquelética línea de tubería, en un orden simétrico, militar. Arturo paseaba ante ellas, lentamente, arriba y abajo, como revistando una compañía. Se hallaba en el barracón de las duchas, una construcción de troncos entrelazados en los extremos, al estilo ruso, alumbrada por las mortecinas luces de unas bombillas que colgaban como ahorcadas de unos cables desnudos. Sus ojos pasaban sobre los objetos acumulando datos. A esa hora no había ningún guripa aseándose; tampoco es que hubiera muchos el resto de ellas; el agua para las ranas, según el sentir de la tropa, y los piojos, como de la familia. «¿En cuál de ellas podrían haberlo hecho?», se preguntó. Se veía como uno de aquellos héroes mitológicos enfrentados a pruebas en las que debían elegir entre varias puertas y donde una equivocación implicaba no jugarse nada menos valioso que la vida.

—Malos quereres.

La inesperada afirmación fue formulada por Trinitario Aranda Calcedo, el soldado que, después de que Arturo le buscase una madre adoptiva a Alexsandr y tras algunas diligencias posteriores, se destapó como el último en hacer los turnos de limpieza el día del suceso. Le había acompañado hasta el barracón en la más santa ignorancia, ya que Arturo no le había comentado nada acerca de su teoría sobre el lugar del crimen para no enturbiar su recuerdo con verdades preconcebidas.

—Sí, una calamidad —respondió Arturo.

—El que lo liquidó lo tenía cruzado. ¿Y cómo fue?

Arturo le miró sañudo; era un tipo cenceño, magro, con grandes ojeras cárdenas y un buche descolgado que le hacía parecer un gran San Bernardo. Se notaba que era una pregunta por curiosidad y no por necesidades del caso; ¿era el único de toda la División que no estaba al corriente de lo sucedido? Arturo experimentó la fiera hobbesiana que habitaba en su interior y que, en el pasado, revestida por la autoridad que le confería ser miembro del servicio secreto, le había permitido pronunciar ciertas palabras que cortaban el aire limpiamente, como el filo de una espada. Procuró encajarse en posiciones más templadas para evitar acercarse al precipicio de la violencia. Sin embargo, decidió que debía hacer todo lo posible para recuperar su antigua graduación de teniente, aunque fuese por un tiempo, para alternar con eficacia palos y zanahorias.

—Le cortaron el cuello —resumió lacónico.

—La cosa tiene mala follá —dijo Trinitario llevándose una mano al cuello, acongojado—. ¿Y qué hacemos aquí, si se puede saber?

Arturo obvió su curiosidad y se sumió de nuevo en el quieto compás de balneario del barracón. Contemplaba las duchas con una atención que traspasaba.

—¿El barracón se cierra? —preguntó finalmente.

—Sí, cuando acabamos. Con candado.

—¿Y tú llevas la llave?

—Sí.

—Es decir, que después de marcharte no puede entrar nadie.

—Hombre, no te fíes ni poco ni mucho, pero yo creo que no.

Arturo iba recogiendo poco a poco carrete, descartando posibilidades.

—Aproximadamente, ¿a qué hora empezaste a limpiar ese día y a qué hora acabaste?

—Debí de llegar a las seis y pico, y acabé cerca de las ocho.

—¿Entró alguien durante la labor?

—Sí, uno —confirmó tras recapacitar.

—¿Seguro? ¿Y por qué no dos? —ahondó en su opinión.

—No, sólo uno. Lo recuerdo bien porque con aquel pinta tuve una pelotera, estaba acabando y le dije que no eran horas, pero él se empeñó en entrar.

Arturo sacó una de las fotografías que le habían hecho a Luis del Águila en el Sslavianka.

—¿Sería éste?

Trinitario estudió los rasgos pintados de blanco y no dudó.

—Coño, sí.

Sonrió; el lapso, alrededor de las ocho, coincidía con las estimaciones de Larios sobre la hora de la muerte. Apenas podía creer que los hechos fueran ensamblándose con tanta facilidad.

—¿Y seguro que no entró nadie más?

—Pues no...

Arturo se percató de un ligero titubeo.

—Pero estuviste todo el tiempo aquí, ¿no?

—Hombre, todo todo, no.

—¿Cómo que todo todo no?

—Fui un momento a dar de comer a los conejos.

—¿A qué?

—A cagar. Me dio un apretón, ya sabes... —se tocó el abdomen como para subrayar la rebelión de sus intestinos.

Arturo sintió de nuevo la violencia removerse en su vieja madriguera del corazón. No entendía la inquina que le había tomado a aquel desgraciado; quizás se debiera a que sabía que odiar era de débiles, no se odia a quien se puede aplastar, y él ahora no pasaba de don nadie, y llevaba demasiado tiempo siéndolo. Se mordió los labios hasta hacerse una marca blanca.

—Mira, no me torees... —contuvo como pudo el tono airado y adoptó un matiz burocrático, como si hablara del tiempo—. Escúchame bien, el general en persona quiere desenredar este asunto lo más pronto posible, y mañana mismo tengo que presentarme con informes. Como no clarifique algo yo voy a pasar las de Caín, pero alguien tiene que pagar el pato, y por si no lo sabes, te lo digo yo: fuiste la última persona en ver vivo a Luis del Águila, así que vas a estar el primero en la lista.

A Trinitario se le descompuso un poco la cara de perro pachón, lo suficiente para recuperar una subordinación perfeccionada por los años. Respondió con un timbre de honor.

—Yo no he hecho nada.

—Eso hay que demostrarlo.

—Yo al poco ya estaba durmiendo en mi barracón. Hay muchos que me vieron.

La intuición de Arturo sabía perfectamente que aquel soldado no había tenido nada que ver en el asesinato y que sus coartadas se verían corroboradas; el tipo rezumaba demasiada sencillez para la mefistofélica astucia que el crimen había requerido, pero, aun así, tenía que hacerse valer, y no quería respeto, sino miedo.

—Tuviste tiempo de sobra para matarlo. Porque a mí me da que lo mataron en una de estas duchas.

—Pero si de aquí salió vivo y coleando.

La revelación cortó limpiamente los nudos lógicos de Arturo. Adoptó un gesto difuso, entre la comprensión y la ofensa.

—¿Tú lo viste salir?

—Igual que entró.

—Bueno, vamos a hacer las cosas como Dios manda. Dime lo que recuerdas de aquella noche. Intenta ser objetivo.

—¿Objequé?

Arturo se hizo el loco.

—Que me cuentes.

Trinitario puso cara de sufrir. Arturo tenía comprobado que las personas de escasa inteligencia, cuando se las obligaba a concentrarse en algo, experimentaban una sensación cercana al dolor físico. Volvió a contarle todo el episodio de las duchas, rebuscando esta vez en las esquinas de su particular versión, con apenas variaciones.

—... y luego el tal Luis del Águila se marchó sin despedirse.

—Es decir, que aparte de la trifulca al llegar, no cruzaste una palabra más con él.

—Eso es.

—¿Cuánto estuviste fuera?

—Poco, no vendrían a ser ni veinte minutos.

—¿Y cuando volviste Luis del Águila seguía en la ducha?

—Sí, le echó tiempo.

—¿Seguro que no había nadie más?

—Seguro.

—¿Miraste?

—No, pero seguro.

Arturo tuvo el repentino impulso de estrangularlo.

—¿Y qué más recuerdas? —continuó resignado.

—¿Qué más tengo que recordar?

—Aparte de lo que me has contado, algo raro, fuera de lo normal, lo que sea...

Trinitario adoptó una mirada perdida, pacata. Arturo no se fiaba nada de aquel testigo pero, cuando ya creía que insistir sería inútil, volvió a equivocarse. Una luz se derramó sobre su mente.

—Coño, ésa fue la noche de los caballos.

—Cuéntame.

—Alguien se dejó abierta la puerta de uno de los establos o un caballo la reventó, no se sabe; la cosa es que escaparon muchos. Yo me quedé de piedra cuando los vi campando por ahí. Hubo uno que me pegó un susto de muerte.

—¿Por qué?

—Había mucha niebla y aparecían y desaparecían. De repente veías una cabeza, o una grupa, o una pata... y luego ya no estaba. Era una cosa del demonio. A mí se me apareció uno a esta distancia —juntó el índice y el pulgar—, casi me lleva por delante. A la mayoría los encontraron luego en el río. Allí estaba también el muerto, ¿no?

—Sí. De manera que Luis del Águila salió por su propio pie —insistió.

—Tan cierto como que yo me llamo Trinitario.

—¿Y no recuerdas en qué ducha estuvo?

—Hay muchas.

—Ya —asintió—, es normal que no te acuerdes.

Trinitario esbozó una sonrisita guasona y astuta.

—El Señor Jesucristo nació en un pesebre, donde menos se piensa salta la liebre —recitó.

Arturo le miró y recordó un proverbio ruso: «Estúpido hasta la santidad».

—¿Y ahora qué?

—Que sí me acuerdo.

—¿Seguro?

—Hombre, acordarme no, pero por la noche baja mucho la temperatura y ni el calentador consigue que el agua corra con aprovechamiento. Se congela en las tuberías y no pasa de la tercera ducha. Así que tuvo que estar en alguna de aquellas del principio.

Arturo se acercó hasta el fondo del barracón. La última de las miserables bombillas estaba fundida y las duchas indicadas por Trinitario se hallaban emboscadas en una penumbra que la escuálida luz de la penúltima sólo alcanzaba a amarillear. Abrió los grifos, que provocaron un ligero temblor en el metal helado de las cañerías al dilatarse por el agua hirviente, y comprobó que sólo salía agua de las dos primeras peras. Empleó una mirada especulativa: si Trinitario no le hubiera referido la salida de Luis del Águila del barracón ahora estaría mirando aquellas duchas de una forma simbólica, con su percepción distorsionada por la creencia, es decir, viendo lo que creía, y no como debía ser, creyendo lo que vemos. «Las prisas son para los ladrones y los malos toreros», pensó. Bien, se había apresurado a deducir y ahora debía reconducir la línea de sus hipótesis. ¿Dónde podría haber llevado a cabo el asesino sus macabros planes? ¿Habría que tomarse en serio la posibilidad de la existencia de un vampiro en la División? Sintió un desasosiego y se encomendó con fervor a San Sí Mismo; poco a poco la razón reapareció en su rescate, ocurriéndosele varias explicaciones posibles que, en cuanto empezó a enumerarlas, hicieron retroceder el miedo. De todas formas, antes de volver junto a Trinitario lo registró todo de nuevo.

—Volveremos a hablar —le dijo cuando terminó—. No vayas a ninguna parte.

Trinitario abrió los brazos en dirección al gélido paisaje, como indicando que adónde iba a ir. Arturo se apretó el uniforme y, antes de abandonar el barracón, se concentró en una imagen reconfortante: un café, uno como debía ser: caliente como el infierno, puro como un ángel y dulce como el amor.

El tiempo había sufrido un cambio de humor y el cielo de plata empañada que había reinado sobre Mestelewo había descendido, quedándose en suspensión, muy bajo, desplegando una mayestática cortina de nieve. Mientras se dirigía a su tabuco, Arturo también había experimentado un vuelco en su ánimo, derrumbándose por el motivo más nimio: un soldado inepto. Hasta ese momento se había sentado sobre sus recuerdos como sobre cristales y no se había atrevido a moverse, y ahora que lo hacía, empezaba a darse cuenta de lo sucedido: *El arte de matar dragones,* los muertos, la condena, la cárcel, el ostracismo, el destierro a la División..., sumiéndolo en un maremagno de odio y miedo. En efecto: odiaba porque tenía miedo. No era un valiente, eso Arturo siempre lo había sabido, pero en los últimos tiempos su instinto de conservación había descubierto cosas de él que no había creído posibles. Progresivamente, había tenido que renunciar a ciertas imágenes que le posibilitaban conservar cierto orgullo, perdiendo terreno hasta atrincherarse en una convicción esencial, la última: proteger a los niños. Recordó al rusito Alexsandr y musitó unas frases memorizadas: «Sois portadores de niños, recordad que mientras llevéis un niño, podréis eludir el mal refugiándoos bajo el manto de la inocencia, atravesaréis ríos, atravesaréis tempestades, podréis atravesar incluso las llamas del infierno». Sí, quería creer en eso. Al menos, en eso. No obstante, el miedo persistía, y con él, el odio, el mismo que posiblemente impulsaba al asesino. Como le había dicho a Trinitario, alguien tenía que pagar el pato. Y por ese día ya tenía al afortunado.

Rituales. Los rituales facilitan las cosas, ayudan a sobrevivir. Antiguamente, se cargaban todos los pecados de una ciudad a lomos de un chivo, se le expulsaba de la misma y ésta quedaba libre de pecados. Ése era el chivo expiatorio. Pese al frío que esparcían los trapitos de nieve, el de Arturo salió a recibirlo resbalando sobre sus pezuñas, jadeante, en tensa pugna. El pastor alemán le había reconocido de inmediato y comenzado a trazar círculos de izquierda a derecha y de derecha a izquierda alrededor del pecio esquelético de la cabina de un camión que le habían acondicionado como refugio, ejecutando otro ritual, éste bestial, de muerte. Mientras, en el interior del edificio de Carnización continuaba el compás metálico del ruido de las hachas, como una música de acompañamiento tribal. El animal acabó por salir disparado hacia Arturo; éste sintió como un trocito de hierro sobre sus nervios, pero no se movió. En las fauces del animal no sólo había ganas de matarlo, sino de masticar su carne, de beber su sangre, de tragárselo entero. «¿Y si la cadena no aguantase? —pensó—, ¿y si se hubiera equivocado en la distancia?». La incertidumbre duró hasta que el perro se plantó a milímetros de su rostro, quedando congelado en el aire por la cadena. Rituales. El suyo y el del perro ya había quedado constituido, un vínculo que se desarrolló hasta que el animal terminó por buscar refugio en el interior del pecio, agotado, humillado. Desde su oscuridad, también sostenido por su odio, vigiló la espalda de Arturo hasta que se desvaneció entre la nevada.

La imagen que había ocupado su mente a la salida del barracón de las duchas se hizo carne en la cafetera que comenzaba a pitar. Las gotas de café se escaparon por uno de los prismas de metal y resbalaron hasta caer sobre las arandelas de la estufa con un escandaloso chisporroteo. Arturo cogió una taza de estaño y escanció un chorro que llenó todo el tabuco con un aroma reconfortante. Le añadió un chorrito de coñac, se medio tumbó medio sentó en el catre con la guerrera abierta, y se aferró a la taza como si de su vida se tratase. Dando un sorbo fortalecedor, retuvo el líquido en la lengua; el calor del café revuelto con el licor le reafirmó en su opinión de que cualquier esquina del universo era un poco menos vulgar con una taza en la mano. Asimismo, servía para quitarle el sabor agrio de una sopa de coles y unas salchichas frías que se había agenciado en la cantina. Eran poco más de las dos de la tarde, y el frío procedente de la lejana Siberia a través de miles de kilómetros iba a dibujarse como nieve contra el cristal del ventanuco. Entibió un poco su mirada en la piel temperada de la naranja, junto al caparazón negro del teléfono. A su alrededor, libros salpicados entre objetos y objetos salpicados entre libros. «Cuántas palabras para un mismo desconcierto», pensó Arturo. Echó otro sorbo al café y lo paladeó con placer; los ojos se le volvieron de nuevo hacia dentro, recordando, reconstruyendo recuerdos. Quizás su devoción por el oscuro líquido se debiera al aroma que de crío se le quedó pegado a la nariz, durante los viajes tras una mula con serones de carga, con su padre, cuando cruzaban la raya de Portugal para contrabandear café. Entonces vivían los dos, la epidemia de gripe no se los había llevado aún, a su padre y su madre; vivían en aquella casa de Badajoz, una casa con mucho fondo, mucho corral, mucho patio, muchas zahúrdas con cerdos y mucho amor, o eso le parece recordar. Echó otro sorbo y sonrió al rememorar cuánto quería a aquella mula blanca, *Cayetana* se llamaba, bien regalada de cebada, de cabeza grande, dura, con su moñito entre las dos orejas, sotabarba blanda y pescuezo largo y musculoso. Terminó el café con la risa tonta; a veces, sólo a veces, los recuerdos no agravaban la soledad. En el último trago llamaron a la puerta.

—¿Se puede? —era la voz grave del sargento Espinosa.

—Adelante.

Espinosa entró en el cuarto limpiándose los hombros de nieve, dejó en el suelo el macuto, se quitó el grueso abrigo de mutón, el gorro de largas orejeras, aclarando su fisonomía de ave rapaz y una cabeza apenas cubierta por unas líneas de ralos cabellos, y tiró de sus enormes guantes guateados, que dejaron al descubierto unas manos enrojecidas. Se saludaron con disciplina desvaída.

—Qué sorpresa, siéntese, por favor —Arturo le señaló un banquetín junto a la pequeña mesa—. ¿Un café, mi sargento?

—Sí, muchas gracias. Vaya rasca que hace fuera. Se está bien aquí.

—La estufa. Tira bien.

—Se nota.

—¿Le apetece picar algo?

—Acabo de venir del comedor, pero se agradece. Con el café está bien. ¿Sabe que los rusos acaban de tomar Stalingrado? —lo dijo como quien dice el agua moja y el fuego quema.

—Qué locura —murmuró Arturo, sin decidirse por el asombro, la admisión o el desprecio.

—Y, por lo que me han contado, esta mañana por poco nos amuelan. A lo que parece pintan bastos.

La cara de Arturo fue un estudio de cautela y optó por responder conforme al triunfal baremo de la *Hoja de Campaña.*

—Las posiciones en el frente no son lo esencial. El Führer sabe perfectamente lo que hace; es genial y, por lo tanto, imprevisible.

—Eso es, todo es cuestión de tiempo. A los alemanes no hay quien los tumbe. Es una estratagema para hacer caer al enemigo en una olla, rodearlo y acabar definitivamente con esta guerra. ¿Recuerda lo que hicimos el año pasado en el Voljov?, pues lo mismo. Ya se están apretando los machos y trasladando grandes contingentes de hombres y material.

—Seguro.

—¿Sabe cuál es el verdadero problema?

—No.

—Los traidores. Los traidores, los apocados, los maltrabaja... —Arturo advirtió que, contrariamente a su habitual cerrazón crustácea, el sargento no razonaba con frialdad, sino que sentía o creía sentir algo de lo que decía—. Si no, ¿por qué cree que nos zumban tanto? Tiene que haber algún bocas en Mestelewo.

—¿Se refiere a espías?

—Algo de eso.

—Tome, mi sargento.

Arturo le ofreció un café humeante, pero Espinosa, agriando el gesto, recordó la ruina de su estómago y se arrepintió de su deseo con una disculpa, rechazándolo.

Todavía continuó unos instantes más hablando sobre espías emboscados y estrategias, pero era evidente que había una grieta dentada en su alma, algo le envenenaba la sangre; su encendido discurso era un inusual signo de flaqueza en él, acostumbrado a mantener una actitud siempre patriotera, aunque infinitamente más cínica. Eso le recordó a Arturo, tras su vuelta del cuartel general, la mirada de culpabilidad que le había sorprendido, concluyendo que el sargento tenía secretos; secretos y, por lo tanto, debilidades.

—Pero ¿eso de los espías es oficial? —retomó.

—Aquí sólo se es oficial de alférez para arriba, guripa. Ya sabe: Radio Macuto. El capitán Isart y su gendarmería andan revolucionados. Se nos ha colado alguna rata en casa y ahora tienen que hacer algo más que dirigir el tráfico o tocarnos los cojones. Lo cierto es que todo está tan vigilado que no creo que nadie pueda clavarse un alfiler sin que lo detengan.

La figura discorde de Wolfram Kehren durante la reunión con el teniente coronel Navajas pareció entonces cobrar sentido. Un oficial de enlace alemán estaría perfectamente justificado en un asunto de espionaje que afectase al precario encaje de bolillos que sostenía el frente; tanto como la presencia de Información mediante el comandante Reyes Zarauza. No obstante, eso también implicaba que el inesperado encargo de Navajas del Río podría basarse no tanto en los talentos de Arturo como en una escasez de efectivos de la gendarmería, distraídos por el capitán Joaquín Isart en la caza y captura del infiltrado o infiltrados. Experimentó un ligero pinchazo en su orgullo.

—¿Y qué tenemos acerca de Luis del Águila? —preguntó con mal disimulada frialdad.

Espinosa se removió en el banquetín, cogió el macuto del suelo y extrajo una carpeta llena de cuartillas, colocándola sobre la mesa. Seguidamente, manipuló una cajetilla de tabaco: sacó un cigarrillo, lo encendió y sopló el humo. Chupando el tabaco con avidez ansiosa y reconcentrada, pasó hojas una tras otra. Cuando terminó, puso una cara oficial.

—Más o menos me he limitado a confirmar lo que venía en sus informes —movió el pitillo como si fuera una parte más de su cuerpo—. Como ya sabe, el alférez Luis del Águila hizo toda la Cruzada y luego se alistó para acá en Valencia. El año pasado se partió el pecho en la bolsa del Voljov. Después lo destinaron con el 262 en Krasny Bor hasta que fue herido en un brazo y le trajeron a Mestelewo, etcétera —revisó las cuartillas en silencio, buscando algo—. Por lo visto bebía mucho. Después de cinco días le habían dado de alta y se disponía a volver al tajo.

Arturo reparó, esta vez más detenidamente, en el hilo rojo que cruzaba toda la investigación: el alcoholismo de Luis del Águila; sobre todo teniendo en cuenta los escasos veintidós años de la víctima. No tenía mucha lógica concentrarse en ello, o tenía tanta como hacerlo sobre cualquier otro dato del batiburrillo que habían recolectado, pero tampoco las vísceras la tienen, les basta saber que algo anda mal para dar guerra.

—Así que bebía mucho —se interesó.

—Como una esponja —Espinosa despegó los ojos del papel—. Y tengo entendido que, cuando le daba al codo, invitaba a rondas en la cantina.

—Vaya —Arturo se puso en guardia; recordó la advertencia del capitán Larios acerca de motivos pasionales, y nada tan turbulento como el dinero—, eso implica parné, y la paga no da para tantas alegrías. Habrá que echar las redes por ahí.

—Eso tiene una explicación, si me permite acabar... —le frenó Espinosa, misterioso.

—Usted mismo.

Espinosa echó una calada previa.

—Deja padres y una hermana en Ibiza. Y a propósito de esto —volvió a coger el macuto como si levantara por sus arrugas de piel a un cachorro, depositándolo sobre la mesa—, tengo aquí los efectos personales que guardaban en gendarmería. Luego les echamos un vistazo.

—Su familia no sabe lo ocurrido, ¿verdad?

—Debido a las circunstancias especiales del caso, se les ha comunicado como baja en combate.

—Lo suponía. Era sólo para confirmarlo. No le interrumpo más.

—Hay poco que interrumpir...

Pero aún tardó un rato en dejar que lo hiciera. En resumen, las conclusiones de Espinosa acerca de Luis del Águila empeoraban todavía más sus conjeturas acerca de su medianía: no es que fuese «nadie», era peor, era «cualquiera». Su recuerdo vivía confundido en las cabezas de la División junto con las vivencias cotidianas, las imágenes, los recuerdos, los puntos muertos y vacíos... Nadie lo conocía, pero todo el mundo había compartido unas sardinas en conserva, había jugado a las cartas, había ido de putas, se había peleado con él... «Ah, pero se llamaba Luis, creí que me hablabas de Alfonso.» Lo único irrefutable era que Luis del Águila se había duchado por última vez en su vida la noche de hacía cuatro días.

—... cuando le dieron el alta comió en la cantina y por la tarde estuvo recogiendo sus cosas. Según algunos testimonios, también estuvo escribiendo cartas; a la noche se fue a dar una ducha. Supongo que sería una especie de brindis al sol, porque no sabría cuándo tendría otra ocasión. Total que, según mis indagaciones, en la División había tantos motivos para matar a Luis del Águila como para no hacerlo. Aunque he de reconocer que uno de los que le conocían me dijo algo acerca de él que me parece suficiente motivo para darle el pasaporte.

—¿Y es?

—Le gustaban las anchoas.

Arturo agradeció con media sonrisa la vuelta del torcido carácter del sargento.

—Habrá que considerarlo. ¿Algo más?

El sargento dejó que un humo lento le circundara.

—Para él algo menos: jugaba. De ahí sacaba el dinero.

—¿Timbas? Podría tener deudas de juego.

—No me parece, ganaba siempre. La verdad es que tenía su fama.

—¿Monte?

—No.

—¿Tute?

—No.

—¿Mus?

—No, no eran cartas precisamente.

—¿No me diga que jugaba al ajedrez?

—No.

—Pues el tenis no va a ser, coño.

Arturo se olvidó circunstancialmente de que no le habían ascendido en los últimos cinco segundos y armó una mirada interrogante, penetrante, exigente.

—Jugaba a la «violeta» —desveló Espinosa.

—Hostia.

—Eso mismo dije yo cuando me lo contaron.

—Creía que sólo eran rumores.

—Sí, como las meigas, pero haberlas haylas.

—¿Partidas clandestinas?

—Aquí no hay nada clandestino, se juegan muchos rublos y muchos marcos y alguien está haciendo la vista gorda. Vienen de todo el frente a jugar, y no sólo españoles.

—¿Y dónde hacen la vista gorda?

—Averiguar eso va a ser más complicado.

—¿Por qué?

—Ya se sabe que el puro que le pueden meter a uno es de órdago, así que no quieren chivatos. Tienes que ir muy recomendado o estar dispuesto a jugar.

—¿Y quién les asegura que luego no te vayas de la lengua?

No fue una pregunta, sino la misma atmósfera que respiraban. Espinosa echó una calada y retuvo el humo, soltándolo lentamente por la nariz. El crepitar de la madera en la estufa producía una extraña sensación de placidez. Esbozó una sonrisa que resaltó su aire depredador.

—Nadie —resolvió—, pero seguro que después te la cortarían, ¿y quién te echaría de menos? Aquí tocamos a tres muertos por vivo, no lo olvide. Aunque tenemos suerte y al menos con el frío no huelen —añadió con deportividad.

—¿Usted ha estado en alguna partida?

Espinosa arqueó las cejas.

—Ni de testigo —respondió tajante—. A esa salvajada sólo van los tarados. ¿Usted cree de verdad que les importa el dinero?

Arturo no le miró a los ojos, sino a los labios, porque Espinosa era un experto en ocultar emociones. Aun así no logró destapar nada, pero no le pareció que aquél fuera el «secreto» que guardaba el sargento; no era del tipo de hombre que metería una bala en el tambor de un revólver y después se aplicaría el cañón a la barbilla, llenando progresivamente las celdillas hasta dejar sólo una vacía. A esta brutal variante de la ruleta rusa la llamaban la «violeta» porque, como los bujarrones o violetas, agujero que veían, agujero que tapaban.

—Además —agregó—, Dios es el tenedor último de nuestra vida, no podemos disponer de ella.

Arturo asintió sin mucho entusiasmo, evitando cualquier comentario belicoso, pero apuntando por sus pensamientos cien años más en la papeleta del Purgatorio. No insistió en las peligrosas aficiones de Luis del Águila; sin embargo, le hizo adelantar un par de casillas en una hipotética categorización de los rastros: urgentes, valiosos, marginales, intrascendentes y estériles. Seguidamente le sintetizó a Espinosa sus pesquisas en el hospital y las duchas, concluyendo que tenían un muerto ejecutado y desangrado mediante un ininteligible ritual, es decir, un grandioso solitario cuyas reglas resultaban ser comprensibles sólo para el asesino.

—Así que vamos preparando los ajos y las cruces —remató Espinosa mordaz.

—Más vale prevenir.

—Joder, la cosa no tiene desperdicio. Y esas letras, «Mira que te mira Dios», ¿no le dicen nada?

—A mí no se me ocurre.

—¿Y por qué no pudo haber sido el guripa de las duchas?

—No tiene pinta de asesino.

—Creo que eso no se lleva escrito en la cara.

—No, pero, de todas formas, si lo ha hecho él estará nervioso porque piensa que le estamos investigando y al final cometerá alguna pifia.

Espinosa carraspeó para despejar las dudas o quizás para reafirmarlas. A continuación acabó el cigarrillo y arrojó su punta al interior de la estufa; las llamas jugaron con el papel como algunos depredadores hacen con sus víctimas antes de devorarlas por completo. Sacó otro pitillo del paquete y golpeó su boquilla varias veces contra la mesa. Lo encendió con rapidez, como si ya le faltase el humo.

—Esperemos que el comandante Zarauza nos aclare los antecedentes de los guripas. Con suerte resolveríamos todo el marrón de una manera burocrática.

—Dijo que me llamaría. Bueno, ¿se ocupará de seguir preguntando por Luis del Águila?

—Descuide —lanzó un fino chorrito de humo por la boca.

—Y procure enterarse de más cosas sobre la violeta. Después de comer yo me acercaré hasta los establos.

Arturo se fijó en el arrugado macuto y recordó el testimonio de que en las últimas horas Luis del Águila había estado escribiendo.

—¿Hay correo en la bolsa? —dijo señalándola.

—Una carta. De su hermana.

—¿La ha leído?

—Todavía no.

Arturo sintió un bote anómalo en el corazón. Cogió el macuto y lo manejó como si fuera nitroglicerina, inclinándolo con unas suaves sacudidas hasta que fueron cayendo objetos de su interior. Cuando no pesó nada, Arturo lo registró y lo dejó a un lado. Un tubo de crema de afeitar, una brocha, una navaja Gottlieb Hammesfahr, un lápiz, un cuaderno, sobres, cerillas Haushaltware, un paquete de cigarrillos Juno, un *Personalausweis* o cartilla de identidad... Rastros de existencia, cosas que permanecían con esa terquedad de lo ínfimo, de lo cotidiano. Arturo iba moviendo los objetos de acá para allá como piezas en un tablero imaginario, entregándose al más simple y complejo de los actos: observar. Intentaba detectar singularidades donde en apariencia todo era continuo, indiferenciado. No había nada a partir de lo cual pudiese elaborar una teoría, así que al final separó la carta y una foto y las colocó frente a él, una al lado de la otra. Cogió la foto; era un retrato de grupo, como de equipo de fútbol antes de comenzar el partido, uno con veintiséis jugadores. En el reverso había una anotación: Grafenwöhr, julio, 1941. Volvió a darle la vuelta. Estaba tomada en el enorme campamento militar de Baviera donde habían instalado y formado a la División antes de enviarla a Rusia. Soldados vestidos con el uniforme de la Wehrmacht, en dos líneas en pie y en cuclillas, pasándose los brazos por los hombros. Al fondo, la impresionante vista de una explanada totalmente cubierta por numeroso material militar le aclaró a Arturo que había sido tomada el día en que habían comenzado a recibir el equipamiento. Los muchachos estaban sonrientes; casi todos tenían alrededor de veinte años y no sabían qué hacer con ellos. Adoptó una mueca de tierno desdén, ese desdén que la juventud pasada provoca con la misma intensidad que el deseo de revivirla, y pudo imaginárselos perfectamente en la Gran Vía, dos años antes, cuando no hacía nada que se había difundido la noticia de que los alemanes habían comenzado la invasión de Rusia. Gritos, consignas, manifestaciones..., la sangre hirviéndoles. Al poco, la silueta de filigrana de Serrano, desde aquel balcón de Alcalá, había aprovechado la situación encauzando toda aquella voluntad barajada, fortificada por la sangre de su número. Pedían, exigían luchar contra la hidra comunista sin recordar, como sí recordó Arturo, que Santa Teresa llevaba siglos advirtiendo que se derramaban más lágrimas por plegarias atendidas que por las no atendidas. Un tren terminó por desfilar para ellos con todas sus ventanillas ocupadas por sus rostros vociferantes y sonrientes mientras se despedían de la multitud que llenaba el andén de la estación del Norte. Sí, un tren que repitió paisajes y puentes esquemáticos cruzando dos países en tres días, trasterrándoles desde los márgenes sin trascendencia donde vivían hasta los cauces por los que discurría el pesado río de la Historia. Debió de resultarles extraño levantarse en un sitio y, de repente, estar en otro; el punto de encuentro entre la Historia y la historia de un hombre, ese punto, ese brillante y oscuro punto. Y sus rostros tuvieron que ser dignos de contemplar, mirándose unos a otros invadidos por el nerviosismo y la perplejidad al tiempo que comenzaban a adentrarse en Rusia, decididos a destruirlo todo, al encontrarse con aquella inmensidad nevada: la nada protegiéndose con la nada. Arturo apenas sintió misericordia, no era nada nuevo, sino una vieja y repetida lección: el sutil retorcimiento del cuello de un cisne blanco. Rozó con su uña las barbillas hasta que llegó a una cabeza en concreto. En esa fila todos sonreían y tenían la vista fija en la cámara; todos menos el soldado situado más a la izquierda, que no sonreía y desviaba la mirada hacia el borde de la fotografía, como si esperase la oportunidad de correr fuera. «Ése es», pensó Arturo, o mejor, «ése fue». Luis del Águila. No se detuvo ahí; buscaba otra cosa. Continuó escrutando la foto con minuciosidad preguntándose cuál de aquellos rostros sería la Muerte. Porque la Muerte tenía debilidad por los retratos de grupo; siempre aparecía discretamente, a un lado, esa cara que nadie acierta nunca a conocer. La rastreó con ansiedad; quizás aquel de la segunda fila, el cuarto por la derecha, tan borroso... A lo mejor. Posó la foto y cogió la carta. El sobre tenía escritas las señas del remitente y del destinatario, el número postal de su unidad, y estaba adornado por el anverso y por el reverso con los sellos de tintas grasas del Feldpost y la censura militar. Con exquisito cuidado abrió la solapa y extrajo una hoja manuscrita por una cara. La letra era una redondilla a lápiz, muy dibujadita, casi infantil. La leyó con esa atención del arqueólogo que barre con suavidad y precisión capas de polvo ancestral. Cuando terminó, se la pasó a Espinosa. Mientras éste la ojeaba, acompañando la lectura con un silencioso movimiento de labios, Arturo se sintió débil, recorrido por un profundo río de tristeza, pero no debido a la soledad que habitualmente sentía, sino por las desacostumbradas emociones que le envolvían. Ni un arma ni una piedra, basta una palabra para romper el corazón. Porque éstas le habían hablado de un hogar, la «casa», donde nunca sucede nada, y hace calor, y no mora la muerte. Alrededor de aquella carta presentía un mundo recoleto, con su toque ingenuo, algo religioso, siempre rutinario, predecible, seguro. Un lugar de tresillos de cretona, mesas camilla, ruidosas Singer, sagrados corazones, carillones que se persiguen unos a otros en las horas en punto, perfumes baratos y dulzones, vestidos floreados, góticas radios con el nombre de exóticas ciudades estampado en verdes y dorados, brillando tenuemente en la oscuridad... De repente, sintió el peso de una mirada. Levantó la vista y se cruzó con los ojos de Espinosa, que habían dejado de leer la carta y le contemplaban con tal concentración que incluso había detenido su compulsivo sacramento de pegarse el pitillo a la boca. No sabía el tiempo exacto que llevaba ido, pero había sido lo suficiente como para que la ceniza ganase longitud, haciendo que el cigarro perdiera el equilibrio e inclinase su ensalivada punta sin que el sargento se apercibiese de ello.

—La ceniza, la ceniza... —le advirtió Arturo.

Espinosa reaccionó a destiempo y la escoria se espolvoreó por su pantalón, limpiándolo entre maldiciones y violentos manotazos. Arturo esperó a que gestionara el estropicio para hablar.

—Vino con el relevo de mayo —dijo cansado—, no le quedaba mucho para volver a casa. Llevaba aquí nueve meses.

—El tiempo de un parto —recordó Espinosa.

—Es verdad —eligió con pausa y esmero sus siguientes palabras—. Con el tiempo todo debería ser más fácil.

Espinosa se rascó con un dedo los largos y ralos mechones de pelo adheridos al cráneo. Por un segundo, Arturo se vio a través de sus ojos, y prefirió no saber lo que estaba pensando de él.

—Hay cosas a las que uno no se acostumbra nunca —atestiguó el sargento sin patetismos.

Le devolvió la carta y ventiló su segundo pitillo, observando el invierno durísimo, de mármol, que afirmaba su frío tras el ventanuco. Después volvió a guardar en el macuto todos los objetos que había sacado Arturo. Éste se enfrascó de nuevo en la carta y las palabras comenzaron a recorrer una vez más su cerebro como pequeñas arañas.

Ibiza, 7 del 1 del 43

Queridísimo hermanito:

Nos alegramos de que ya te encuentres bien de tu herida. En casa todos bien, hemos estado algo costipados, pero gracias a Dios lo hemos pasado sin prestarnos mucho.

Padre y madre se acuerdan todos los días de ti, y no puedes imaginar la alegría que llevan cada vez que hay carta de ti. Madre dice que seas agradecido con todos y que no molestes a nadie. Tus amigos, y sobre todo Elpidio, te mandan muchos saludos y abrazos.

Recibimos el dinero que nos mandaste, que es mucho, y que no mandes más porque tú vas a andar mal de comestible. Aquí escasean las cosas lo que tú comprendes, pero tú estate bien.

Por aquí nada particular, sigo sirviendo en casa de doña Engracia, que nos ayuda mucho a pasar los azares y también te manda recuerdos.

En eso que dices que no puedes dormir, y que no sabes cómo remediar ese sufrimiento que tienes dentro y que no hay consuelo, mira que yo no puedo hacer nada y que sólo puedo animarte a porfiar en Dios, que él mide y pesa, y eso que dices que hablas con el cura de ahí, creo que él puede hacer por arreglarte. Pero no hagas cabezonadas ni tesones, y reza, que eso te ayudará.

Sin más que contarte por ahora, se despide tu hermanita que te quiere y no te olvida.

—¿Cómo puede ser que un tipo se juegue la vida teniendo esta carga? —se preguntó en voz alta, tras la última línea—. Que se beba hasta el agua de los floreros, lo entiendo, hay muchas causas para beber, pero para suicidarse sólo hay una.

—Pues por eso, para mandar dinero a casa.

—No, es una contradicción, tiene que haber algo más.

Buscó una nueva ayuda en Espinosa, pero éste se retrajo, permaneciendo en silencio. Las aficiones lúdicas de Luis del Águila acababan de ascender de categoría en su lista ideal de rastros.

—Va a haber un cambio de planes —concluyó—. Dijo que habían visto a Luis del Águila escribiendo cartas, ¿me equivoco?

—No, no se equivoca.

—Bien, entonces, ¿dónde están? Dentro de la bolsa no, desde luego.

Espinosa sacó a relucir su inteligencia de navaja automática.

—Hay que ir a la estafeta —dijo con premura.

—Efectivamente. Muy bien pudo enviar algo antes de que lo liquidaran.

—Ha pasado tiempo, ya lo habrán mandado para España.

—Siempre hay retrasos, igual tenemos suerte. Avisaré al teniente coronel Navajas de que voy para allá y que retengan el correo. Una vez en el cuartel aprovecharé para entrevistarme con el comandante Zarauza; y alguien tendrá que comprobar en España si Erundina del Águila tiene más cartas. Mientras, usted continúe haciendo preguntas, y haga la ronda por mí en los establos. Mire a ver también si podemos averiguar algo con la violeta —sopesó encargarle asimismo una visita al fotógrafo, pero decidió que lo mejor sería realizarla en persona—. Bueno —concluyó—, ahora tenemos una agarradera más: el cura. A ver qué nos puede contar de ese sufrimiento de Luis del Águila.

La mención del páter provocó que Espinosa se pusiera rígido; habló con un tono lúgubre.

—Tiene razón. Porque vamos a necesitar ayuda.

—Toda la que podamos —confirmó Arturo.

—Sí... —esbozó una sonrisa de cartón-piedra—, pero no de este mundo.

5. Las sílabas exactas del presente

—¿Te has enterado de la última?

El cabo Aparicio Tárrega le observaba a lomos de una baqueteada motocicleta con sidecar, mientras tiraba del elástico de las gafas de aviador para ajustarlas sobre el casco de acero, sin dejar de darle gas al petardeo de la moto. No, Arturo no se había enterado de la última; lo que sí había hecho era detener con una llamada la maquinaria burocrática que, por suerte para ellos, no tenía nada que ver con la celeridad germana, y retener el correo de toda la División que almacenaban en la estafeta del Estado Mayor en Pokrosvskaia. El cabo Aparicio, como encargado de transportar las sacas de Intendencia, le había parecido el medio más práctico de llegarse hasta allí, explicándole la situación y verbalizando con él una componenda.

—No, mi cabo —le respondió tras el saludo—, ¿qué ha pasado?

—Han cazado a un espía.

—No me diga —Arturo escenificó admiración y espanto.

—A uno de los prisioneros le incautaron mapas del sector y documentos soviéticos.

—Eso está bien, aunque me temo que no será el último.

—Tienes razón, aquí hasta los mosquitos son rojos.

—No me recuerde los mosquitos —Arturo recordó el verano anterior, en el Voljov, con sus mosquitos con aguijones como hipodérmicas, contra los que las redes de tartalana habían resultado inútiles.

—Sí, bueno, pero mejor que no sea el último, ¿no? Cuantos más atrapemos, mejor.

Arturo contempló al cabo Aparicio, su cicatriz, sus ojos negros, su nariz totémica, aquella mezcla de juventud y decisión, una fortaleza capaz de mandar con un solo golpe todo tu escepticismo al otro mundo. Y le admiró, le envidió.

—Sí, claro —dijo finalmente; luego señaló el sidecar—, se nos van a congelar las pelotas. ¿Y el coche rápido?

—Es que el buga tenía el motor hecho una pena. Están dándole un repaso.

—¿No tenían un camión arreglando?

—Está vencido del todo. Esperamos repuestos.

—¿Y si se rompe la moto?

—Pues cogemos el trineo.

—¿Y luego?

—Luego que trabaje Rita. Sube, anda.

—No voy a caber —sentenció mirando la enorme saca de correo acomodada en el sidecar.

—Que sí, ponla sobre las piernas, como si fuese una gachí.

—Habrá que echarle mucha imaginación.

Arturo compuso el cuerpo como pudo en el angosto cajón lateral, amoldando la saca sobre sus rodillas. Aparicio se colocó las gafas y aceleró con saña la motocicleta. Se giró para comprobar que estaba listo.

—¿Preparado? —gritó por encima del petardeo.

—¿Eh...? —Arturo abocinó la mano detrás de la oreja.

—¿Que si ya podemos marchar?

—Sí, sí...

—Ah, se me olvidaba, ¿has tenido más problemas con los *doiches*? —le preguntó palpándose el tobillo.

—No, mi cabo, muchas gracias.

Arturo notó que en el rostro del cabo también había dibujada curiosidad sobre su investigación, pero no le hizo más preguntas, lo que le excusó de inventarse alguna mentira.

—Bueno —dijo levantando la voz—, ya sabes que para llevarse bien con los Ottos hay que hablar de matemáticas. A ellos lo que más les gusta es que todo cuadre, les pone mucho. ¿Dos más tres?

Arturo le miró con el desconcierto de un perro antes de cruzar una carretera.

—¿Cinco?

—Por el culo te la hinco. Eso también les pone. Hala, p'alante.

El brusco arranque de la máquina empujó a Arturo contra el asiento, obligándole a luchar contra la saca, que le cortaba la respiración. Cuando pudo reequilibrar el peso, comprobó que, cuando le daba por el cachondeo, el cabo Aparicio era capaz de sonreír con cualquier parte de su cuerpo. Con cualquiera.

A su llegada a Pokrosvskaia, Arturo certificó que también él podía hacer algo con cada parte de su cuerpo: tener agujetas. Desde luego, lo peor no había sido el peso epistolar de varios cientos de hombres, ni los botes constantes del vehículo, que parecía buscar adrede los baches uno por uno, ni siquiera la atmósfera de frigorífico que le había acuchillado durante todo el trayecto, medio congelándole la nariz; no, lo peor, lo verdaderamente dramático, había sido mantenerse agarrado a las asas del sidecar con todas sus fuerzas, pendiente de cuál de todas las bruscas maniobras que realizaban sería la que les empotrase contra cualquier obstáculo. Cuando pudo bajarse del sidecar, lo hizo baldado, amoratado por el frío, y a duras penas logró no ensuciar el aire con sus palabras. En cuanto consiguió recolocar sus huesos, se despidió temporalmente de Aparicio, que enfiló hacia los aparcamientos. Antes de dirigirse al palacete, contempló un momento el cielo, de aguas suaves, con un sol frío picando oblicuamente y rompiendo la monotonía gris del tiempo. Ya conocía el camino, así que se mezcló con el movimiento de colmena que orbitaba alrededor del cuartel, y esquivando una línea de caballos con albardas, unidos entre sí por las riendas de cada uno anudadas a la cola del precedente, siendo controlados de esa manera por un solo guripa, se dirigió hacia el frontón neoclásico de la entrada principal. En los accesos exhibió su autorización y cruzó sus desportillados capiteles jónicos penetrando de nuevo en el cuartel general. En el vestíbulo, los hombres formaban una especie de organismo complejo, compuesto por miríadas de movimientos y palabras, y volvió a sentir que cualquier catástrofe, ruina o peste quedaba a raya: era la misma ilusión de control que se experimentaba al poner en hora un reloj. Localizó los despachos donde habían instalado la estafeta y se dirigió hacia ellos. Al entrar se destocó el casco y se presentó al encargado, dándole a leer la orden del teniente coronel Navajas. Éste era un sargento con largas patillas, fibroso, con una piel bronceada como el cuero viejo. Arturo, por su acento un tanto relamido y la forma como comprobó la autorización, exactamente igual que un gourmet francés comprobaría las raciones del Heer, supo que «don Esmerado», como de inmediato lo bautizó, nunca le caería bien, pero que era el hombre adecuado para la labor que les esperaba.

—Todo en orden —concluyó devolviéndole la hoja, ya muy arrugada—. Soy el sargento Cecilio Estrada. ¿Qué se le ofrece?

—Necesito que me responda a unas preguntas, mi sargento.

—Haré lo que esté en mi mano.

—Seguro que ya está al tanto de lo sucedido en el Sslavianka.

—Algo, sí.

—No tengo que recordarle que todo lo que hablemos aquí es de un carácter estrictamente reservado.

—Me hago cargo.

—Estoy seguro de ello, mi sargento. Bien, iré al grano. Puedo adelantarle que tenemos sospechas de que se ha cometido un crimen y que su autor se encuentra en Mestelewo. La víctima se llama Luis del Águila y creemos que podría haber enviado una carta en la cual quizás hallemos pistas para dar con su asesino. ¿Me sigue?

—Perfectamente —hizo un gesto de gravedad en consonancia con el asunto.

—Bien, debemos saber si, de existir, tienen ustedes esa carta. Y no sólo eso… —dudó, pero terminó apretando los labios en actitud recia—, también habrá que revisar el resto del correo para buscar cualquier referencia que pueda ayudarnos a dar con el asesino. Todo puede ser importante.

—Es lo natural, pero para ello necesito una orden del comandante Reyes Zarauza.

—¿No le sirve la que le he traído?

—La estafeta depende de Información. Únicamente podemos manipular el correo con la conformidad del comandante.

—¿Y no podemos parchear el asunto y la consigo luego? Esto corre prisa.

—No.

Arturo no insistió, intuyendo que aquel tipo cedía con la misma frecuencia con la que él cagaba diamantes.

—Tiene usted razón, mi sargento —concedió cambiando de táctica—, debemos seguir las ordenanzas. ¿Puedo utilizar el teléfono?

La expresión de Cecilio no le aclaró nada, hasta que se dio cuenta de que no le miraba a él, sino a algo que se hallaba detrás de él.

—No hará falta.

La anónima interjección provocó que el sargento Cecilio Estrada se cuadrase y que Arturo se diera la vuelta, topándose con el comandante Reyes Zarauza, recortado bajo el dintel de la entrada. Su barriga seguía prologándole en sus llegadas y el rostro acorchado parecía cada vez más cerca del ataque de apoplejía. Se cambió de mano el cartapacio que llevaba y se pasó los dedos por la fina raya del bigote.

—Me dijeron que había llegado.

—En efecto, mi comandante —respondió Arturo tras el saludo de rigor; apreció que parecía más amistoso que en su primer encuentro—. Tengo que hacer aquí.

—¿Y cómo es eso?

Le hizo un resumen sesgado del orden de conjeturas que le había encaminado hacia la estafeta.

—Le felicito, va enderezando el asunto. Yo estoy de su parte, créame. Que tenga mi carácter, eso es aparte.

Arturo sufrió una breve crisis verbal; no alcanzó a distinguir si su intención era capciosa, pero tuvo que concentrarse para que su ego no se abriera como una flor ante el calor de la admiración de un superior.

—Nunca lo dudé, mi comandante. A propósito, ¿cómo va...?

—Mire —Reyes Zarauza le cortó al tiempo que le agarraba del brazo con fuerza, llevándolo a un aparte—, no debería decirle esto... —se detuvo y observó a Cecilio—, sargento, salga un momento y espere fuera, y que nadie nos interrumpa, ¿estamos?

—A sus órdenes, mi comandante.

Reyes Zarauza aguardó a que un circunspecto Cecilio cumpliera su orden. A continuación, luchando contra su trabajosa respiración, el comandante examinó la parte del suelo que tenía delante y buscó en el trato un elemento más profundo que la mera relación jerárquica.

—Mire, Arturo, no quiero ponerle en un brete, tiene una labor y debe cumplirla como mejor se le dé a entender. Lo que usted haya hecho en el pasado, a mí ya no me incumbe, sólo nos preocupa el presente, ¿opina lo mismo que yo?

—Sí, mi comandante.

—Bien, bien... —buscó las palabras adecuadas, las de mayor peso y contundencia—. Pero en la vida las buenas intenciones duran poco, sobre todo cuando se descubre que del dicho al hecho hay mucho dinero o mucho esfuerzo. ¿Me explico?

—Intento entenderle, mi comandante.

—Veo que no me explico. Vamos a ver —adoptó un aire de Buda adoctrinante—, en la vida hay clases, ¿entiende?, incluso entre los muertos. Luis del Águila era un soldado, pero también era falangista, un buen falangista, yo también lo soy, o lo intento ser, y usted estará de acuerdo en que somos la columna vertebral de la División.

—Sin duda, mi comandante.

—Vamos entendiéndonos. Con esto quiero decirle que, si por mí fuese, esta investigación la llevaría mi gente, y con esto no doy a entender que el teniente coronel Navajas no vaya a hacer todo lo que esté en su mano, quite, quite, Dios nos libre, pero en el mundo hay... —Reyes Zarauza titubeó; Arturo casi pudo oír el tic-tac de la maquinaria de su cerebro—, hay circunstancias sobre las que no tenemos ningún tipo de prerrogativa, las cosas se tuercen cuando menos se lo espera uno, y entonces las únicas leyes válidas son las que no están escritas. Cuando eso suceda —le miró fijamente a los ojos—, puede contar conmigo.

Secretos y más secretos. Arturo interpretó la escurridiza declaración del comandante como una advertencia de que, efectivamente, cualquiera podía hacerle la cama. A Arturo no le pillaba de sorpresa, el caso era por qué. ¿Tan grave se planteaba el enfrentamiento entre los camisas azules y los militares? Eso implicaría que su elección no tenía nada que ver con un exceso de trabajo de la gendarmería, sino con la búsqueda de un peón neutral. Seguía sin sentarle bien.

—Le estoy muy reconocido, mi comandante, y no lo olvidaré. Lo que sí le urgiría es a buscar esos nombres que necesitamos para la investigación. Y también que alguien compruebe en España las cartas que pudiera tener la hermana del fallecido, Erundina del Águila.

—No se preocupe, daré la orden inmediatamente. Y respecto a los nombres, a eso venía. En cuanto me he enterado de su llegada yo mismo he querido traérselos.

Arturo se fijó en el cartapacio de su mano. El comandante lo apoyó contra su pecho y, desatando las cintas que lo cerraban, extrajo unas cuartillas que le entregó.

—Hemos mirado con lupa, ya sabe que aquí «habemos» de todo, gente que viene por el ideal, por conveniencias, religiosos, aventureros, indeseables... A lo que íbamos, que hemos trabajado duro y de momento tenemos unos ochenta y siete sospechosos; de ésos hemos descartado alrededor de la mitad y el resto estamos investigándolos. Entre los sospechosos tenían prioridad tres pintas que son de la piel del diablo. Le hemos ahorrado trabajo y hemos comprobado las coartadas de dos de ellos: uno la palmó la semana pasada y el otro estaba de imaginaria. Pero el tercero, éste es otro asunto; a éste no hay que darle de comer aparte, hay que ponerle un pesebre de medio kilómetro.

—¿Me puede adelantar algo, mi comandante? —solicitó mientras hojeaba las cuartillas.

—Una joyita, un despatriado con mal pasado y peor destino. Ricardo Guerra Castells, alias Guerrita, masón, chekista y maricón, ya le digo: las tres Gracias. Es el ajo en el mortero; manejó la checa de Fomento, y luego anduvo en el SIM, en operaciones clandestinas. El resto lo tiene en el informe. Aunque eso no es lo peor que ha hecho el invertido este.

—¿Todavía hay más?

—Fue quien organizó el Plan Talión. Usted estará enterado, en la Segunda se sabían estas cosas.

Arturo silbó como un leve escape de vapor. Nada menos que el célebre Plan Talión, el fallido atentado que estuvo a punto de acabar con la vida del Caudillo.

—¿Y cómo es que no lo han fusilado ya?

—No, a éste le tenían reservado un asiento en primera fila: garrote vil. Pero eso pregúnteselo a él. Fue el mismo Caudillo quien lo indultó y luego lo mandó para acá con órdenes expresas de tenerlo en el anonimato, no fuese que a alguno le diera por liquidarlo.

—Qué raro.

—Rarísimo, y más conociendo al Caudillo. Vamos, quiero decir su empeño en arrancar la mala hierba —se adelantó a cualquier interpretación elíptica—. Pero, si quieres verlo torear, tendrás que darte prisa —Arturo reconoció la famosa exclamación de un popular torero la primera vez que vio el revolucionario y arriesgadísimo comportamiento de Belmonte en el ruedo.

—¿Por qué?

—Porque lo tienen en Puschkin, con los zapadores, limpiando minas contra personas, y puede volar en cualquier momento.

Arturo asintió y hojeó los informes, expresando un pensamiento en voz alta.

—A éste sólo le falta beber sangre.

—Pues no me extrañaría.

—Es una información muy valiosa, mi comandante —certificó formando bajo el brazo un cañón de papeles—. Ah, y permítame felicitarle por la captura de ese espía.

—Radio Macuto no falla —valoró el comandante con una brizna de reproche en su admiración—. Ahora lo tenemos en capilla, asentándole un poco la mano a ver qué nos cuenta.

—¿Y si no cuenta nada?

Arturo quiso desdecirse al instante de su cándida pregunta, pero sobre los labios de Reyes Zarauza ya se había posado una sonrisa olímpicamente cruel.

—Hay muchas formas de obligar a alguien a decir algo, sólo es cuestión de imaginación, y siempre hay quien tiene de sobra.

La respuesta le interrumpió todo menos la sensación de rubor. El comandante había cumplido con una parte de su deber, y a continuación cumplió con la otra: recuperó de nuevo su puesto en la jerarquía, conminándole a saludar antes de despedirse. «Le tendré al tanto de lo que haya.» Arturo se mantuvo en posición de firmes hasta que el sargento ocupó el lugar del comandante. En todo ese tiempo se reprochó duramente su puerilidad; a esas alturas de su vida no acababa de comprender aquella vulnerabilidad desmesurada, e intuyó que era algo infantil, innato, que ni la experiencia, ni la cultura, ni la inteligencia corregirían. Cuando pudo repasar las hojas, y a pesar de que se consideraba por encima de la propaganda catequizadora con la que el régimen realizaba su ingeniería social en España, no podía dejar de relacionar los antecedentes masónicos de aquel tipo con las extrañas circunstancias del caso, que recordaban los oscuros y minuciosos rituales de la masonería. No obstante, lo leyó todo con la antigua fe del patrón oro, de quien no se fía de la Historia porque ha visto mucha, porque el sospechoso perfecto sólo existía en las novelas, al contrario del crimen perfecto, que únicamente era posible en la realidad. Dobló las hojas y las metió en un bolsillo. La figura delgada y morena de don Esmerado se removía inquieta; a pesar de su circunspección, se notaba que encajaba mal la pérdida de tiempo. A Arturo le pareció bien.

—Bueno, mi sargento, parece que ya tenemos autorización. ¿Podemos empezar?

Cecilio Estrada se acarició una de sus patillas y asintió en silencio. Siempre fiel a su monotonía de cola de banco, le señaló los pasillos intestinales del servicio de correos, conduciéndole hasta el gabinete de censura anexo. A medida que recorrían el pasillo, oyeron una voz que iba hinchándose paulatinamente; una voz gritona, espasmódica, que alternaba momentos exclusivos, solemnes, con latigazos de ira, invectivas, e incluso desesperación: la voz de Hitler. La sensación de que el mismo Führer pudiese hallarse físicamente a pocos metros le produjo a Arturo un hormigueo que le entró por los pies y le subió hasta enroscarse en el estómago. La incertidumbre duró lo que duró el trayecto hasta la habitación donde tenían instalado el gabinete. En una de sus esquinas, sobre una enorme batería de archivadores, una radio escupía el discurso del cesarizado líder. Estaba sintonizada en la emisora de Pleskau en su emisión especial para los españoles. Los amanuenses censores permanecían quietos, sentados tras sus mesas, tan absortos en la arenga que ni siquiera se apercibieron de su entrada. Cecilio le miró y selló sus labios con un dedo. Arturo no adivinó si quería certificar aún más sus novillos antes de empurarlos o le apetecía escuchar la alocución. En el ínterin, se entretuvo imaginando la película que se desarrollaba en ese momento en algún lugar de Alemania: los documentales de la UFA reflejaban siempre la misma estetización de la política, la misma plaza, sala o arena repleta de altavoces, de cruces gamadas, de pancartas; una multitud enfervorizada, bramante, aplaudidora; y, al fondo de la escenificación, el Gran Sofista, el Tambor, el Redentor de la Patria Germana, Adolf Hitler Pöztl, un irresistible monstruo de energía desplegando todo su arsenal retórico y megalomaníaco.

No era necesario comprender lo que decía; es más, impresionaba más si «no» se entendía. Arturo descifraba sus palabras sabiendo perfectamente que los cacharros vacíos son los que hacen más ruido y, como tal, el Führer no hacía más que vaciar de contenido las palabras y llenarlas de emociones, repetir mentiras una y otra vez hasta que su cadencia narcotizante las convirtiese en verdades, transformar meras consignas en símbolos. Sí, Arturo era consciente de que el nazismo sólo operaba con fantasía, eslóganes y resentimiento. Sin embargo, tampoco él podía dejar de quedar hechizado por la caricia irracional de sus palabras, unas palabras que no iban dirigidas al intelecto, sino al corazón, y que apelaban al inconsciente, al pánico que todo individuo siente a la libertad. Los cantos de sirena cesaron cuando Cecilio Estrada se adelantó y estranguló el botón de la radio. No adoptó ninguna medida en concreto, como había esperado Arturo, sino que se limitó a mirarles como si estuviera buscando a alguien, impaciente. Uno de los censores tenía la silla inclinada hacia atrás y al verle la asentó con un golpe seco, perdiendo el equilibrio y casi descalabrándose. La popularmente llamada «Compañía Watermann», en referencia a las estilográficas, formada por un variopinto grupo de guardias civiles encuadrados como chupatintas, se puso de inmediato en pie. Cuando estuvo seguro de concentrar su atención, el sargento Cecilio Estrada hizo un relato de la situación tan minucioso como la decoración de un templo hindú. Al cabo, volvió a dirigirse a Arturo.

—Le presento al soldado de primera Octavio Imaz. Le dejo en buenas manos.

Tras hacer los honores al aludido, se retiró sin más explicaciones. Octavio era un tipo casi en la treintena, alto, esbelto, y con un rostro pálido y desgarbado de asceta. Arturo observó que tenía los ojos enrojecidos, lo que indicaba un exceso de trabajo o una querencia excesiva por el alcohol o ambas cosas. Saludó con marcialidad, a lo que Octavio respondió con un aristocrático gesto, tras el cual se quedó escrutando en profundidad su cara. Arturo soportó su averiguación con franqueza, aunque secretamente pudoroso de que el elegante soldado estuviera juzgando las cicatrices de viruela que marcaban sus facciones. Acabaron de llenarse las cisternas de su memoria.

—Arturo Andrade... ¿No fuiste tú quien anduvo en aquella historia del Prado?

—El mismo.

—*El arte de matar dragones...* —rememoró sin dar a entender si no sabía nada o sabía demasiado, si le parecía mal o no le parecía en absoluto—. Bien —subió el tono de voz, dirigiéndose al resto de inquisidores—, ya habéis oído al sargento: buscamos una carta dirigida a Erundina del Águila escrita por un tal Luis del Águila, o cualquier otra que se refiera al crimen. Empezamos desde el principio, y me refiero a todo, incluido lo revisado. Venga, todo quisque a arrimar el hombro.

Se escuchó una queja común que remitió al formidable caudal de cartas en el que se hallaban inmersos. Arturo contempló la habitación, de techos altos, adornada con carteles escoriados de corridas de toros en Sevilla y Córdoba, con un abeto plantado en medio lleno de bolas de Navidad, y esparcidos alrededor, como regalos, un pandemónium de sobres, pliegos, documentos, tarjetas postales, periódicos, revistas, paquetes... Se fijó en concreto en una tarjeta postal con la ilustración del hundimiento del portaaviones inglés *Courageous* por un submarino y en otra letona anterior a la ocupación del país por la Unión Soviética, a juzgar por la leyenda inscrita en el idioma nativo. «Palabras —pensó— liberadoras, destructoras, consoladoras..., irremediables». Todos los pensamientos de una división, miles de hombres trabajando, amando, sufriendo, necesitando, muriendo... Concluyó que allí, teniendo la información omnisciente de un dios, no sería difícil sentirse uno; un dios con la capacidad de hacer todo el bien del mundo, pero también todo el mal. Cuando volvió a enfrentarse con Octavio, ambos sufrieron uno de esos momentos estúpidos que suelen ser fáciles de corregir si se reacciona a tiempo pero, que si no, se hacen inmensos. Su desencuentro se alargó.

—Venga, señores, que no se diga, que en peores plazas hemos toreado.

La voz sonora y rumbosa del cabo Aparicio rompió la tensión y su tremenda presencia desbordó la habitación descargando con un sonoro golpe sobre una mesa la saca de correo que cargaba. Fue acogido por un cordial jaleo.

—Con el sitio que hay y lo que he tardado en aparcar —se quejó.

—Oye, Aparicio, ¿sabes algo de la ofensiva? —comentó ilusionado uno de los soldados, de nariz goteante—. Dicen que se prepara una.

—Eso es un macutazo —reprochó otro, airado—. Llevan con esa engañifa desde que llegamos. Sí, camaradas, pronto desfilaremos por la Perspectiva Nevsky... Siempre con la misma cantinela y siempre estamos con el culo pegado al suelo. Coño, yo no vine aquí para pasarme el día leyendo cartas. O caja o faja.

—¿Qué crees, que eres el único que vino aquí a batirse el cobre? —le increpó un tercero que, con una sombra de bigote en los labios, era casi un crío.

Dos quejas fueron suficientes para que se pusiera en marcha una batería de querellas que Arturo intuyó diarias. El caja o faja, caja de madera o faja de general, se cumplía allí de una manera particularmente intensa. Cuando aflojaron las lamentaciones, uno de los soldados se arrancó con una de aquellas canciones falangistas de rima ripiosa y letra fanfarrona, que fue coreada por el resto. Arturo se sintió desbordado por aquella intervención y sufrió un desfallecimiento moral, porque confirmó que, aunque lo pareciese, ya no era joven. Todo joven quiere cambiar el mundo, y para ello se necesitaba candidez, pasión, y él ya no podía pasar de posturas tibias y asépticas. Sí, ellos eran los bárbaros, como había dicho Hitler en una parte de su discurso radiofónico, los jóvenes bárbaros sin trazas de cultura ni nociones de Historia que saquearían el mundo y pondrían fin a una civilización. Y Arturo se sintió culpable: culpable de ser viejo, de ser la civilización. La exaltación llegó a un punto crítico en el que uno de los soldados, arrebatado, comenzó a lanzar consignas a José Antonio que fueron endureciéndose hasta resultar peligrosamente poco afectas al Caudillo. El fermento falangista burbujeaba allí de una manera virulenta, disimulando malamente la disconformidad de sus miembros con la España militar y quietista. Octavio, que hasta ese momento había seguido la zambra con una estoica sonrisa, cortó la algarabía con una simple elevación de voz. Arturo observó que su autoridad había batutado el desbarajuste sin oposición, saltándose incluso grados en la jerarquía y quedando por encima de un suboficial como Aparicio.

—Venga, no seáis plomos, que no tenemos toda la guerra —Aparicio obvió la indisciplina de Octavio y distendió la situación con unas cuantas palmadas—. A ver, Leoncio, acércanos los trastos de matar.

El mentado Leoncio era precisamente el de la nariz resfriada que, levantándose, se acercó hasta una de las baterías de archivadores y se elevó sobre las puntas de sus pies, abriendo uno de los más impracticables. Tras unos segundos desafiando todas las leyes de Newton, logró salir indemne de ellas y extraer un par de botellas. Las colocó sobre una mesa; una era del coñac Tres Cepas con que solían aprovisionar a la División, y la otra era de un vodka proveniente de alguna destilería de tubos y manguitos, fruto de los intercambios con los nativos. Aparecieron vasos de cristal y fueron repartiéndose generosas raciones de ambos licores, hasta dejar las botellas malparadas.

—¿Qué prefieres? —le ofreció Aparicio.

Arturo hubiera preferido la calidez de un café, pero ni se le pasó por la cabeza incurrir en una descortesía.

—Vodka.

Aparicio le llenó el vaso hasta los bordes y se lo puso a la altura de los labios.

—Venga, a beber y a olvidar.

—Pues aquí hay mucho olvido —avaló Arturo poniendo cuidado en no derramar el líquido.

—A ver —el soldado con la sombra de bigote reclamaba la atención general—, un brindis.

El grupo adoptó una actitud de ceremonia y homenaje. Sólo una gruesa arruga en la frente de Octavio evidenció que todos estaban aguardando sus palabras.

—Por España —propuso Octavio.

Una alambrada de brazos cercó a Octavio en reverente respaldo, que elevó a su vez el vaso ligeramente por encima de ellos.

—Salud.

—*Prosit.*

—*Na sdarovie.*

Con el último brindis todos vaciaron sus vasos. Un trago gélido y liso, un respingo desfigurando sus rasgos. Sí, pensó Arturo, era bueno ser joven, ser un bárbaro. Era bueno no estar solo. Repentinamente, Aparicio lanzó su vaso por encima del hombro, a la manera rusa, con un estruendo de cristales rotos. Uno tras otro la compañía fue estrellando los vasos a sus espaldas, y Arturo les imitó sin dudar. La algarabía fue en aumento hasta que, en medio del estrépito, uno de los vasos rebotó con un sonido hueco, que fue copiándose hasta detenerse contra una pared. Se produjo un silencio y todos los soldados se quedaron rígidos. Un vaso sano era un mal augurio y nadie quiso saber si había sido el suyo. Aparicio distendió la situación llamando al orden. Al tiempo, Arturo intercambió una última mirada con Octavio Imaz, cuyo distinguido rostro mantenía la ensayada inexpresividad de quien se enfrenta a cuestiones irrelevantes. En cierta manera, adivinó que su presencia no casaba con aquel uniforme, que era una simplificación demasiado fácil. Retiró los ojos y buscó una fórmula de despedida, que fue respondida por la sonrisa franca y ancha de Aparicio comprometiéndose a llevarle de vuelta a Mestelewo cuando acabase sus diligencias.

—¿Cuánto creen que tardarán, mi cabo?

—No te sé decir. Desde luego, no van a cosa hecha.

—De acuerdo. ¿Podrán llamarme cuando tengan algo? A cualquier hora.

—Descuida.

La siguiente estación era el teniente coronel Navajas del Río. Arturo se despidió de nuevo, franqueó el umbral de la habitación y los dejó atrás, en el pasado; un pasado que, estaba seguro, le estaría esperando en algún lugar del futuro.

—¿Da su permiso, mi teniente coronel?

—Pase, pase.

Arturo tuvo la sensación de haber salido de una habitación para, sin solución de continuidad, meterse directamente en otra. Miró al ceremonioso capitán que, como un ujier, acababa de pedir la venia con la puerta a medio abrir y, tras obtener el visto bueno, tiró de su guerrera y asomó la cabeza con cautela.

—Se presenta el soldado Arturo Andrade, mi teniente coronel.

—Adelante.

Arturo penetró en el despacho y lo primero que distinguió fue la ventana que daba al Hades refrigerado que era el horizonte de Rusia. El tiempo comenzaba a empañarse de nuevo con un cielo pesado, ceniciento, como un pálido más allá. Los cristales retemblaban ligeramente por la artillería que trabajaba en las cercanías. Revisó la estancia; no había nada nuevo desde la última vez que había estado. Al repertorio de objetos que recordaba sobre la mesa atestada de papeles y carpetas, le añadió una lupa de gran tamaño montada sobre una estructura de metal articulada y un tintero color azul petróleo. Volvió a fijarse en el armatoste de Biblia mediante el cual había logrado convencer en la anterior reunión de su pertinencia en el caso; también en el almanaque que había en la pared y en la perla filosófica que mostraba ese día. 31 de enero de 1943: «Traedme el caballo más veloz —pidió el mensajero—, acabo de decirle la verdad al rey». Arturo ejecutó el saludo de rigor y procuró anudar sus reacciones a las de su oficial superior. Navajas del Río mostraba un perfil tieso y anguloso, a lo Nefertiti, mientras mecanografiaba algo de una manera inconstante, dubitativa, como si intentara tocar de oído una melodía. Cuando terminó, le encaró corriendo las gafas desde la punta de la nariz hasta su posición natural en el caballete. Sus ojos, pequeños, oscuros, parecían haber acumulado años de hollín. Seguía teniendo el aspecto de quien se ha pasado toda la noche en una partida de cartas.

—¿Cómo acertó la página de la Biblia? —preguntó fiel a su estilo conciso, memorioso.

—¿Me permite? —Arturo señaló el texto sagrado.

—Adelante.

Arturo estudió la Biblia; continuaba haciendo lo de siempre: custodiando un silencio de dos mil años. Se ciñó la gorra en la hombrera y levantó el libro, poniéndolo en equilibrio sobre sus lomos en una mano y colocando la otra a modo de llave sobre sus tapas. Abrió y cerró las pinzas de sus dedos ligeramente, dos, tres, cuatro veces, permitiendo que el libro se empeñase en separar sus páginas siempre a la misma altura del texto.

—Normalmente, debido a las reiteradas lecturas, se abre por las páginas más leídas, mi teniente coronel —despejó Arturo, devolviendo la Biblia a su sitio.

—Ya veo. Las cosas suelen ser muy simples.

—Sólo a veces, mi teniente coronel.

—En realidad, siempre —ultimó Navajas del Río sin dar más opciones.

Una astuta sonrisa barrió su rostro y permaneció unos segundos tamborileando sus dedos sobre la mezcolanza de informes.

—Bien —resolvió—, ¿y qué tenemos de nuevo?

Arturo le hizo un inventario general de la investigación, incluyendo la filiación masónica del principal sospechoso, aunque sesgando las veladas proposiciones del comandante Reyes Zarauza. Navajas le escuchaba con atención, intercalando alguna pregunta sin desbaratar el discurso. A continuación cogió la daga de elaborada industria con la que el ejército alemán obsequiaba a sus mandos, oculta bajo una resma de papel, y dejó que su curiosidad creara sus propias escalas valorativas.

—En resumen, que Luis del Águila fue degollado por alguien en algún lugar y de alguna manera que hizo que toda su sangre se volatilizara. No hemos avanzado mucho.

—Tal vez con no retroceder es suficiente, mi teniente coronel. A lo mejor no sabemos dónde, de acuerdo, aunque yo tampoco me fiaría al cien por cien del testimonio del testigo y no descarto las duchas. Tampoco conocemos exactamente cómo, sin embargo podemos dar por sentado que, de una u otra manera, los caballos tienen que ver con el caso, ya sea como vehículo de transporte o en función de algún propósito trazado de antemano. Y además sabemos cuándo, y si encontramos la carta quizás nos pueda dar pistas acerca de por qué lo asesinaron o, si no, el páter podría echarnos un cable. Y el orden de los sumandos no importa, al final la suma siempre será quién.

—No me preocupan tanto sus sumandos como sus tal vez, a lo mejor, quizás...

—Hay que ir con precaución: nada es lo que parece.

—No, guripa, volvemos a lo de antes, las cosas parecen lo que quieras que parezcan...

Navajas se detuvo con un bufido, como un profesor hastiado de explicarle un sencillo concepto a un alumno zoquete; dejó la daga, se quitó las gafas, las estudió y volvió a ponérselas.

—Después le aclararé una cosa —continuó—, ahora terminemos con esto. Personalmente, creo que aquí se han mezclado demasiado churras con merinas y es inevitable que se cuele algún aberrante, algún vicioso. ¿Ha hablado con el comandante Zarauza?

—Sí, precisamente me ha dado algunos nombres por los que empezar.

—Perfecto. ¿Y le ha contado alguna cosa más?

Arturo sintió el suelo como una cama elástica; no sabía qué movimiento o altibajo le derrumbaría. Qué hacer: decir la verdad o mentir. No podía estar seguro de que Navajas no estuviera al tanto de algo y la negativa sería un reconocimiento de culpa, y un sí podría ser una trampa y buscarse también la ruina. Optó por la mejor política, por la única: la chaquetera.

—Me ofreció toda su ayuda. Al igual que usted, mi teniente coronel.

—¿En qué sentido?

—En todos.

Navajas del Río sonrió y se esponjó en su asiento. Le indicó una silla a Arturo.

—Siéntese.

Arturo obedeció acercándose la silla.

—El comandante Zarauza es gente pronta, bien mandada... Un buen soldado —manifestó Navajas—. Aunque se está poniendo un poco gordo, ¿no cree?

—Digamos que es de complexión fuerte, mi teniente coronel.

—No ande trampeando, Arturo: si el comandante se cae, bota.

Arturo logró esquivar la carcajada y transformarla en una contorsionada mueca.

—Bueno, igual le convendría seguir un régimen.

—¿Régimen? Aquí el único régimen que sigue el comandante es el franquista... y sólo un poco —remató—. Bien, lo que quería explicarle antes... —se giró ofreciéndole su perfil numismático mientras rebuscaba entre numerosos mapas, superponibles, estadillos, organigramas—, lo que quería explicarle antes —acabó sacando un plano que fue desplegando con morosidad— era esto.

Navajas del Río volvió a coger la daga y empezó a moverla con un titubeo de brújula sobre el mapa. Era un plano militar de la Europa ocupada sobre el que acabó por señalar el frente del Este.

—Nuestras posiciones, mi teniente coronel —confirmó Arturo.

—En efecto, pero no quiero que se fije sólo en esto —golpeó varias veces la línea del frente con la punta de acero—, sino en los alrededores.

Navajas del Río levantó la daga y fue haciendo círculos concéntricos cada vez más amplios, que terminaron por incluir el norte de África, donde Rommel se había retirado acosado por los aliados, y Stalingrado, escenario del último y monumental descalabro alemán. En un principio, creyó que el teniente coronel quería patentizarle de una manera tácita la delicada situación en que se hallaba la Wehrmacht, en un remedo sui géneris del Imperio Romano: si Roma se había hundido por un exceso de fronteras, el Reich lo haría por una acumulación de frentes. Pero los círculos siguieron engordando, cruzando paralelos y meridianos, hasta englobar por completo el mamut geográfico de Rusia, sugiriéndole que la elipsis era mucho más compleja, hasta establecer inevitables comparaciones entre el pequeño círculo rojo trazado alrededor de sus posiciones y la inmensidad de coliseo de la Unión Soviética, cotejo que bastaría para lijar las aristas de cualquier voluntad conquistadora. A la postre, el filo volvió a clavarse en Leningrado.

—Ahí delante —rehiló Navajas— tenemos tres divisiones rusas, y sabe Dios cuántas más vendrán antes de que empiece el baile. Stalin está sacando hasta el último hombre del más oscuro rincón de Siberia y los está trayendo para acá. Todo el jaleo que ha observado ahí fuera no es para atacar, sino para defendernos, ¿entiende?

Arturo no respondió pero asintió con convicción. Y le sorprendió que el teniente coronel le estuviera contando algo tan peligrosamente derrotista, y con tanta sencillez, sin subrayados patéticos.

—Veo que comprende que la cosa está de mirameynometoques, teniente Arturo Andrade.

Se percató de que le concedía una autoridad que no tenía, echándole incienso.

—Sí, mi teniente coronel.

—Pero las guerras se ganan primero aquí —señaló su cabeza con la daga—, y por lo visto hay gente que no quiere enterarse. Y no vaya a pensar lo que no es, Arturo, no me refiero a que haya que dejar de investigar un hecho tan grave como el asesinato del alférez Luis del Águila; ni puedo dar esa orden, ni quiero, ni debo, pero lo último que necesitamos ahora son rencillas disgregadoras. Y, sobre todo, no necesitamos mártires, eso es seguro. Por lo tanto, y para evitar males mayores, no vamos a permitir que por alguna mala cabeza la División deje de ser lo que es, es decir, un vivero de voluntades y un crisol de entusiasmos, ¿estamos?

A medida que la conversación del teniente coronel se poblaba de más cuestas y recodos, Arturo experimentó una especie de *déjà vu* que le remitía a su conversación con Reyes Zarauza. Probó a cambiar la marcha.

—¿Dónde quiere llegar, mi teniente coronel?

—¿Dónde? Pues eso es lo que quería explicarle antes precisamente. Debe de ser que estamos muy lejos de casa y muy cerca de esos rojos y eso del marxismo es algo parecido al sarampión. Se pierde la perspectiva, todo se enreda, y a la gente le da por tener visiones, por querer hacer la revolución. Y ahora no nos conviene ninguna revolución.

Tomó nota de sus explicaciones. Pero sus intenciones seguían siendo tan impredecibles como una mancha solar.

—Intuyo lo que quiere decirme, mi teniente coronel, pero si fuese un poco más específico... ¿Qué he de hacer?

—Le he dicho más de lo que podía —sentenció puntillosamente—. No me comprometa... ni se comprometa. Usted sabrá qué hacer cuando llegue el momento.

Navajas del Río adoptó un gesto como cuando se está asomado a la borda de un barco o a un balcón por la noche, y Arturo no preguntó ni redirigió sus palabras; se limitó a apretar los labios en símbolo de su aquiescencia.

—Entonces debo hacerle algunas preguntas, mi teniente coronel. Y le ruego que no me diga una cosa de pie y otra sentado.

—Adelante.

—Seré claro, y sólo tendrá que afirmarlo o negarlo: ¿usted tiene idea de quién lo hizo?

Navajas del Río carraspeó y, con cierto sello teatral, se levantó lentamente de su silla, se acercó hasta una estufa esquinada en su despacho, y atizó su fuego con un hurgón. Luego volvió a sentarse, limpiándose las gafas, lo que puso algo nervioso a Arturo porque eso significaba que ahora le veía mejor.

—No —respondió.

—Bien. ¿Y tiene alguna información que no haya compartido conmigo?

—En absoluto —lo dijo con severa contundencia, eliminando cualquier posible interpretación.

Arturo decidió jugársela una última vez, y para ello probó a buscar una rendija en Navajas por donde fallara su voluntad y pudiera salir el idiota vanidoso que todos llevamos dentro.

—¿Sabe lo que me dijo antes el comandante Zarauza? —preguntó.

—No.

—Que en la División había dos clases de personas: los falangistas y los que no lo son.

La cara de Navajas continuó siendo la misma, si acaso un poco más rígida.

—El comandante acierta a medias —argumentó—. Él dice que en la División hay dos tipos de personas, ¿no?

—En efecto.

—Pues en eso no se equivoca, únicamente hay dos: los vivos y los muertos.

Navajas continuaba encauzando sus palabras como una serpiente entre la hojarasca, sin dejar huella, zigzagueando. Arturo se apercibió de que ya no llegaría hasta donde quisiera, sino hasta donde le dejaran, y puso punto final a su discurso.

—Muy bien, mi teniente coronel. Ahora debo pedirle algunas cosas —recordó la necesidad de alternar palos y zanahorias—. Para hacer mi trabajo con eficacia tendría que recuperar mi antigua graduación.

—Sé a lo que se refiere, pero eso no es posible, y usted lo sabe. Lo que puedo hacer es conferirle ciertos poderes temporales; en ese sentido quedará equiparado a la gendarmería —ambos sabían que en condiciones especiales podían imponerse incluso a oficiales superiores—. Creo que es suficiente.

—Se lo agradezco. Otra cosa...

—Usted dirá.

—Luis del Águila jugaba a la violeta. ¿Qué sabe de ello?

—Que está prohibido.

—Pues Radio Macuto habla de partidas.

—Como si dice misa, está prohibido.

Durante unos segundos su comunidad quedó cortada a tajo. Arturo comprobó o creyó comprobar que el teniente coronel todavía respetaba algunos principios. Le quedaba una demanda, la más comprometida, pero antes de continuar buscó en la mirada de Navajas esa mezcla peculiar de irritación y prisa que indica los últimos granos de arena en el reloj de la paciencia, sin dar con ella. Decidió lanzar los dados.

—Cuando todo esto pase, sería pertinente un ascenso.

—Me parece justo —dijo Navajas sin inmutarse—. Veré lo que se puede hacer.

Sus últimas palabras no habían suscitado ninguna emoción en el teniente coronel, pero sí provocaron que le estudiase con perverso interés. Aguardaba una condición última, adicional; solía haber una cuando la gente estaba a punto de conseguir lo que deseaba, porque la gente quiere imponer su voluntad, complicarse la vida, aun a riesgo de perderlo todo. Sin embargo, Arturo resolvió corresponder a su complicidad con un acto de vasallaje.

—Bien, pues ya está todo claro.

La sonrisa de Navajas del Río dibujó toda una red de arrugas alrededor y tras sus gafas, reteniéndole unos instantes más con un silencio elíptico.

—¿Sabe usted por qué le he elegido? —preguntó inesperadamente.

Arturo le miró interrogativo.

—No, mi teniente coronel.

—Antes de hacerlo me informé a fondo sobre usted y a mí no me engaña: sé quién es. Alguien sin visiones, realista; a lo mejor porque antes fue quien más esperanzas tuvo, eso ya no me incumbe. La vida da las vueltas que da. De todas formas, tal y como están las cosas, es la persona ideal para llevar este negocio, porque usted es como yo: un tipo sin amigos.

Arturo se crispó como sentado sobre una silla eléctrica, pero Navajas renunció a explicarse más. A cambio, le formuló otra pregunta; la manera de acercarse a ella, titubeante, evidenció que no había una intención concreta.

—¿Cree usted que yo soy cruel, Andrade?

Arturo se sorprendió levemente.

—No, no, ¿por qué me lo pregunta?

—¿No puede un jefe saber lo que piensan sus soldados?

—No... Sí, por supuesto, sí.

—¿Y cree que no me preocupo por ustedes?

—No, no lo creo, mi teniente coronel.

Navajas se quedó de nuevo en puntos suspensivos, y se palpó la estrella de *Oberstleutnant* en el hombro, como si le doliese.

—¿Sabe? No estoy aquí para que mis hombres me quieran. Podría hacerlo, desde luego, bastaría con mostrar piedad, pero no lo hago. Mi deber aquí es forjar hombres, no abrazarlos. Si no castigo cuando debo y dejo que mis hombres se confíen, comienzan a suceder accidentes, a morir soldados, a ceder posiciones, a perder batallas, guerras, patrias enteras... Debo hacer eso y mucho, mucho más.

—Sí, mi teniente coronel.

Arturo adivinó que Navajas del Río se sentía irremediablemente atraído por un episodio de su pasado, recordaba de la misma manera en que se pasa la lengua por un bache dental, pero cortó con determinación sus recuerdos y le miró fijamente, con algo muy viejo pintado en su cara. Su tono se volvió oficial, representándose a sí mismo.

—Bien, puede usted retirarse.

Arturo no discutió su sugerencia.

—A sus órdenes, mi teniente coronel.

Se levantó con firmeza, se cuadró y se dio la vuelta sin titubeos. También él pensaba que al pasado, como a la verdad, no había que hacerle demasiadas preguntas.

El capitán cancerbero le dejó en el concurrido pasillo como quien deja la bandeja del desayuno para que la recoja el servicio del hotel. Arturo se mosqueó un poco y pensó que la próxima vez casi le traería un pastel de miel, para desagriarlo al igual que su fabuloso tocayo. Se colocó el casco y, en un primer momento, estuvo por dirigirse directamente al vestíbulo, pero sintió que necesitaba alejarse por unos momentos de los actos mecánicos de la vida militar. Definitivamente, aceptaba su destino: había nacido para no encajar en ninguna parte. El pasillo se alargaba en dirección contraria y anduvo tanto que le dio la impresión de rebasar los límites de la planta áulica. Se demoró en alguna de las estatuas helénicas; le gustaba mirar esculturas porque, al contrario que los hombres, éstas respiraban belleza, orden. El corredor iba a dar a una solitaria escalera de servicio que descendía en una apretada espiral. Arturo bajó pausadamente las escaleras que los criados usarían para cumplir los deseos del antiguo propietario, el príncipe Camilio; a cada nuevo giro se encontraba con panoplias forradas de un moaré raído, descolorido, que conservaban las huellas blanquecinas de las antiguas armas que alguien se había llevado. A medio camino, a la altura de un ventanuco empotrado profundamente en el muro, se detuvo apoyándose contra la fría y áspera piedra para contemplar el exterior. Bajo un cielo color gris y coñac contempló un puñado de isbas, graneros y barracones de madera y, al fondo, un espeso horizonte de bosques. Abrazándolo todo, la nieve; un imperio que se reflejaba a sí mismo, hipnótico, ingrávido, sin sentido. El sosiego espectral que se estancaba en la popa del cuartel general desmentía que a su alrededor había millones de hombres que se disparaban a matar. Ni siquiera se escuchaba el esporádico fragor de la artillería, que mantenía siempre latente su esquelética sombra sobre sus posiciones. Por unos incomprensibles instantes se vio libre tanto de la gravedad del pasado como del futuro. No tenía miedo. Pero, inevitablemente, su mente no tardó en enzarzarse de nuevo en el asunto criminoso. Hizo un croquis mental y repasó a conciencia todo lo sucedido. La hipótesis de verse inmiscuido en una lucha de poder le daba la sensación de que cualquier acción que emprendiese tendría la misma utilidad que apuntar con una linterna al sol. En consecuencia, él se cortaría la coleta y procuraría continuar con su política de palo al burro blanco palo al burro negro. «Y que los muertos entierren a sus muertos.» El problema eran los estratos latentes de valor que iba coleccionando en comentarios, miradas, actitudes... que no dejaban de señalarle lo inconveniente que semejante crimen resultaba para ambos bandos. Claro que aquél era un mutuo juego de engaños, tanto tirios como troyanos podían estar fingiendo, pero... Se acercó más al cristal de la ventana. Sentía el cerebro sobrecalentado, y lo hundió junto con sus ojos en el frescor de la nieve. Su instinto le recordó entonces a Larios hablándole de vértebras, de pasiones que marcaban vértebras, y la única pasión que se le ocurría capaz de premeditar un asesinato tan retorcidamente atroz era el odio; el odio y su hermana de leche: la venganza. ¿Cómo se relacionaba aquello con el sufrimiento del que hablaba Erundina del Águila en su carta? ¿Qué pasado podía hacerle a uno merecedor del purgatorio del alcohol y la violeta? ¿Qué podía doler tanto como para que un hombre se devorase a sí mismo? Arturo penetró más y más en el frío, hasta llegar a un lugar donde el pensamiento ya no eran imágenes ni palabras, sino otra cosa. ¿Por qué seguía obcecado con las duchas? La sangre en remolinos escarlata escapando de sus venas, la sangre. ¿Dónde estaba si no la sangre? En el caso de que hubiera un vampiro, Arturo no creyó que fuese uno de aura gótica, sino un hombre normal, uno que no olvidaba, humillado, ofendido, que llevaba años rumiando una afrenta, añadiendo detalles, concentrando toda su existencia en el precioso segundo de su venganza: un muerto en vida. Sí, tenían un muerto porque lo habían matado, pero a lo mejor el verdadero andaba por ahí, sin evitar los espejos. Arturo veía cada vez más claro; a cambio, no se daba cuenta de que iba cayendo poco a poco más dentro de sí mismo. Y sintió miedo. Y frío. A punto de sucumbir a un ataque de pánico, un repentino y finísimo hilo de música logró introducirse entre su desorden psíquico, dándole un norte. Se separó con brusquedad de la ventana y lo siguió trabajosamente, como si tuviera que hacerlo a través de medio metro de esa nieve mental que le aprisionaba. Las notas limpias y claras de un piano tiraban de él hacia la primera planta. Era una música intensamente evocadora y fuera de lugar, entre lo misterioso y lo mágico. Desanduvo los escalones y llegó hasta la puerta historiada que inauguraba la serie del lado derecho del pasillo. La música provenía del otro lado. Primero se cercioró de que la barahúnda de jefes y oficiales que poblaban el corredor no parecía considerar aquella habitación parte del sistema nervioso del Estado Mayor, así como de que era el único que parecía admirarse por la melodía. Permaneció a la vista, junto a la entrada, a la espera de que alguien le llamase la atención, hasta que comprobó que nadie le hacía caso. Extrañado, abrió la puerta y la entornó ligeramente, encajando su rostro en el espacio. La estancia parecía ser el comedor de jefes; era un salón grande, tapizado de rojo, con una columna que sustentaba un techo abovedado y una enorme araña dorada colgada de él. Una mesa de cerezo ovoidal, con un jarrón en su centro circundado por cuatro figuras de porcelana que representaban los puntos cardinales, se hallaba custodiada marcialmente por una corte de sillas y butacones que le disputaban el centro de gravedad a una chimenea encendida en la que los troncos se consumían entre fuertes chasquidos. Enormes ventanales daban a un balconcito, y un gran espejo veneciano lo copiaba todo. Mientras, la música continuaba sonando. En una esquina, sentada a un piano de cola con la tapa levantada, una mujer ejecutaba una pieza. Se mantenía rígida y erguida, ligeramente echada hacia atrás, como si tuviera que mantener bien sujetas las bridas de una fuerza desatada. Desde el lugar donde se hallaba, Arturo podía ver perfectamente sus manos, cuyos dedos trabajaban buscando la presión exacta, la medida perfecta que reflejase con fidelidad el espíritu de la composición. Era una mujer en la treintena, de anchos hombros y rasgos eslavos, con pómulos de mármol y un recogido de cabello rojizo. Llevaba una blusa y una falda negra, de corte perfecto, y, más distinguida que guapa, desprendía no obstante el perfume de la feminidad de una manera espléndida. Arturo sintió en sus ojos el peso del deseo. Sus sentimientos, tras años reprimidos, fueron saliendo a rastras de algún recóndito rincón de su alma, y los cristales del recuerdo, como un caleidoscopio, fueron dibujando dolorosas figuras: Anna, Román... El suave manar de la música cesó de repente. La mujer mantenía sus manos sobre el teclado, sin llegar a tocarlo, rígidas; su rostro permanecía transido, ausente. Al cabo, todos sus músculos comenzaron a relajarse, uno a uno, y descansó sus manos sobre el regazo. Luego habló.

—¿Le gusta Chopin?

Arturo sufrió un respingo, aunque tuvieron que pasar unos segundos hasta que vio en su silencio la prueba de que se dirigían a él. No supo qué le sorprendía más: si la interlocución en trabajoso español o que la mujer fuese capaz de intuir su presencia sin tener ángulo de visión. El gesto de incredulidad se borró a medias cuando la descubrió reflejada en el espejo, mirándole con la misma atención que minutos antes había dedicado al piano.

—¿Le ha comido la lengua el gato?

Tras su nueva pregunta, la mujer sonrió. Para su mortificación, Arturo se ruborizó como una virgen a la que tocasen por primera vez un pecho y cerró precipitadamente la puerta. Se arrepintió al instante, pero también al instante dejó de arrepentirse. En aquel caso, su esporádica puerilidad era un mecanismo de defensa; con el tiempo, uno aprendía a conocerse algo, sobre todo sus debilidades, y aquella mujer le había hecho sentirse débil, desprotegido, y ese sentimiento siempre era la antesala de un desastre. Se encogió con el gesto de un San Antonio visitado por demonios y se retiró derrotado, pero no vencido.

Cuando llegó al vestíbulo, intentó impregnarse otra vez de realidad y optó por elaborar una lista en su cabeza para minutar sus próximas actuaciones. Para su sorpresa, el primer lugar no lo ocupaba nada relacionado con Luis del Águila, sino con su estómago. Éste le recordaba que había aguantado con un café y el recuerdo de las coles y las salchichas que había comido el día anterior. Con el firme propósito de remediarlo, fue a la estafeta en busca de Aparicio. Le encontró hablando con don Esmerado, que le certificó que continuaban buscando la carta sin tregua. Se despidieron del sargento y el cabo comenzó a abrirse paso por el vestíbulo con su desmesurado tamaño. Arturo no pudo evitar franquearse acerca de su jibarizado estómago.

—Normal —refrendó Aparicio—, aquí comemos de viento en viento y, encima, con el rancho paniaguado que nos dan estos *doiches*... Si lo raro es que no la hayamos palmado ya —una sonrisa conspirativa hizo que su rostro fuera aún más joven e inocente—. Si estuviéramos en casa, ¿tú qué te echarías entre pecho y espalda?

Arturo no dudó.

—Huevos con patatas y unas lonchitas de jamón serrano.

—Ah, tú sabes latín. Yo me comería uno de esos cocidos con su chorizo, su tocino, su morcilla, su panceta... Luego tupí y caliqueño, y quedamos como duqueses.

Se frotó las manos como si extendiese crema y sus recién horneados pensamientos hicieron que a ambos se les hiciera la boca agua. Unos metros antes de la salida, se detuvo y miró a su espalda, como buscando sus huellas para borrarlas.

—Mira —su expresión se azorró—, de lo que te voy a decir ni jota. Esta noche tenemos organizada una jarana en el pueblo. Hay un *mujik* que nos presta la casa, y tenemos un amigo en Intendencia que nos ha distraído algunas cosas buenas. Pero lo mejor es que hemos invitado a algunas *panienkas,* y ya sabes que aquí las mujeres, si te portas con ellas, son de falda rápida. Pagamos a escote, así que sólo tienes que poner algo de pana y si quieres puedes venir. De esto ni mu, ¿eh? ¿Qué me dices?

Por muy duro que uno sea, hay palabras, gestos, sonrisas que tocan puntos estratégicos. Arturo supo que rechazaría la invitación, pero se sintió un desalmado por ello. La comida era un poderosísimo aliciente, pero la mención de amores mercenarios le hizo subir la guardia. Todo deseo era una herida, y Arturo aún estaba lamiéndose las de su anterior batalla. Y más después de haberse sentido como un puñado de paja ante el fuego de aquella desconocida. Trató de no hacerse la víctima.

—Vaya, coño —se lamentó con expresión abatida.

—¿Qué? ¿Qué pasa?

—Que justo hace nada tuve que girar dinero a Madrid y estoy sin un duro —mintió.

—Por eso no te apures, yo te fío.

—No, eso no lo puedo aceptar, mi cabo. Ya sabe: quita y no pon, se acaba el montón. Pero se lo agradezco infinito. La próxima, si me quieren.

—¿No será que tienes alguna entretenida? —Aparicio se inclinó hacia él en postura camelística.

—No, mi cabo, lo único que de todo este tiempo luchando contra Marx, resulta que el cabrón, al final, va a tener razón.

Una sombra se llevó parte de la sonrisa de Aparicio.

—¿Y eso?

—Las condiciones económicas determinan todas las cosas.

Arturo sonrió para sí y le miró de soslayo, pero en su cara no percibió signo alguno de connivencia, lo que le decepcionó. El risueño cabo era una moneda de oro en medio de un lodazal, pero algo corto de entendederas.

—Era broma —Arturo aparentó la turbación de quien no ha sabido expresarse.

—Pues ese tipo de bromas han llevado a mucha gente al cementerio, porque...

Y continuó recitándole una incesante murga salpicada de unidades de destino en lo universal, inquebrantables adhesiones al Movimiento, guerras de liberación e invictos Caudillos; todo lo enumeraba, casi lo cantaba como hace un niño con el catecismo o la tabla de multiplicar. Y Arturo creyó que, al igual que los chiquillos, también sin entender del todo lo que declamaba. Se reanimó pensando que toda reprensión era una primitiva muestra de cariño. Cuando el cabo dio por terminado su sermón, se llevó las manos a los riñones y se estiró con progresivo cuidado. Luego se aseguró los guantes, se abotonó el cuello del abrigo y se ajustó el barboquejo del casco. «Aquí ya está todo el pescao vendido. Abrígate y ea, caminito», propuso. Arturo siguió su ejemplo y, tras arrebujarse bien en el uniforme, se caló el casco y fue detrás de él. A pesar de sus prevenciones, la tiritona que les asaltó en el exterior les dio la sensación de ir con la única protección de su piel. El hormiguero en torno al cuartel había clareado un poco, no mucho, pero lo suficiente para que no tuvieran que andar sorteando máquinas y rítmicas columnas de hombres. Aparicio había aparcado la motocicleta entre algunos vehículos apiñados alrededor de una fogata, para que sus motores no se congelasen. De camino, con la nieve crujiendo bajo sus pies, se cruzaron con un grupo de soldados con su uniforme blanco de camuflaje y sus esquís al hombro, como si disfrutaran de un alegre fin de semana en una estación de montaña. La tarde se deshacía en tonalidades sanguinas, un crepúsculo tristemente bellísimo que lograba traspasar la lámina plateada del *pasmurno* o tiempo cubierto. Llegaron a los vehículos; éstos se hallaban pegados a un bosque de abedules por lo que, automáticamente, se pusieron a la defensiva. Era una fronda opulenta, esbelta, transparente y oscura a la vez, moteada de cortezas plateadas y troncos con lepras de escamas rojas. No muy alejado, sobre sus copas, se distinguía el esqueleto de una torre de madera, muy alta, que formaba parte de algún sistema contra incendios. Salvo alguna ardilla enloquecida, que recorría de vez en cuando sus ramas vitrificadas, para alarma de los soldados de guardia, no parecía albergar mucho más movimiento. No obstante, Arturo sabía que no había que embromarse respecto a su aparente inanidad; tanto partisanos de la *otriadi* como unidades especiales del PKKA operaban por aquella zona buscando cabelleras *ispaniets*. Sintió el tranquilizador peso de su Tokarev al tiempo que escrutaba la espesura. Mientras, Aparicio había retirado las ramas colocadas sobre la moto para camuflarla, se había encabalgado sobre ella y estaba trasteando. Al cabo de un rato, y a juzgar por el número de pedaladas que llevaba dadas, se dieron cuenta de que la cosa iba para largo. Arturo aprovechó para calentarse un poco al fuego. Aparicio, cansado al fin, resolvió acercar la moto hasta la linde de las llamas; luego sacó uno de esos cigarrillos rusos de boquilla larga, *Pakurich,* para poder fumar con los guantes puestos, lo prendió en ellas, y se fue a sentar en el sidecar. «Lo de siempre —refunfuñó—, a ver si con la lumbre...». Sin venir a cuento, Arturo recordó el misterioso brindis que había hecho Octavio Imaz. La curiosidad y los gatos son siempre una mala combinación, pero no pudo resistirse; hizo un protocolario rodeo y fingió que sacaba el tema como quien saca una baraja: para entretenerse.

—Ese vodka de antes era dinamita.

—Teta, ¿eh? —respondió Aparicio entusiasmado—. Nos lo guinda el mismo *mujik* que nos deja la casa.

—Los de la Watermann parecen buenos chicos.

—A veces se les va el santo al cielo, pero si hay alguien aquí que haga las cosas bien son ellos. Descuida, Caralápida va mejor que un reloj suizo. Encontrarán esa carta.

—¿Caralápida?

—El sargento Cecilio.

«Don Esmerado», pensó Arturo con una sonrisa.

—Sí, parece serio —coincidió—. Y ese Octavio también.

—Y que lo digas.

—¿A qué se dedica?

—Pues eso, está en la estafeta.

—No, quiero decir que quién es.

—Un personaje. El chaval es hijo de un conde y escuadrista de Falange desde los primeros tiempos en la universidad. Cuando empezó la guerra se emboscó en la quintacolumna y salía con un coche fantasma por Madrid, un Chrysler del padre que pintó de amarillo, a ametrallar milicianos. Ya sabes, pim pam, visto y no visto. Acabaron reconociendo el coche y estuvo a punto de traer la ruina a la familia, pero el padre era algo de la Telefónica y consiguió que el Gobierno hiciera la vista gorda, asilándole en la embajada de Panamá.

Arturo no se sorprendió; podía imaginarse perfectamente a Octavio Imaz con nardo en el ojal, camisa alfonsina, gemelos de esmalte náuticos, sombrero ladeado, recién llegado de Barajas y pidiendo melón con jamón para desayunar.

—Y si tantas ganas tenía de pegar tiros, ¿cómo es que está en la estafeta? —consideró.

—Porque la mano del padre es muy larga y no se resignaba a que le matasen al primogénito. Y aunque el chaval se coló de rondón en un banderín de alistamiento contra su voluntad, removió Roma con Santiago hasta que le enviaron lejos de la primera línea.

—Pues tampoco está muy allá. Como se entere el conde...

—No, si de primeras lo mandaron a Riga, al taller de la *Hoja de Campaña,* pero el crío es un diablo y se las arregló para acabar aquí.

—¿A Riga? —preguntó Arturo con algo de cachaza—. ¿Para qué? ¿Para barrer la imprenta?

—No, para hacer la *Hoja*.

El desconcierto de Arturo sólo fue igualado por su capacidad para disimularlo.

—Pero ¿qué pinta un escuadrista en la *Hoja de Campaña*?

—Es que, verás, también resulta que el chaval es muy leído, una eminencia. Ten cuidado ahí que es la zona de patinaje artístico —le advirtió señalando un punto inconcreto.

El aviso llegó a tiempo, pero no evitó que Arturo resbalase sobre una capa de nieve helada y estuviera a punto de desplomarse, recuperando el equilibrio a base de agitar los brazos.

—Pa habernos matao —se quejó.

—Pues así la mitad del personal.

—¿Y decías que ese Octavio es un cerebro? —le recordó Arturo.

—Sí, el mozo estaba en la Delegación Nacional de Prensa y Propaganda. Por lo visto, justo antes de venir aquí incluso le dieron un premio.

—¿Un premio de qué?

—Literario.

—¿Cómo literario?

—Escribe. Vamos, que no trabaja.

—Anda —Arturo escuchó su burrada sin despeinarse y le siguió la corriente—. ¿Y qué escribe?

—Libros.

—Naturalmente, pero ¿de qué tipo?

—Raros.

—¿Y cómo son los libros raros?

—Pues con muchas letras. Yo una vez intenté leer uno pero no me enteré de nada; eran cosas extrañas, despistadas. Si por lo menos escribiera novelas de amor, que son las que me gustan. O esas otras que se leen con una mano —esbozó una sonrisa de sátiro—, ya me entiendes.

—Sí, te entiendo perfectamente —sonrió con ambigüedad.

—Ya te digo, a veces se pasa horas delante de una máquina, está como ido.

A pesar de su incomprensión, la última frase la dijo con esa mezcla de admiración y respeto que inspiran los intelectuales a quienes transitan por vías distintas y lejanas.

—¿Y sabes qué premio le han dado?

—Sí, uno gordo... —titubeó—, ese del Caudillo —acertó a señalar.

Aquí la sorpresa de Arturo rebalsó su facultad de fingimiento.

—El Premio Nacional de Literatura Francisco Franco —despejó lapidariamente.

—Ése, ese mismo —dijo Aparicio con alegría pueril.

Arturo guardó silencio y relacionó a velocidad de vértigo a Octavio Imaz con Octavio Imaz Cadenas, autor de *Razones de España,* una brillante obra a medio camino entre la arenga imperial y el drama literario que, a pesar de estar muy politizada, terminaba por esquivar limpiamente gracias a su talento la cerrilidad de una burocracia literaria. Consideró que esos antecedentes podían explicar por qué estaba al tanto de su relación con el asunto del Prado. Revisó su antiguo criterio sobre Octavio y encontró que seguía sin tener ninguno. Únicamente confirmó su primera conclusión: un hombre de su posición, teniendo el arma perfecta para sentirse dios, la palabra, y que no se asustaba de apretar el gatillo, podía hacer tanto el bien como todo el mal del mundo. Mientras se sumía en aquellas reflexiones, Aparicio se había dedicado a observar el fuego, dejándose arrastrar por ignotos pensamientos. Arturo había atendido a Aparicio de medio lado, es decir, quemándose una parte del cuerpo y helándose la otra, así que procuró ofrecer una superficie más homogénea a las llamas. Al igual que el cabo, clavó sus ojos en el fuego. Sus lenguas le recordaron su labor de improvisado bombero junto al pequeño Alexsandr, un recuerdo amable, curativo, que se cruzó con la inquietante y violenta gama de rojos de la pianista. Al tiempo que ellos dos se perdían en sus quimeras, a la luz de la hoguera, grandes lienzos de sombra iban demorándose sobre el paisaje, amordazando los grandes ruidos y amplificando pequeños murmullos.

—Voy a ver si la máquina anda —anunció Aparicio.

Desencajó su corpachón del sidecar y se pasó a la moto. Después de calzar diez pedaladas sin resultado, miró a Arturo con una mueca de disgusto. Se disponía a decir algo cuando los ojos de éste le sirvieron de advertencia para mantener el silencio. Arturo había oído un ruido sospechoso. Echó mano a la Tokarev y hundió sus ojos en la negra orilla del bosque. Escuchó de nuevo el mismo ruido, que esta vez también alcanzó a Aparicio, inmovilizándole; era un sonido de pasos acolchados por la nieve, de ramas quebradizas. Sus mentes se poblaron de partisanos deslizándose sigilosamente, con su camuflaje blanco entre la nieve blanca y sus largas kandras de dos filos. El cabo cogió su máuser con rapidez, situándose a la altura de Arturo con el cuello estirado hacia delante, como un perro que buscase un rastro.

—¿Serán de los nuestros? —susurró, montando el arma con un seco chasquido.

—Ni idea —contestó Arturo—. Pero, por si acaso, nos ponemos de perfil.

Un lejano tableteo de ametralladoras agujereó el silencio. A pesar de los cerca de treinta grados bajo cero, una gota de sudor comenzó a deslizarse por la frente agrietada de Arturo, cristalizándose instantáneamente por el frío. El ruido volvió a repetirse, esta vez más constante, confirmando el movimiento de un grupo de hombres. Sintieron la tensión nerviosa, una sequedad en sus gargantas.

—Hay que avisar —propuso Arturo.

—No, primero hay que ver si son ruskis. Ponte detrás de mí.

Arturo no discutió el gesto autoritario de su superior y se parapetó tras Aparicio. Sus sombras les precedían alargadas por el fuego, trepando árboles arriba. El cabo buscó una trocha cortafuegos que se adentraba en el bosque, y comenzó a recorrerla por su borde ojo avizor. Marcharon cautelosamente, conscientes de que si alguien les tenía preparada una emboscada podría eliminarles en un abrir y cerrar de ojos. De la nieve emergía una luz agónica y gris que hacía que las sombras se volvieran movedizas, inciertas. Durante el avance, los movimientos furtivos volvieron a ser tangibles, esta vez acompañados por voces que subían y bajaban en airados contrapuntos, aunque tan difusas que no permitían reconocer el idioma. Afinaron sus sentidos y sus precauciones. La incertidumbre fue despejándose a medida que se acercaban a un calvero. Las voces, poco a poco, se descifraban en palabras sueltas; palabras que, para su alivio, pertenecían al castellano. Se detuvieron al borde del claro y Aparicio le indicó con mímica que se agazaparan detrás de un tronco. Entre dos ondas de terreno helado, se levantaba la torre de vigilancia que habían vislumbrado antes, y a su alrededor, las voces se corporeizaron en un semicírculo de guripas iluminado por linternas, que creaban un singular universo de luces y sombras. Arturo contempló la desconcertante escena sin encontrarle mucho sentido. Al poco, los soldados se pusieron firmes tras sus fusiles y del interior del bosque surgió el jefe de la gendarmería, el capitán Joaquín Isart, y detrás de él, el oficial de enlace alemán Wolfram Kehren, seguido por tres soldados en cuyos cascos pudo distinguir las runas místicas de las Waffen-SS. Casi inmediatamente aparecieron a sus espaldas un cura, tres guripas más, un prisionero ruso con las manos atadas, y otro con la mano vendada, en cabestrillo. Arturo comprendió al instante que se trataba de una ejecución. Observó a los dos condenados, que fueron situados uno al lado del otro a muy poca distancia del piquete ya en posición. El que se hallaba a la derecha, con sus escarpadas facciones eslavas, duramente castigadas por el interrogatorio, supuso que se trataría del espía que habían capturado. Pero el otro, chaparro, moreno, de rasgos infantiles, era para su sorpresa un miembro de la División. Cuando lo colocaron a la altura del ruso, sujetándose la mano herida, sintió las piernas doblarse para, enérgicamente, recuperarse en un gesto de dignidad y fuerza. El rostro terrible pero dócil del ruso, imbuido por el vacío metafísico tan presente en el alma eslava, se mantenía sereno, al contrario que el guripa, desparejo y tembloroso, cuya lucha interna era evidente. Aparicio presintió el desconcierto de Arturo y le aclaró entre susurros que días antes le habían hecho un juicio sumarísimo a un soldado por haber fingido un accidente con el que pasaportarse de vuelta a España, y que aquél debía de ser el desgraciado. Durante la aclaración, la escena continuó desarrollándose y el cura se acercó a los condenados, bisbisando acerca de vidas perdurables, paraísos celestiales y el perdón de los pecados. Cuando terminó, ambos besaron el crucifijo que les ofrecía el sacerdote y se santiguaron; el nativo a la manera rusa, de derecha a izquierda. Arturo se preguntó si aquél sería el cura que había confesado a Luis del Águila. Seguidamente, Joaquín Isart, en un tono de ordeno y mando, sin ningún miramiento, mandó formar el piquete. El ruso cerró los ojos, como aceptando que ya no formaba parte de este mundo; en cambio, al guripa se le fue el color de la cara, el poco que le quedaba ya, y al oír las órdenes consecutivas del capitán Isart, cayó de rodillas sobre la nieve y empezó a gimotear. La escena, a la luz de las linternas nerviosas, semejaba uno de los *Desastres de la guerra* de Goya. Los gritos de Isart conminándole a ponerse en pie no surtieron ningún efecto. Al ser testigo de su miedo, uno de los *Schutzstaffel* desenfundó su arma como una prolongación de sus negras intenciones y se dirigió hacia el español, pero en su camino se interpuso uno de los soldados que habían custodiado al penado. El episodio fue tenso, un conflicto de fuerzas que buscó su resolución en los mandos. Tanto Wolfram Kehren como Joaquín Isart eran capitanes, pero el alemán, comprendiendo que el condenado español quedaba fuera de su competencia, cedió la potestad a Isart. No obstante, lo hizo lentamente, con una actitud perdonavidas. El guardián interpuesto pudo así arrodillarse junto al sentenciado y la visión de sus dos rostros juntos, perfectamente circunscritos por una de las linternas, provocó una mueca de asombro en Arturo. Eran idénticos. «Gemelos», perogrulló Aparicio. «Ya», confirmó Arturo, y tras su monosílabo, sólo pudo tener un pensamiento frío, antropológico: las formas que tenía la vida, la naturaleza, de defenderse, duplicando las posibilidades de supervivencia de sus criaturas. Tras unos segundos de susurros al oído, inesperadamente, el condenado recobró la dureza de rostro y, con una precisión mecánica, nació otro soldado, distinto del hombre desesperado que había sido: dejó de llorar, volvió a ponerse en pie, y se dispuso a morir. Su hermano se retiró con un gesto hermético y la siguiente orden del capitán Isart resplandeció como un cuchillo. Hubo una descarga cerrada, sonora, y el olor áspero, metálico de la sangre se elevó para apaciguar a los dioses de la guerra. En el aire, en todas las pupilas, quedaron restos de luz, como si alguien hubiese lanzado un tizón que dejase una estela de residuos incandescentes. Arturo se preguntó por el contenido de unas palabras que, vertidas gota a gota en una conciencia, habían tenido un efecto tan espectacular. Muchos años después, el gemelo, caminando ya por el borde de la vida, recordaría a su hermano, que se quedó enterrado allá, en tierra extraña; evocaría obsesivamente sus ojos, a ras de nieve, contemplándola con un indeleble gesto de sorpresa, el mismo que le había tomado cuando, tras los disparos, sintió en el pecho un calor de piedras hirvientes, el mismo con el que le miró, antes de derrumbarse, todavía con su mentira diluyendo su miedo: la certeza de que aquel fusilamiento era un simulacro, una lección de los mandos, porque nadie ejecutaría a un guripa que, pudiendo haber seguido defendiendo un accidente, reconoció durante el juicio haberse disparado en la mano. Con su rostro contraído por el dolor, reprimiendo la llantina, y su cabeza llena del fogueo seco del tiro de gracia con el que habían vaciado la de su hermano, empezó a cavar una tumba en medio de la nada con ayuda de los otros dos soldados. La nieve estaba tan dura que las palas chirriaban y los picos despedían ocasionales chispazos en cada golpe. Todos, incluidos los SS, se quedaron contemplándolos; todos menos el capitán Kehren. Y algo presintió Arturo acerca del verdadero trabajo que había venido a desempeñar en Rusia, una labor que, como había sospechado en el despacho de Navajas del Río, no tenía nada que ver con la plana mayor de enlace, cuando observó su perfil preciso, cartesiano, clavar sus ojos en el bosque, hundirlos en él, como si buscase la parte más profunda, antigua y oscura de su alma germánica.

—Bárbaros —musitó Arturo.

—¿Qué rumias? —Aparicio se giró con sigilo.

—No, nada, mi cabo.

—No tienes buena cara. ¿Te encuentras bien?

Arturo le devolvió la mirada fijamente.

—No, mi cabo, no me encuentro bien —vaciló un momento, pero supo que cualquier explicación sería como la lluvia: sonaría sin decir nada—. A propósito, ¿sigue en pie esa invitación de antes?

—Claro. Claro, hombre —Aparicio palmeó afectuosamente su hombro—. Tranquilo —le confortó comprendiendo a medias su desaliento—, mañana será otro día.

—Sí, mañana... Pero el de hoy ya lo han jodido.

6. Eternos secundarios

—«Pero mira cómo beben los peces en el río, pero mira cómo beben al ver que baja vino...»

El aria beoda de uno de los soldados, Alonso Cogollos, alias «Clar Gable» por sus grandes orejas desplegadas, casi transparentes debido a su tamaño, y también porque era el encargado de proyectar las películas en el *Soldatenkino* del acantonamiento, despertó un revoltijo de palabras y risas que rodó como una botella vacía.

—Alonso, que los Reyes ya pasaron —dijo uno carirredondo, de ojos achinados y muy peludo, con acento maño.

—Que no te enteras, contreras —le contradijo otro con una frente enorme, muy pecoso, entre intermitencias verbales, pastosas de alcohol—, que aquí no llega la Navidad, que éstos son ateos.

—¿Cómo que no llega? Reyes no sé, pero Papá Noel tienen —certificó airado Alonso.

—Santa Claus —aclaró un tipo de mandíbula prognática y aire tísico—. Los rojos lo llaman Santa Claus.

—Como si lo llaman Pepito, da igual, porque a ése lo acribillaron la semana pasada —asertó el cabezón.

—Pero qué dices, calamidad... —le increpó el maño con el rostro como pintado en un globo.

—Coño, ya me contarás, un tipo que aparece en medio de la noche, en un trineo y dando voces... Los soldados de guardia creyeron que era una descubierta de los ruskis...

—Y encima vestido de rojo —apuntilló Alonso.

—Además, qué cojones, si sólo nos traía ataúdes —terminó de ajusticiarle Aparicio.

Entre la ebullición de carcajadas, un soldado que estaba en la sombra, de rasgos finos, bien dibujados, también quiso aportar su granito de arena. Se situó hombro con hombro con Arturo, testigo divertido de toda la escena, hablándole en un extraño idioma lleno de vocales arrastradas y borborigmos, hasta que se le trabó la lengua y comenzó a hipar. Por el sutás de su gorra, Arturo comprobó que era de artillería, y por los ángulos de herido en su manga, de la División. Buscó ayuda en Aparicio.

—No le entiendo nada, mi cabo. ¿Es vascongado?

—No, es que está como una cuba. Pero no te preocupes, en tres rondas más ya lo entendemos.

El catalizador de todo aquel dislate, Alonso «Clar Gable» Cogollos, siguió poniendo la banda sonora y empezó a imitar a Lola Flores en *La Zarzamora,* remolcando tras de sí a toda la comparsa. Arturo se envió un SOS a sí mismo y echó otro trago sustancioso de aquel licor transparente que mordía la lengua. Después de otro accidentado regreso a Mestelewo, con Aparicio exprimiendo cada caballo contenido en la motocicleta, se habían instalado en aquella isba de desasimiento y holganza, en medio de un mar de vodka. Previamente a la tajada, habían despachado un cordero asado, impregnado en hierbas aromáticas y con patatas empapadas en un delicioso jugo que alimentaba tanto su estómago como el recuerdo. De tanto rebañar los platos se habían acabado los chuscos. Y el postre no había desmerecido: chocolate holandés y pudin alemán. La isba formaba parte de un grupo hilvanado a lo largo de un camino, constituyendo la típica aldea de «almas» rusa. La mayoría de ellas, rectangulares, con muros de troncos ligeramente desbastados y techos de tejas vegetales, eran miserables, torcidas, aunque la suya era una de las que estaban en mejores condiciones. En el interior, en una estancia bastante espaciosa, iluminada aquí y allá por unas cuantas velas, apenas había nada: un camastro de andrajos de mantas sobre un colchón de pajas, dos bancos, una mesa, una alacena con unos cuantos cachivaches heterogéneos, algunos aperos de labranza... Su reunión de crápulas se había congregado en torno a un horno de ladrillos encendido, colocando sobre el suelo de tierra apisonada montones de heno y sacos vacíos infectados de piojos, que hacían sentir indefectiblemente su martirizante presencia. A su alrededor, capotes forrados de piel de becerro, superguantes guateados, pasamontañas, borceguíes tobilleros, macutos, fusiles ametralladores, munición, bayonetas... Aguardaban la vuelta de su particular rey mago, el dueño de la isba, encargado de proporcionarles las pródigas y amables *panienkas* con las que continuar la farra. El ambiente era nebuloso, asfixiante, debido al tabaco aleado con el olor corporal y la descomposición del cemento vegetal que unía los troncos de las paredes. Arturo echó otro trago y tosió un rato. Agobiado, intentó fugarse mentalmente a través de uno de los ventanales; una inmensa luna se hallaba encendida sobre las masas negras del bosque. Sin embargo, su camarada «cubano» no parecía muy dispuesto a que su huida durase, y con un sonido preverbal le advirtió de su intención de proseguir con su ininteligible compadreo. Arturo, poco dispuesto a la paciencia, agarró una botella y, dejándole con una frase a medio hacer, se levantó con vacilación ebria, saltó por encima de los bacantes que ahora se habían arrancado con una versión de *Mi jaca*, y se acercó hasta las paredes más apartadas de la isba. A falta de papel florido, habían empapelado las chapas de madera que recubrían el interior de los troncos a base de un peculiar *collage* formado por hojas arrancadas de toda clase de periódicos y revistas nacionales y extranjeras: *ABC, Signal, Ya, Hoja de Campaña, La Codorniz, Fotos, Arriba, Pravda, Izvestia...* Arturo fue pasando lentamente sus ojos por aquella sopa de letras, como un arqueólogo que siguiese unas protuberancias calizas sacando a la luz un fabuloso tesoro de pinturas rupestres. Al poco se desentendió y siguió bebiendo de pie con el ronroneo de fondo. Gradualmente, iba entrando en esa fase de la borrachera en que todo parece una versión distinta de la realidad, otra forma de esclarecimiento, casi de desemborrache, aprovechándola para escrutar a los guripas a través de la acre atmósfera. El alcohol les había igualado a todos, como la muerte, como la nieve. Y se dio cuenta de que no podía desperdiciar una ocasión como aquélla, en la que Radio Macuto estaba como una mona, para echar las redes de la investigación, a ver qué pescaba. Y debía hacerlo antes de que llegase su particular mayordomo ruso. Sin dudar, se acercó hasta una jerarquía de botellas sin etiquetar para hacer una ronda por toda la sala municionando los vasos. A continuación volvió con su pesadísimo «cubano», propuso un brindis a fin de detener la cantinela, y luego actuó como una raposa, eligiendo con tiento las gallinas más gordas. Por la manera de actuar de Alonso Cogollos, en la que cada vez que hacía un gesto parecía quemar sus naves ante los hombres y la Historia, descubrió que el exhibicionismo dominaba su razón. Comenzó por él.

—¿Y qué tenemos en el cine esta semana? —le preguntó cándidamente.

—Pues lo mismo que las anteriores: *¡A mí la Legión!*

—Ya la he visto. Pero ¿qué pasa?, ¿que no las recambian?

—Alguien se quejó en Intendencia de que siempre ponían las mismas películas y otro alguien se cruzó y si no querías taza, pues taza y media —respondió bostezando con indolencia de persona importante.

—Oye, ¿cómo acababa aquella que pusieron cuando el apagón? —se interpusó el cabezón—. Nunca lo supimos.

—No recuerdo...

—Moriría el malo —sugirió Arturo con un punto de maldad; se reconvino al instante—. Es un poner. ¿Y es verdad que las preferidas del Führer son las de Disney? —intentó despistar.

—Eso dicen —corroboró Alonso—, y por lo visto también las del hijoputa de Stalin.

—Aunque para películas —engarzó—, la de ese guripa que rajaron en el río. Una de terror.

—Y del bueno.

—¿Cómo se llamaba...? Onofre... —fingió.

—No —intervino el hirsuto mañico—, se llamaba Luis, Luis del Águila.

—¿Le conocías?

—No personalmente —se llenó de nuevo el vaso—. Aunque, por lo que me han contado, tampoco tenía muchos amigos.

—¿Y enemigos?

—De ésos tenemos todos —concluyó bufando y abriéndose un poco la guerrera, agobiado por el calor, dejando al descubierto la espesa pelambrera de su pecho.

Arturo fingió estudiar su vaso mientras vislumbraba de reojo a Aparicio, que se había dado cuenta de su jugada pero se mantenía callado, cosa que le agradeció mentalmente.

—Bueno, pues que Dios lo tenga en su gloria —brindó finalmente Arturo.

—Eso seguro. Ése era de los de escapulario.

Sintió cómo su tela de araña comenzaba a vibrar. Había soltado la frase entre su estrategia vaga e inconstante, sin ninguna intención, pero al momento habían resonado en su cabeza las palabras de Erundina del Águila acerca del sufrimiento de su hermano. Cebó el anzuelo.

—¿Le gustaban los curas? Tú te llamabas... perdona, me lío con los nombres.

—Servando —su deje aragonés exageró el nombre—. ¿Y tú?

—Arturo.

—Sí le gustaban, sí, Arturo, más que a una beata. Yo estoy de sanitario en el hospital, y todo el tiempo que estuvieron mirando por él andaba con el páter Ramón. Parecían novios.

—¿Y qué tal ese páter?

Servando juramentó. Con el tablón que llevaba, los objetos se volvían traidores en sus manos y casi había derramado el alcohol.

—¿El páter? —se centró—, es de los que les gusta oír su voz, pero buena persona.

—El comehostias es un voceras y un faltón —gritó Alonso.

—Mira quién va a hablar, el señorito, como si tú no te dieras pisto —disparó el cabezón.

—Ya estamos, el terror de las sombrererías... —Alonso simuló que no se podía abarcar la circunferencia del cráneo.

—¿A que te meto una mojá, cabrón? —le amenazó tras agarrar una bayoneta.

—¿Sólo una? Si me dabas tres hace un rato y no las quería.

Arturo se dio cuenta de que era una pelea protocolaria en su amistad y los dejó riñendo como un matrimonio. Continuó con sus pesquisas.

—Pues según me contaron —le dijo a Servando—, el tal Luis le daba mucho al codo. Y si se confesaba tanto como dices, y encima bebía tanto, es que no debía de tener la conciencia muy tranquila —malició.

—Ahora que lo dices, sí que empinaba. Tienes razón, a lo mejor no era trigo limpio. Y para mí —se complotó Servando con maneras cotillas— que tampoco debía de andar muy bien de la olla.

—¿Por qué lo dices?

—Con tanto tiro debió de quedar un poco tarumba, yo lo veía a veces hablar solo.

—Todos estamos un poco p'allá. ¿Quién no ha hablado solo?

—Ya, todos —se recompuso como pudo sobre su mogote de paja—, pero éste era como si tuviera otra persona delante, y discutía con ella. Pasaba las de Caín, te lo puedo asegurar.

De nuevo resonaron en su cabeza las palabras de Erundina.

—Eso es el pasado —sugirió Arturo.

—¿Eh? Es que con estos dos no te oigo bien.

—El pasado —repitió.

—No te entiendo.

—Hablaba con su pasado.

A Servando se le desorbitaron los ojos y murmuró: «Lo que hay que oír».

—¿No estarás tú también un poco p'allá? Porque lo que nos sobra son locos. Los rusos dejaron un manicomio lleno hasta la bandera.

—Pues ya me dirás dónde y me apunto.

—La leche... ¿En qué mundo vives? ¿No sabes dónde queda Molewo?

—¿Al otro lado del río?

—El mismo.

—Pero eso es un monasterio.

—Antes. Después los ruskis lo convirtieron en un hospital de locos y cuando se retiraron los dejaron a la buena de Dios, nunca mejor dicho. Uno de Antitanques me prestó un telémetro y pude verlos de lejos; andan por los alrededores, unos muy quietos, otros corriendo, otros dando gritos asustados por los obuses, todos muertos de hambre. La verdad es que dan pena.

Arturo recordó las cúpulas acebolladas de Molewo, en dorados y escarlata, sobre las copas del bosque, justo donde el río Sslavianka se perdía en una gran curva. Y también recordó que no debía perderse en sus averiguaciones.

—Bueno, pues igual tendríamos que haberle ingresado ahí —rehiló confidencial—, porque Radio Macuto también dice que el tal Luis del Águila jugaba a la violeta.

Hay palabras que dejan sin palabras. Servando se quedó rígido, a la defensiva.

—Mucho te interesa a ti el fiambre.

—Qué me va a interesar a mí ni qué pollas —se celó Arturo—, lo que pasa es que me llama una escabechina de aquella manera.

El aragonés le observó reticente.

—A ver —liquidó—, ¿tú quieres que nos pongan mirando a La Meca?

—No, hombre, yo no quiero líos.

—Pues entonces de ese asunto ni pío, que la gente habla y luego todo se aumenta y nos pueden comprometer.

—Pero ¿por qué?

—Porque sí —y zanjó el asunto acabando el vaso de un trago, a lo macho, limpiándose con el dorso de su vellosa mano y soltando un eructo.

«El sagrado porque sí», pensó Arturo; deseó que el sargento Espinosa no encontrase tantas vías muertas en aquel asunto. Echó un trago y prestó una momentánea atención al bello «cubano»; seguía tan colocado que no sabía ni quién era, tanto, que ya ni siquiera le daba la tabarra y se limitaba a mirarle con los ojos ardientes, desenfocados. Le pegó en la chepa y el otro sonrió; se le acababa cogiendo cariño. Iba a preguntarle cómo le iba la vida, cuando poco a poco inclinó la cabeza hacia atrás, abrió la boca, y con un hilillo de saliva corriendo por las comisuras de los labios, empezó a roncar firme y constantemente.

—Pablito se va a perder el tomate.

El comentario volvió a situar en el mapa al soldado de la mandíbula prognática que anteriormente había aclarado la filiación de Santa Claus. Su figura era algo imprecisa, por lo que Arturo tuvo que afinar el ojo hasta distinguir su delgadez extrema, como si su piel estuviera pintada sobre sus huesos. Cosido a un bolso de su *Feldbluse* había un Detente o Sagrado Corazón de Jesús, enseña característica de los requetés en campaña.

—Sí, está cocidísimo —respondió Arturo.

—Estos legionarios son todos iguales, entre la grifa que se fuma y lo que priva, va que arde. Pero es un pichabrava, tampoco pasará nada porque pierda un casquete.

—¿Tan donjuán es?

Los ojos del guripa sonrieron.

—Mira si es, que le dicen como a José Antonio: el Ausente.

—¿Por qué?

—Porque cuando coge un permiso, luego no hay manera de encontrarlo. Debe de creer que vino a Europa de excursión. La última vez no apareció en su unidad y trajo de cabeza a toda la gendarmería de retaguardia. Al final, claro, dieron con él.

—¿Dónde?

—En un bar de Grecia, liado con la dueña, una viuda. Cuando lo arrestaron, alegó que se había perdido —rió de buena gana—. No lo pasearon porque con las milésimas artilleras es un hacha, pero lo tuvieron haciendo escuchas en el mismo bigote de Stalin. Tiene suerte con este general, si llega a ser Muñoz Grandes no lo salva ni la caridad.

Arturo observó con afecto la cara de bebé de publicidad del bello durmiente, que seguía inundando de baba su guerrera, y se le hizo cuesta arriba imaginar sus arriesgadas deserciones galantes. Estaba preguntándose cuál sería la mejor manera de intentar sacarle información al requeté, cuando se le adelantó Aparicio.

—¿Os habéis enterado del sarao que van a montar en el cuartel general?

La pregunta del cabo, que había escuchado todo el parlamento en silencio, no despertó un inmediato interés por parte de Arturo; quien sí se interesó fue Servando.

—Cuenta, cuenta...

—Me lo contó ayer Paramio.

—¿El fotógrafo?

—Sí, Paramio Pont.

La mención del fotógrafo fue como un mordisco en el cerebro de Arturo; las huellas del caso aparecían y desaparecían como el Guadiana.

—¿Y qué te dijo? —le apuró Servando.

—Pues el otro día fui a buscar unas «cartulinas» que le tenía encargadas y me comentó que todavía no las había revelado. Estaba hasta arriba de trabajo porque se preparaba una visita del coronel general Lindemann. Los de Propaganda le habían encargado el trajín —hizo un movimiento de manivela con la mano derecha, a la altura de la sien, como si filmase.

—Pero si la cosa está que arde, ¿cómo traen aquí a los peces gordos?

—Hablaban de revistar el frente para dar moral a la tropa.

—¿Y ese Paramio Pont es de confianza? —intervino Arturo—. Tengo unos rollos que quería revelar —mintió.

—Da igual que sea o no de confianza: es el único.

—Pero ¿me puedo fiar de él?

—Sí, sin problemas.

—Aunque no creo que dure mucho —intervino Servando, dándole un tiento a su vodka.

—¿Y eso?

—Hasta la presente se ha escapado bien, pero los pacos rusos deben de andar rifándoselo —se refería a los francotiradores—. Ya ha tenido un par de avisos.

—¿Lo quieren devolver a los corrales?

Servando apreció la broma taurina.

—Casi. En cuanto se puede despistar agarra la Leica y se pone a andurrear cerca de la primera línea.

—Algo andará buscando —Arturo tajó con la mano un nubladillo de tabaco que flotaba a la altura de sus ojos, partiéndolo en dos remolinos que giraron con lentitud.

—Algo —compartió Servando.

Secretos. Siempre un rumor turbio y profundo bajo las superficies impecables, calmas. La insólita conducta del fotógrafo renovó en Arturo su interés por hablar con él. Y en una rápida asociación, relacionó la exótica presencia de la pianista con la organización del agasajo oficial. Rellenó la distancia con el deseo y recordó su figura erguida y señora; su cabello rojo, en prieto recogido; su rostro pálido, misterioso, todo envuelto en la seda de unas notas sutiles, intensas, fluidas, infecciosas. «¿Le gusta Chopin?» Durante unos segundos no había habido nada más perfecto ni necesario en el mundo. Y volvió a experimentar la inquietud, la turbación, la congoja..., el terror.

—Pues lo dicho, a este paso no nos va a quedar otra que meneárnosla.

Alonso Cogollos, sin mengua alguna de su garrulería, ya con la lengua muy trabada, volvía a dar testimonio de su virilidad.

—No tardarán en llegar —aseveró Aparicio consultando su reloj de pulsera—. Y éstas no son como esos putones verbeneros que frecuentas tú, así que cuidadito con lo que hacemos.

—Pues a ver si vienen, que tengo la polla como el cuello de un cantaor —insistió ventilando de un trago su vaso y rebañando lascivamente el interior con la lengua, con intención de mostrar lo que quería hacerles.

—¿Y tú crees que la chuparán, Alonso? —preguntó el cabezón con una risa de sátiro, exagerada.

—Sin tener que decírselo, como las francesas. Aquí ya nacen sabidas. Pero primero tendrán que encontrarte el pito, porque con ese pingajillo que tienes...

—Pues tu hermana dice que es suficiente.

—Mira, chaval, no me cago en tu padre porque a lo mejor soy yo.

—A mí no me jodas, eh, mamón.

—Con los hombres no suelo, cazurro.

El cabezón agarró de nuevo la bayoneta y vuelta a empezar la pelotera. Esta vez les apaciguó Aparicio, «haya paz, haya paz». Arturo observó grimoso a la parejita; aquélla parecía ser una de esas relaciones de ni contigo ni sin ti; «todo gilipollas encuentra siempre a otro más gilipollas», pensó, y por unos instantes, debido al alcohol que circulaba por sus venas, empezó a deshojar una pendenciera margarita, «sí, no, sí, no», hasta que una descaecida reminiscencia del honor caballeresco, proteger a las doncellas, destelló en su mente con reflejos metálicos y sangrientos.

—Por lo menos os habréis lavado los bajos —les retó con énfasis glacial.

Alonso le miró con una expresión irritada y se disponía a replicar cuando en el exterior se oyeron pasos acolchados y siseo de esquís. Repentinamente, el alcohol se evaporó de sus organismos y fueron conscientes de que celebraban una fiesta al borde de los sueños negros de ciento cincuenta millones de rusos. Aparicio reaccionó antes que nadie, y rápida y cautelosamente desplazó con agilidad sus desmedidas proporciones por toda la isba apagando los puntos de luz. Unas tinieblas primigenias se cernieron sobre la habitación. La duda, el espanto, la incertidumbre. Arturo pudo imaginarse el atado de nervios que era ahora cada guripa y las máscaras de barro en que se habrían convertido sus rostros, mientras iniciaban a medio vestir una búsqueda a ciegas de sus armas. Aparicio seguía arrastrándose de ventana en ventana, escudriñando el exterior, cuando el crujido sincopado de la nieve y el bisbiseo de los esquís volvieron de nuevo a oprimirles el corazón, trayéndoles imágenes de abanicos de siluetas blancas, desplegándose alrededor de la isba, en silencioso cabildeo, a la caza de su particular noche de San Bartolomé. En la espesura del silencio, los soldados acerrojaron sus fusiles; las balas produjeron un siniestro sonido metálico al introducirse en la recámara. Con todos ellos pendientes de Aparicio, que resultó ser el guripa de más graduación, éste puso una mano en el hombro de Servando.

—Esto está lleno de ruskis —dijo con severidad—, y si nos quedamos aquí nos van a apiolar, hay que salir disparados. Así que ya sabéis, de uno en uno y dispersándose. Y no se os ocurra pegar un tiro antes de que yo os lo diga. Y...

A punto de finalizar sus instrucciones, apretó el hombro de Servando, como si fuera a decirle algo, pero al final se lo pensó mejor y no se dirigió a él, sino al cabezón.

—... y Faustino, tú el primero.

—¿Yo? —saltó el cabezón como un resorte; su voz denotaba nerviosismo—. ¿Por qué yo?

—Porque alguien tiene que ir delante.

—Coño, cabo, pero tengo ser yo. Seguro que es porque el otro día no le ayudé con las sacas —objetó recalcitrante.

—No, no es por eso, es porque eres un capullo. Sal de una puta vez.

—Ya sabía yo que era por algo...

Faustino blasfemó y avanzó encorvado mientras disponía su fusil ametrallador y una bomba de mango, recortándose contra la puerta de la isba. Rezó unos segundos, cerró el trato que fuese con Dios y esperó la señal de Aparicio.

—Y cuidado con la cabeza —le intentó animar Alonso.

El corte de manga de Faustino y la orden de Aparicio se atropellaron al tiempo que el guripa abría la puerta con violencia y salía zumbando. El resto se situó alrededor del cabo, dispuestos a seguir su estela, cuando éste les detuvo con un gesto seco. La secuencia siguiente debería haber estado poblada por los tableteos de los «naranjeros» y los terribles y ululantes gritos de guerra rusos, «hurra, hurra», pero no se oyó ni un solo tiro, ni una sola voz.

—A éste le han abierto la barriga —se condolió Alonso.

La mención de los cuchillos llenó de cubitos de hielo la sangre de los soldados. Con un arma de fuego podías matar a uno, pero con un cuchillo matabas a uno y aterrorizabas a mil.

—¿Vamos, cabo? —propuso Servando.

—No, todavía no —contestó Aparicio, que continuaba con la nariz pegada a una ventana—. Y ni un chispazo, ¿eh?

El viento se colaba por la puerta abierta, dejándoles tiesos, y la luna continuaba reverberando sobre el rectángulo de nieve enmarcada en la entrada y a través de las ventanas, inundándolo todo con una luz cenicienta que aumentaba la sensación de frío.

—¿Arrancamos? —insistió Servando al poco.

Esta vez la respuesta resultó incomprensible, una voz gutural que al fin evidenció no era más que un intento de ahogar una carcajada. Los guripas empezaron a mosquearse, y Arturo se dio cuenta de que no habían mordido el anzuelo, se lo habían tragado con caña y pescador incluido. Como una demostración matemática, Faustino se recortó bajo el marco de la puerta; el susto que traía era de órdago. «Tus muertos...», le obsequió a Aparicio, cuyas carcajadas comenzaban a ser ya estentóreas. «No veas qué manera de correr», logró malmeter entre sus espasmos. Cuando el resto confirmó la trapacería, se unieron a Faustino y le montaron al descacharrado cabo un cirio de padre y muy señor mío. Arturo se acordó entonces de Pablito y le dio por buscarlo, por ver cómo había sobrellevado todo aquel circo, y tras un somero vistazo se extrañó de no dar con él. Una rápida cuenta le confirmó que no encontraba a Pablito porque lo había buscado en todos los sitios menos en uno: donde debía estar. El hermoso muchacho continuaba sumido en el limbo de los justos, olvidado por todos, con la boca ligeramente entreabierta, exhalando un rítmico y sibilante suspiro, totalmente ajeno al follón. «Algún ángel de la guarda sigue haciendo horas extras», pensó Arturo. Sin dilación, se cubrió con un capote y sorteando el cerco al que habían sometido a Aparicio, salió de la isba a fin de confirmar sus sospechas. La nieve refulgía con un brillo metálico de aluminio pulverizado; le dolieron un poco las retinas. Tal como había supuesto, los pasos y siseos procedían de la comitiva que permanecía a la espera a pocos metros de la casa, todavía algo desconcertados por la salida en tromba de Faustino. Dos caballos peludos, de crines enmarañadas, remos flacos y aire renqueante, que golpeaban el aire con la cabeza enganchados a una troika, eran esporádicamente palmeados por un abrigadísimo *mujik* de rostro duro, huesudo, cuyas cejas, pestañas y gran bigote lacio habían sido dibujados de blanco por el frío. En su mano tenía una vara de abedul e iba calzado con unas rudimentarias raquetas. Sobre la troika, resplandecientes bajo la lechosa claridad lunar, se apretujaban las anheladas *panienkas,* envueltas en gruesas pellizas y con sus caritas fajadas por pañuelos y ásperas toquillas de lana. Arturo, no sabía por qué, se había imaginado una caravana de rollizas campesinas de sonrosadas mejillas, rubios mechones y flores silvestres en el pelo, de esas que en las postales se ven montadas en carros, en tránsito sobre oleadas de trigo; y en efecto, había un par de ellas de ese estilo, pero también bellezas arquetípicas rusas de oscuros cabellos y miradas de una peculiar dulzura, no alegre, sino infantil. En un gesto inconsciente, Arturo se colocó el pelo y se puso interesante. Luego sonrió, levantando la mano algo azorado. Inmediatamente, las chicas respondieron a su gesto, animándole a continuar la recepción.

—*Dobro pazhalovat!* «¡Sean bienvenidos!» —saludó.

Fue el *mujik* quien se acercó a él primero e inició unos saludos afectuosos, hospitalarios, acompañados de una prodigiosa capacidad mímica; hablaba muy rápido, sin que le desanimase su desconocimiento del idioma invasor. Arturo, tan encantado como aturdido, a duras penas podía comprender algo pero, tras unos segundos de gesticulación y un mínimo ralentí en la verborrea del ruso, verificó que al entendimiento se llega más con la voluntad que con las palabras. Los guripas terminaron de saldar cuentas con Aparicio y fueron saliendo para demostrar que, tras miles de kilómetros desde España requebrando a todo bicho viviente, no habían perdido su destreza.

—Qué buenas están.

—¿Que si están buenas? Están como las cucarachas: p'a matarlas a polvos.

—Eso son cuerpos, y no el de la Guardia Civil.

—A por ellas, maricón el último. Viva España.

Aparicio, rubicundo de entusiasmo, intentó poner orden en todo aquel desmán.

—Y no me hagáis barrigas, el que bese el santo que se ponga chubasquero —advirtió—. Y a tratarlas como reinas, que éstas no son de permanganato.

Las chicas, sonriendo y cuchicheando entre ellas, sintiéndose admiradas por los españoles, descendieron de la troika por turnos apoyándose cada una en el brazo de su particular casanova, que se disputaban a codazos el privilegio de ser los primeros en cortejarlas. Después de investigar el género, Alonso, impaciente y avasallador, le echó el ojo a una mujerona y se abrió paso con brusquedad hasta ella. Cuando la muchacha puso pie en tierra, le sacaba una cabeza al extasiado guripa, que le parecía estar contemplando a la mismísima Ava Lavinia Gardner. «Burra grande, ande o no ande», comentó un sarcástico Faustino. Sin hacerse de rogar, las *panienkas* fueron eligiendo sucesivamente a los soldados, hasta que le llegó el turno a Arturo, que, aunque había salido el primero, no estaba seguro de la impresión que causaría y se había quedado rezagado. Cuando ya no le cupo duda de qué muchacha le iba a tocar, se irguió castrense y se recolocó la brillantina del pelo, fingiendo una soltura que no poseía. La chica tenía un cutis encendido por el frío, cabellos castaños, a juzgar por los mechones que se deslizaban bajo la pañoleta, y unos ojos muy, muy grandes, chispeantes y almíbar; no era del todo hermosa, pero su piel tersa y un aire juguetón lograban camuflar las imperfecciones. Arturo sintió una atracción suave, un impulso hacia ella; la ayudó a bajar y la condujo hasta la isba en medio de una charla ingrávida, ritual. Se llamaba Zira, olía a vino dulce y hablaba con una voz tranquila, de extraña calma, sorprendida y encantada a la vez de que Arturo se manejase en su lengua. Dentro de la casa, alguien se había ocupado de prender otra vez las velas y de cebar las brasas del horno con algunos maderos. Las llamas daban una luz cálida, y poco a poco el calor fue regresando de nuevo a las venas, librando a las muchachas de sus gruesos abrigos y dejando al descubierto los turgentes tesoros que pugnaban bajo sus blusas bordadas y sus gruesas faldas. Mientras, los guripas, entre risas y bromas, se habían ido distribuyendo como mochuelos en sus olivos deshaciéndose en atenciones hacia sus amigas; guardaban aún las distancias, aunque perdiéndose ya en una nube de sobreentendidos, excitación y zozobra. Arturo condujo a Zira hasta su rincón, lamentando no poder ofrecerle más comodidades que la superficie de arpillera de los sacos terreros sobre los que se había acomodado. Casi al lado, Pablito continuaba en el séptimo cielo; de sus labios entreabiertos brotaban palabras inconexas. Al tiempo que ellos seguían conociéndose, el *mujik,* que parecía haber desaparecido, regresó con una balalaika y una botella de champán De la Viuda. La botella, por algún descuido, había sido tocada por los dedos esmerilados del invierno y el líquido se había solidificado, helando las burbujas alcohólicas. En sólo un momento el parlanchín ruso se encargó de animar el cotarro y ordenando a una de las muchachas que tocase el instrumento, se transfiguró al pulsado de la primera nota, iniciando su baile preferido, el kosakov. Algunos se animaron a imitarlo, pero cayeron rendidos al poco, resollando de esfuerzo y fatiga. Arturo no prestaba demasiada atención a los bailarines, embebido en la presencia de Zira, que seguía sus evoluciones con pueril alegría. Se hallaba algo rígido debido a la ansiedad, a las ganas de gustar. En cierto momento, el rostro de la chica fue iluminado por una luna que refulgió intensamente, empalideciéndolo ostensiblemente y confiriéndole una textura espectral.

—*Pochemu ty na menia smotrish?* «¿Por qué me miras tanto?».

La voz de Zira le arrancó de las profundidades de sus complicadas emociones. Ella le devolvía su mirada sonriendo, abrazada a sus rodillas, a medio camino entre la incomprensión y la curiosidad.

—*Ya dumal* «Estaba pensando» —improvisó.

—*O chom ty dumal?* «¿En qué pensabas?».

—*O tom, shto ty takaia jaroshenkaya* «En lo guapa que eres».

Ella sonrió, una sonrisa fina como un cristal, aunque empañado por la incredulidad.

—*U tebia nevesta?* «¿Tienes novia?» —preguntó Zira.

—*Niet, nievesty u menia niet* «No, no tengo novia».

—*Ty veroyatno vriosh. U vas vsiej iest nievesty* «Lo más probable es que mientas. Todos tenéis novia».

Su reconvención no levantaba una barrera entre ellos, sino que era un mero trámite, parte del cortejo.

—*Chestnoe slovo, u menia yiyo niet. I nikagda ne bylo* «No, de verdad, no la tengo. Nunca la he tenido».

Su curiosidad le daba permiso a Arturo para devolverle la pregunta en plano de igualdad.

—*A u tebia zhenij iest?* «Y tú, ¿tienes novio?».

—*Niet, y menia tozhe niet* «No, yo tampoco».

Arturo sabía que probablemente fuese verdad; los hombres jóvenes de aquella zona o se los habían llevado las levas del Ejército Rojo o habían huido o estaban muertos. De hecho, ésa era una de las razones por las cuales les resultaba tan fácil intimar con las nativas.

—*Skazhi mnie shto-nibud o tvoyei zhizni* «Cuéntame algo de tu vida» —volvió a interesarse Zira—. *Kakaya Ispania?* «¿Cómo es España?».

—*Ia i ispania* «Yo y España...» —sorbió un poco de vodka—. *Eto dolgo rasskazyvat* «Es largo de contar».

Comenzó a hablar e, incluso contra su costumbre, llegó a estar locuaz. Le contó una versión rosada de su vida, una visión idílica de España. Las mentiras no importaban, porque lo verdaderamente capital era hablar. Y mientras se desahogaba, sintió que la tensión que experimentaba desde hacía meses se diluía. Sabía que no podía permitirse el lujo de la pasión, pero sí ver temporalmente a la muchacha como a través de muchas rosas frescas, lenta, acariciable, tentadora. Sí, al menos esa noche. Porque esa noche deseaba algo vivo, joven, sin culpa ni dolor. Esa noche se lo merecía. Los danzarines y la música se habían ido calmando a su alrededor, y mientras unos se dedicaban a beber y a intentar comunicarse mediante palabras mercenarias y alambicadas gesticulaciones (*«Tvai glaza kak ñebo goluboye»,* le oyó decir a un despabilado Aparicio, «tus ojos son azules como el cielo»), otros iniciaban los trámites de sus cruces carnales, roces que no eran inocentes, porque el cuerpo, cuando se toca, nunca lo es, siempre se sondea, habla, interroga.

—*I sichas ty pro sebia govori* «Y ahora háblame de ti» —concluyó Arturo.

Su deseo no tenía nada que ver con su curiosidad. Sólo quería tiempo. Para mirar, para admirar. Siguió deleitándose en silencio, y hubiese seguido así toda la noche, cuando se preguntó cuánto tiempo hacía que no estaba con una mujer. Le sorprendió descubrir que desde la primera (y última vez) que se había acostado con Anna, prácticamente cuatro años. Durante su clausura penitenciaria había tenido algunos encuentros con otros presos; sexo animal, duro, furtivo. Pero hembras, ni olerlas. Y, justo entonces, en medio de tales reflexiones, sintió una erección. Mientras Zira seguía hablando de su mundo rural, ésta crecía de una manera tan imperiosa que ya sólo le detenía una cosa: la pasión. Sentimientos ambivalentes, agarrotados, se fueron sucediendo en su cabeza. Y, receloso, ya estaba considerando levantarse e irse derecho a su tabuco, cuando descubrió algo en la mirada de Zira que le hizo permanecer quieto. Arturo conocía bien esa mirada. No dejaba de conmoverle y de aliviarle cada vez. Porque la muchacha veía al hombre perdido que había en él, y le asaltaba el deseo de salvarle; era un profundo instinto femenino, que les incitaba a ayudar a los hombres a sacar a la luz lo más incierto y terrible que había en ellos. Arturo respiró; en efecto, era muy simple: al contrario de lo que podría ocurrir con la pianista, no podía enamorarse de Zira, de una mujer que quería salvarle, porque sólo era capaz de enamorarse de las mujeres que podían destruirle.

—Te deseo, Zira.

Se sorprendió a sí mismo diciéndolo en español, sabiendo que ella no le entendería. Pero ella asintió, le rodeó el cuello con sus brazos, y le dio un beso imprevisto, que fue como la llave maestra que despejó su decisión. Los siguientes besos fueron iniciativa de Arturo, con cuidado, a continuación miradas, y luego otra vez besos. Antes de que sus caricias se volviesen más íntimas, ella le detuvo un instante e, introduciéndole las manos en el pelo, le arrastró hacia la zona más apartada de la isba. Allí volvieron a besarse, y ella se rindió definitivamente a las manos de Arturo no sin antes entregarle un preservativo; Arturo comprendió sin enojarse: la guerra no estaba ganada, y si los bolcheviques regresaban y la encontraban con un hijo de los vencidos, los matarían a ambos. A cada centímetro de piel desnuda, Arturo tenía que controlar el brutal impulso de posesión inmediata que le dominaba. Así, cada detalle del cuerpo de Zira quedaría grabado hasta la muerte en su mente en virtud de una mnemotecnia de la pasión. Cuando penetró en ella, lo hizo con lentitud, invirtiendo una eternidad en cada embestida; profundas, cada vez más profundas, hasta casi tocarle el corazón. El tiempo transcurrió inadvertido, moroso; en un momento, ambos apretaron los ojos y sus rostros adquirieron una expresión casi de dolor, sintiendo cada uno el temblor del orgasmo del otro, y Arturo, durante esos breves instantes, entre aquellas cuatro paredes, se olvidó de todo lo que le impedía ser feliz. Luego permanecieron abrazados mucho tiempo, apretados contra sus cuerpos, hasta que los dos se quedaron dormidos.

Lo siguiente que ocurrió fue que un copo de nieve del tamaño de un sello, ligero, augural de los millones que caerían horas más tarde, se coló en la isba por una rendija y planeó sobre una levísima corriente de aire, cruzando toda la habitación, hasta depositarse sin peso sobre la mejilla de Arturo, licuándose al instante y deslizándose por su pómulo como una lágrima. Era exactamente la una y cuarenta y siete minutos.

El despertar de Arturo fue violento, angustioso. Un forcejeo con el aire en medio de los trozos desperdigados de su conciencia, hasta que el espacio se hizo sólido, palpable. En un primer instante, no recordó el sueño que había poblado de filos su vigilia, pero, poco a poco, su mente empezó a desenredarse y pedazos del mismo cruzaron su cerebro como un fustazo. No era algo lineal, sino manchas en el lienzo de la memoria: las palabras apocalípticas de Alfredo Larios, la suavidad del vientre de Zira, el rostro estúpido de Trinitario, el gemelo derrumbándose sobre la nieve, el vapor espeso que despedían los chorros ardientes de las duchas, las notas conciliadas por la misteriosa y sensual pianista... Todo resultaba demasiado intenso, demasiado angustioso, y decidió relajarse, no forzar más la memoria. Dentro de la isba, las velas se habían derretido y era la luna, un círculo de luz pura, la que alumbraba el interior con su gélida luz, proveyendo de sombras y contornos a los bultos durmientes que yacían diseminados por el suelo. Todavía refulgían tenues algunos trozos de madera incandescente en el vientre del horno. A través de las ventanas, el bosque continuaba rompiendo contra la nieve, contorneadas las copas de sus opulentos y frondosos árboles por una vaga luminosidad; el viento soplaba entre ellos, alternando disonancias. Más allá, la guerra seguía su curso, recordada por cañonazos espaciados o por el metódico hostigamiento de las ametralladoras. Arturo intentó olvidarlo observando a Zira, abrazada a su costado, semidesnuda, con mechones castaños de su melena cruzados sobre sus mejillas como algas en un cuerpo náufrago. Su piel irradiaba calor. Sonrió. Tosió levemente. Se manoseó la mejilla y la notó áspera; eso y la media luna de suciedad bajo sus uñas le hicieron tener presente que sólo había podido asearse deprisa y corriendo, lo imprescindible. La sensación física de lavarse le distrajo momentáneamente de Zira, materializando en su mente la figura de Luis del Águila, en cueros vivos, bajo los caños, mientras los regueros de agua que se escurrían por su piel se teñían repentinamente de escarlata. Una sospecha, lejanísima, volvió a asediarle. ¿Por qué su emoción le advertía incesantemente a su razón que el barracón de las duchas había sido el lugar del crimen? El testimonio del último guripa que había hecho los turnos de limpieza, Trinitario, afirmando que Luis del Águila había salido vivo del barracón, no parecía ser suficiente para calmar sus recelos. Ese tiempo que había dejado sola a la víctima para ir a aflojar el vientre actuaba como una oscura y alucinante lógica que se movía en forma de criatura abisal, milenaria, agitando leve, pero inquietantemente, la tersura de las certezas. Repasó el entramado de frases y sucesos amontonados en su memoria, buscando la justificación intelectual de su movimiento de tripas. Ya estaba a punto de desistir cuando, de repente, se puso rígido. «Las formas que tenía la vida, la naturaleza, de defenderse, duplicando las posibilidades de supervivencia de sus criaturas», recordó. Y unos segundos fueron suficientes para que, en sucesivos fogonazos asociativos, las indicaciones del capitán médico Alfredo Larios, el testimonio de Trinitario y el fusilamiento del gemelo le diesen una solución penosamente sencilla a todos sus interrogantes. Comprender es igualar, pensó Arturo, y comenzó poco a poco a fundirse, a confundirse con la naturaleza del asesino, metódica, paciente, rehaciendo sus pasos al igual que aquella noche tras Luis del Águila. Si había contado con la presencia de Trinitario, eso era lo de menos, porque era «su» momento. Esperó a que éste le dejara libre el terreno y entró en el barracón, buscando el vaho que delataba a su víctima. Allí estaba, Luis del Águila, de espaldas, desnudo, con el rostro alzado, cegado por los chorros que impactaban directamente en él, en perfecta ofrenda para el holocausto. El destino aguardaba. Y no tuvo que hacerlo mucho. Sacó el cuchillo y le degolló con un movimiento esencial, natural, como una sonrisa o la caída de la nieve. La sangre manó a chorros de su carótida destrozada, mientras permanecía allí, mirando cómo se vertía junto con el agua. Sin perder tiempo, contando con un ineludible Trinitario, cerró la ducha, escondió el cadáver y su ropa entre las zonas umbrías a las que, Arturo recordaba, no alcanzaba aquella última bombilla fundida y, a continuación, haciéndose pasar por Luis del Águila, cosa posible gracias a las capuchas de los uniformes miméticos, salió sin abrir la boca por delante de Trinitario. Era su copia, su doble, su gemelo perverso. Más tarde, con toda la noche por delante, habría regresado al barracón para rematar su labor. Recordó que éste se cerraba con un candado, y que Trinitario no le había comentado nada de forzamientos, aunque cualquiera con un poco de habilidad y una ganzúa podría salvar ese escollo. No consideró trascendente si sus actos habían sido improvisados o planeados, de hecho habrían podido ser ambas cosas, porque lo que necesita mayor preparación es la improvisación; en cualquier caso, las dos posibilidades habían necesitado un temple proverbial. Comprender es igualar, sí, y por eso Arturo también fue capaz de sentir idealmente su odio, «busque una pasión», le había dicho Alfredo Larios, «porque una pasión siempre es una razón». Y qué pasión más poderosa que el odio. El quinto círculo de Dante. Un iracundo. Alguien encerrado en un pasado autosuficiente, condenado a la eterna repetición de su ciclo-obsesión, y que únicamente se pone en marcha cuando se vacía el reloj corporal de la sangre. Un no-muerto. Un no-vivo. Un vampiro. Arturo tembló y se apretó contra Zira para intentar cruzar las fronteras de piel que les circundaban, y trazar una línea en su confusa percepción de la mente del asesino. La miró. La admiró. Su presencia le inyectaba optimismo a chorros. Y como a una Virgen icónica Arturo le suplicó que ésa fuera la respuesta, que hubiera un motivo para el quién, odios, venganzas, lo que fuera, porque la otra posibilidad, Jack, no tenía forma ni color, no era mensurable. Sería la impunidad. El vacío. El absurdo. Pero, sobre todo, el horror.

Arturo volvió a abrazar a Zira. Ella, dormida, exhaló un suspiro, se volvió de costado y removió su cabecita contra su brazo, en una suma de pequeños actos que acabaron de tranquilizarle. Aún le quedaban algunas horas para dormir. Dejó que las primeras y vagas sensaciones del sueño fueran invadiéndole, pegándose a su rostro como una telaraña, haciéndole flotar, cerrar lentamente los ojos, a punto de desconectarle ya de la realidad, cuando una voz estentórea le despertó con un severo sobresalto.

—¿Y esto cuándo empieza?

Pablito, recién salido del sueño de los justos, mirándole como si acabase de ver a un aparecido, se bamboleaba con una sonrisa que adornaba su rostro de querubín. Y mientras ambos se observaban con desconcierto, un segundo copo, hermano del que se había derretido horas antes sobre la mejilla de Arturo, logró introducirse también en la isba y, ligero como un recuerdo lejano, tambaleante, rotó sobre un rebujo de viento y fue a posarse sobre uno de los ladrillos incandescentes del horno, centelleando y evaporándose luego con un menudo siseo.

Eran exactamente las cuatro y treinta y cinco minutos.

A continuación, comenzó a caer la nieve.

Cayó toda la noche.

La nieve.

7. Pureza

Un cielo azul, ultramarino, como la base de una llama, se clavaba en la nieve compacta y cegadora de Mestelewo. La severa nevada de la noche anterior había transformado el mundo en un latifundio invernal. Arturo acababa de sacar a pasear su resaca por Rusia y entornó los ojos para evitar la quemadura de la luz. Sentía los latidos como detonaciones dentro de las paredes calcinadas de su cerebro, y el frío, su helada y atávica caricia, parecía estallar dentro de sus huesos. Hacía poco que se había despertado en la isba, de la que todo el mundo parecía haber desaparecido como por algún encantamiento, y solo, sediento, con la cabeza como un bombo y sin aquella especie de energía saludable que le había inyectado Zira, estaba de muy mala leche. Caminó hacia los barracones. Antes de llegar a su tabuco, un grupo de guripas pasó por delante de él custodiando una lenta columna de prisioneros, que arrastraban pesadamente sus *balenki* por la nieve como si remolcaran detrás todo el tamaño de su derrota. Uno de los cautivos se detuvo a mirarle; un mongol enorme, cuyos cabellos lacios y grasientos se escapaban por debajo de un gorro picudo con orejeras. Era el prototipo medio de soldado ruso, adicto a la masa, resignado ante el sufrimiento, indiferente a la derrota, obediente más por temor a los comisarios que por amor a la Rodina. Pasaron los segundos hasta que uno que caminaba detrás de él le dio un empujón y el prisionero terminó por desviar los ojos y continuar andando. En ese breve lapso, su mirada bovina despertó en Arturo un tipo de energía profunda, obsesiva; una combinación de debilidad, malestar, impaciencia, cólera, neurosis... Arturo sintió cómo regresaba a él toda la rabia y el resentimiento, lo notaba en la garganta. «Lo normal es matar.» Durante todo el cruce de miradas, el pobre soldado nunca supo lo cerca que había estado de recibir el cargador entero de una Tokarev.

Rituales. Los rituales anestesian las duras condiciones materiales, la ansiedad, la sensación de peligro. En vez de dirigirse directamente a su barracón, Arturo se había desviado al de Carnización y observaba con sobriedad entomológica cómo el pastor alemán babeaba de cólera, le gruñía y le tiraba violentos mordiscos. Continuaba unido a su condena tantálica, anclado a los restos del camión que le servían de caseta. Había completado ya cuatro carreras, y cualquier otro animal, tras casi romperse el cuello con regularidad pavloviana, se hubiera quedado bajo su improvisado techo con las orejas gachas y el rabo entre las patas. Pero no aquel soberbio ejemplar, no aquél. Mientras el perro iniciaba una nueva carrera, cargando con todo su peso, con la cadena culebreando tras de sí, no hubo un momento en el cual Arturo pudiera decir por qué continuaba torturando al perro. Sencillamente estaba allí, al alcance de su mano, él tenía que ajustar cuentas con el mundo, y en ese momento el perro era suficiente mundo. Ni siquiera cuando el animal se estrelló contra el aire por quinta vez, cayendo en la nieve, sintió ningún tipo de remordimiento. Básicamente, porque sabía que la contrición suponía la esperanza del perdón, y él era consciente de que lo que estaba haciendo era imperdonable. Sus vínculos de sangre quedaron renovados. Sin un gesto superfluo, con paso corto, se dirigió a su tabuco.

Lo primero que hizo cuando entró en su habitación fue encender la estufa que se esquinaba en un rincón;

esperó hasta que las llamas se retorcieron entre los maderos. Se quitó su supertraje y el casco de acero, bebió agua a fin de aliviar su resaca, y terminó lo que quedaba de la caja del aguinaldo, peladillas, una lata de mermelada y otra de sardinas en conserva. Guardó un poco del aceite de las sardinas: no había mejor protección contra los labios resecos. Estuvo también a punto de comerse la naranja que seguía junto al teléfono; pensó en hundir sus uñas en su ácida carne, en arrancar uno a uno sus gajos pero, finalmente, prefirió quedarse con su luz cítrica. La ceremonia del café no se hizo esperar; calentó la cafetera sobre la chapa de la estufa, hasta que su burbujeo provocó que un penetrante y oscuro perfume se adueñase del cuarto. Después se retrepó sobre el catre con una taza de estaño llena hasta los bordes, calentando sus manos en ella y soplando. Echó un par de sorbos, se dejó invadir por su poder calorífero. Terminó el café con un suspiro. Por mucho que las cosas cambiasen, se consoló, el café siempre sería el mismo. Posó la taza y quedó cautivado por la danza flamígera en la estufa. Su hechizo no duró mucho: tenía una investigación por delante. Si daba por bueno que Luis del Águila había sido asesinado en las duchas, tres de las vigas del caso, dónde, cómo y cuándo, estaban delimitadas. La manera en que el resto de variables se articularan respecto a ellas, la desbandada de los caballos, su entierro glacial y la frase grabada en el muerto, era algo que valoraría más adelante. A su vez, quedaba reforzada la creencia de que el victimario había vigilado a Luis del Águila, es decir, que podía moverse con facilidad por Mestelewo, máxime contando con que había tenido que abrir el candado para volver a entrar en el barracón, así como que era de complexión espigada, similar a la de la víctima, tanto por la fuerza necesaria para cometer el crimen como por la suplantación que había figurado. Sin embargo, la cuarta viga, por qué, aún le tenía en suspenso. Por un lado, los agravios y reparaciones entre militares y falangistas parecían una línea de averiguación coherente, por otro, brillaba la luz negra de una venganza. Bien, una vez identificados los problemas, había que jerarquizar las soluciones. Resultaba perentorio perfilar más los recuerdos de Trinitario a la búsqueda de ese detalle que, siempre, cuando se vuelve a repasar las notas, se halla a la espera de ser descubierto. Después, lo más inmediato sería una entrevista con el páter y, posteriormente, con Ricardo Guerra Castells y Paramio Pont, el fotógrafo. El resto de cabos sueltos dependían de las indagaciones de Espinosa y de una llamada de don Esmerado. No insistió más, sobrecargar su mente sería contraproducente. De pronto, la campanilla del teléfono comenzó a sonar imperiosa. Arturo se respingó y casi saltó del camastro, descolgando el auricular. Su primera suposición fue que don Esmerado le llamaba para comunicarle que la Watermann había dado con la carta a Erundina del Águila, pero, entre los parásitos que distorsionaban la línea, fue la voz grave del sargento Espinosa la que sonó al otro lado.

—A buenas horas —su tono era agrio, cortante—. Ya le he llamado cinco veces. ¿Me oye?

—A medias pero le oigo, mi sargento.

—Yo le oigo fatal. ¿Se puede saber dónde estaba?

Más que hablarle, Arturo tuvo la impresión de que le escupían. Intuyó que Espinosa tenía un día malo, sañudo, y optó por imprimir a cada palabra un acento sumiso.

—Lo siento, no pegué ojo en toda la noche. Debí de quedarme dormido.

—Ya, mientras el gato está fuera, los ratones bailan —le espetó el sargento.

—Lo lamento.

Su no beligerancia pareció convencer a Espinosa de que, por esa jornada, tendría que buscarse el contendiente en otro sitio.

—Al grano —su inflexión se había tornado académica, sin emoción—, ¿sabía que hoy entierran a Luis del Águila?

—No, no lo sabía —respondió sin saber muy bien adónde llevaba todo aquello.

—¿Cómo dice?

—Que no —medio gritó—, no estaba enterado.

—Pues oído al parche, porque a lo mejor nos conviene dar el pésame.

—Hay cosas que corren más prisa —Arturo pensó en Trinitario.

—Puede, pero oficia un páter, un tal Ramón, y a lo mejor nos interesa.

Arturo se quedó un momento abstraído, confirmando por las confesiones de Servando la noche anterior que, en efecto, les interesaba.

—¿Sigue ahí? —le preguntó Espinosa.

—Sí.

—Creí que se había cortado. ¿Qué hacemos?

—Ése es el páter que hay que interrogar.

Esta vez el mutis procedió del otro lado de la línea.

—¿Sargento? —indagó Arturo contrariado.

Un silencio granulado crepitaba en el auricular.

—Sargento Espinosa, ¿me oye?

—Y có... segur... e... —las palabras de Espinosa asomaban la cabeza y desaparecían súbitamente, como un náufrago que se resistiera denodadamente a hundirse.

—Repita, sargento, no le oigo bien.

—Cómo... sta... ro... ello...

—Sigo sin oírle.

—Le decía que cómo está tan seguro de ello —la conexión, aunque sucia, volvía a ser perceptible.

—Ahora, ahora le oigo. Porque he hecho los deberes, mi sargento. ¿Y qué hay de los suyos?

Al instante se arrepintió de una legítima curiosidad que podía sonar a exigencia, pero si Espinosa se sintió ofendido, no lo traslució.

—Descuide, también me he aplicado.

—¿Algo nuevo?

—Nunca hay nada nuevo, todo es viejo, viejo como el mundo.

Intuyó que una sombra de tensión cruzaba el auricular y desestimó insistir.

—De acuerdo. Luego me cuenta. ¿Y cuándo le entierran?

—Dentro de un par de horas, a las doce.

—Perfecto. Nos vemos en el cementerio a las once y media. Yo aún tengo que despachar un par de cosas.

—Conforme.

Arturo iba a despedirse, pero Espinosa colgó sin darle tiempo. Todavía se quedó unos minutos, escuchando; parecía que una conversación lejana interfería la línea. No entendía las palabras y también él terminó por colgar. En cuanto lo hizo, la campanilla volvió a temblar con urgencia, dándole un susto de muerte. Agarró el auricular y esperó dos tonos más con la mediana certeza de que esta vez la voz ordenancista y puntillosa de don Esmerado no le defraudaría.

—¿Diga?

—Parece que no le gusta madrugar.

La voz de Navajas del Río sonó absolutamente nítida. Arturo maldijo para sus adentros con un nudo de sangre en la garganta.

—A sus órdenes, mi teniente coronel.

—Descanse. Y respire, no haré que me copie nada cien veces.

Navajas le dio un momento para que asimilase el indulto, y ambos se mantuvieron expectantes, como si estuviesen tratando de leerse los ojos.

—Si llama por la investigación...

Navajas del Río cortó su filípica.

—Sería un poco prematuro por mi parte, aunque estoy seguro de que no pierde el tiempo. No, le llamaba porque me ha surgido un imprevisto y a lo mejor usted puede remediármelo.

—Haré todo lo que esté en mi mano.

—No le robará mucho tiempo, se lo aseguro, apenas unas horas.

—Usted dirá, mi teniente coronel.

—No sé si está enterado de que pasado mañana habrá una comida en el cuartel general. Será algo formal, con la asistencia del coronel general Lindemann y otras personalidades —guardó una pausa, como tomando una nota rápida para sí mismo—. Bien, en todo caso también habrá oficiales rusos, vlasovistas, y ahí es donde entra usted. Nuestro intérprete ha cogido una neumonía y en la fiesta puede que se traten asuntos confidenciales. Ahora mismo no se me ocurre otra persona que sepa la lengua y que sea más de confianza que usted. Porque usted habla ruso, ¿no?

Arturo evocó un conocimiento asimilado en innumerables horas de esfuerzo.

—Sí, mi teniente coronel.

—Eso creí entender. Entonces puedo...

La línea pareció llenarse de grillos momentáneamente y, al fondo, entre los intersticios sonoros, Arturo volvió a escuchar una remota conversación.

—¿Me oye, mi teniente coronel?

El secreteo de una charla perdida en oscuridades cilíndricas, kilométricas, fue la única respuesta que obtuvo.

—Arturo, ¿puede oírme? —la voz de Navajas brotó tangencialmente a la fantasmal conversación.

—Sí, ahora sí, fuerte y claro, mi teniente coronel.

—Ya era hora. Estos malditos teléfonos no dan más que problemas. Dicen los ingenieros que estar tan cerca del Ártico produce perturbaciones magnéticas. ¿Usted se cree esos cuentos chinos?

—No puedo opinar, mi teniente coronel —manifestó un embarazado Arturo.

—Pues yo creo que lo que pasa es que no saben hacer la o con un canuto y luego buscan eximentes. Da igual —recapituló—, ¿podrá hacerme ese favor?

—Por supuesto, mi teniente coronel.

—Excelente, excelente —sembró su satisfacción de puntos suspensivos—, ya le avisarán. No obstante, no estaría de más que me informara someramente de sus progresos...

Arturo se cambió el auricular de una mano a otra e intentó detallar sus conclusiones lo justo para no crear falsas expectativas, pero lo suficiente para no dejar al descubierto la facilidad con que podían deshacerse sus nudos lógicos.

—Me tiene contento, Arturo —sintetizó Navajas cuando terminó—, no se puede hacer más en tan poco tiempo —su voz se adhirió al teléfono, como escrutándolo—. A propósito, ¿le ha vuelto a molestar nuestro camisa vieja?

—No, mi teniente coronel.

—Bien, bien. ¿Y cuándo va a ver a ese pájaro de cuenta, ese...?

—Ricardo Guerra Castells. Hoy mismo.

—Recuerde que la masonería judaizante y atea estuvo a punto de echar a perder la patria, y que la mala hierba ha de ser arrancada y la mala semilla extirpada —lo soltó de corrido, como la tabla de multiplicar, para recordarle que en aquella partida no vendrían mal unos dados trucados—. Pero, sobre todo, recuerde su ascenso.

—A sus órdenes, mi teniente coronel.

—Avíseme cuando el gato esté en el costal.

—Sí, mi teniente coronel. Arriba España. Viva Franco.

—Viva.

Arturo colgó el auricular algo inquieto, con la sensación de tener que enlazar sin posibilidad de error su vida con la investigación, como los puntos de esas figuras que aparecían en las secciones de ocio de los periódicos, para que ambas continuaran existiendo. Tenía que tomar café, concluyó; es decir, pensar. Se acercó a la estufa y se sirvió otra humeante taza; se la tomó de pie, recreándose en todo su espectro de matices y, tras ésa, otra más, al tiempo que su pensamiento daba vueltas sobre sí mismo, mecánicamente, como una bailarina de caja de música. «Si es preciso hacer algo, más vale hacerlo con orden», murmuró. Animado, terminó su tercer café y agarró el teléfono. La primera llamada fue directa a Intendencia, haciendo remover Roma con Santiago al oficial de servicio hasta dar con Trinitario, cuya inteligencia, a pesar de haber sido vaciada en moldes muy pequeños, fue suficiente para recordar que, en efecto, no había podido verle el rostro a Luis del Águila, debido a una capucha subida, pero que la complexión general era la misma. A pesar del placer que Arturo sintió por el reforzamiento de su hipótesis, su resaca no vaciló en buscar unas frases lo suficientemente demoledoras como para recordarle al guripa que, a poco que a él se le antojase, el reino de los cielos sería suyo. Su cólera le agradaba, así que la prolongó todo lo que pudo. Después de colgar, comprobó la hora. Tenía tiempo para asearse un tanto. Agua, jabón, navaja. Logró rasurarse sin ningún estropicio, lavándose los restos de jabón. Se vistió de nuevo, se ajustó el casco y revisó el perfecto estado de su Tokarev. Ya estaba dispuesto para ir a un entierro. Antes de salir, echó un último vistazo a la naranja. Su luz redondeada por soles levantinos le recordó a la pianista: su media naranja. Erguida, muy erguida, con su extraña belleza de rasgos imperfectos, su palidez sobrenatural, su recogido rojizo, sus estilizadas manos creando un benévolo flujo de música. «¿Le gusta Chopin?» Optó por ordenar el recuerdo junto con esas cosas que, por el dolor que serían capaces de producir, te preguntas si valía la pena no haberlas visto jamás. ¿Su media naranja? Para la integridad mental y física, mejor que cada uno fuéramos naranjas enteras.

El campo santo de Mestelewo era una amplia sección de terreno helado entre la raya del ferrocarril y el Sslavianka, punteada por innumerables cruces de abedul, muchas tocadas con cascos de acero, otras adornadas con travesaños horizontales garrapateados de oscuros R.I.P., y el resto simplemente desnudas. En uno de sus ángulos, esquinado entre un pequeño bosquecillo helado y el cauce del río, Arturo distinguió un grupo de cruces presidido por otra de mayores dimensiones, que señalaban los restos mortales de lo que había sido el segundo batallón del 269, masacrado ese mismo enero en Posselok. Sólo veintiocho hombres habían sobrevivido a aquella infernal jornada para abrir las tumbas de los cientos que dejaron sus ánimas en la nieve. Hacia el centro, el arco invisible de uno de los obuses soviéticos había removido algunas tumbas y exhumado con violencia los restos de algún pobre guripa. Arturo meditó lúgubremente sobre tanta muerte y muerte sobre más muerte. En menos tiempo del que jamás creyeron, nadie les recordaría, nadie sabría por qué y cómo murieron, y lo único que podría consolarles de tanto olvido sería que hubiesen muerto con ilusión, convencidos de su gesto. Arturo también aspiraba a lo mismo: no pedía ser eterno, sólo ver que sus actos, con el tiempo, no perdieran sentido.

—Huesos —afirmó fúnebre Espinosa en su hombro derecho.

Arturo llevaba unos minutos esperando la llegada del sargento, y su aparición le respingó.

—Buenos días, mi sargento —saludó entrechocando los talones.

Espinosa se subió los cuellos de su enorme abrigo de mutón y respondió con un movimiento de cabeza, cortamente. Sus facciones falcónidas, endurecidas por los ángulos metálicos del casco que había sustituido a su habitual gorro de piel, mantuvieron el mismo hieratismo de las aves de presa que, por su cómoda posición en la pirámide natural, no tienen que demostrar su extrema fiereza.

A Arturo no se le escapó que el sargento seguía de malas, ya fuese por una repentina erupción de su úlcera o por cualquier otra espina clavada, y se dispuso a lidiar con aplomo sus hipotéticos envites.

—¿Y usted qué piensa? —le dijo el sargento.

—¿De qué?

—De la eternidad.

La pregunta de Espinosa, derecha, inopinada, cogió a Arturo desprevenido.

—Yo no pienso mucho, mi sargento, sólo obedezco —se escaqueó.

—Pero sentir sentirá, ¿tiene miedo a morir?

Al superar los estrictos límites del deber, le hizo sentirse algo embarazado. Tras reflexionar, decidió responder con franqueza.

—¿La verdad?

—Sí.

—No más que a vivir.

Un rictus satisfecho quedó fijo en la cara de Espinosa, y ambos continuaron unos instantes más en silencio, hombro con hombro, recortados contra la ingrávida densidad de sueño que flotaba sobre el cementerio. El aire frío dolía en los pulmones.

—Andamos cerca de los treinta —terminó por informar Arturo—. Menudo calor.

Espinosa no apreció la broma más manida de la División. Se giró para observarle.

—¿Y qué me dice del demonio? —volvió a la carga—. ¿Cree en el infierno?

—¿El infierno? —Arturo repasó la pregunta del derecho y del revés, azorado—. Mi sargento, yo creo que todo esto se lo aclarará mejor el páter.

—Quiero su opinión, la del páter ya la conozco —le aclaró lenta, silábicamente.

A Arturo no se le escapaba el verdadero calado de sus palabras; sólo eran los temblores sísmicos de un epicentro de dolor que había entrevisto en anteriores ocasiones. Secretos. Las cosas son guardadoras de secretos. Y de alguna manera, se le ocurrió que quizás el sargento estaba intentando mostrarle su herida.

—Que si creo en el infierno...

Lo repitió un par de veces, pero no acabó de decidirse por una respuesta. Se encogió de hombros y bailó un poco sobre sus botas para esquivar el frío. Espinosa le miró con algo de desprecio mezclado con resignación amarga. Arturo se preguntó a qué sería debido el empeño del sargento por, a la manera de un Santo Tomás, tocar las llagas para creer. Y más considerando que él no pecaba precisamente de ser tibio en sus creencias. Unas disparatadas sospechas empezaron a acumularse en su cabeza como briznas de metal alrededor de un campo magnético: ¿y si él fuera el asesino? Espinosa era un suboficial, tenía facilidad para moverse por Mestelewo, y lo sustancial, se arrastraba por el sedimento limoso de su memoria, pasaba una y otra vez sus dedos vivos sobre un tiempo muerto que, al parecer, se reproducía en su interior como las células contaminadas de un tumor. ¿Y si fuera él?

—Esa cruz es un desastre —sentenció finalmente Espinosa, acercándose a un aspa más que a una cruz, componiéndola.

—Sí, menuda chapuza ha hecho algún guripa —contemporizó Arturo, poniendo en cuarentena sus reflexiones.

—Si hubiera hecho un puente ahora estaría en la cárcel —lapidó Espinosa lacónico.

Arturo sonrió. El Espinosa que apreciaba había regresado y, como era habitual, contundentemente.

—¿Hacemos los deberes? —abogó Arturo.

—Sí, ya es hora.

Arturo le expuso sus pesquisas durante los siguientes cinco minutos, haciendo hincapié sesgadamente en las papeletas que tenía Ricardo Guerra Castells en aquella tómbola, aunque obviando transitoriamente las presiones tácitas del teniente coronel Navajas del Río.

—De modo que no le han llamado todavía de la estafeta —concretó Espinosa.

—Siguen buscando la carta.

—Entonces es cuestión de tiempo —guiñó los ojos por la reverberación de la nieve—. Si damos por bueno que el tipo que buscamos liquidó a Luis del Águila en las duchas, entonces podría encajar lo que yo he sacado de los establos. Hablé con los dos guripas de guardia esa noche. Me contaron que el día de marras alguno de los caballos se salió de madre y abrió la cuadra, pero yo estuve echando un vistazo y no vi por ninguna parte marcas de golpes en las puertas. Además, ambos coincidían al milímetro en sus testimonios, y cuando sucede eso, normalmente es que uno está pensando por los dos, o sea, que mienten.

—Muy listo.

Espinosa negó desdeñoso.

—Lo más seguro es que estuviesen durmiendo —continuó—, o que alguno hiciese novillos, o vete tú a saber. Es comprensible que se hagan los locos; por el sindiós les cayó un paquete, pero si llegan a probar que no estaban en sus puestos lo mismo acaban «besugos».

—Lógico.

—Ah, y una cosa más. El caballo sobre el que estaba Luis del Águila en el Sslavianka, o sea, en el que se supone que lo trasladaron, era una yegua.

—Ah —Arturo no pudo disimular su desorientación—. ¿Y?

—Es un dato. Usted dice que todo es importante.

—Sí, por supuesto.

—Además, resulta curioso que fuera una yegua.

—¿Por qué?

—Porque el resto de caballos eran sementales.

Era un dato extraño, pequeño, como una perla negra, y que le confirmó a Arturo que no se había equivocado al confiar en la capacidad miniadora del sargento. Se limitó a anotarlo en el inventario de la investigación.

—Buen trabajo. Resumiendo, que nuestro misterioso asesino sabía exactamente qué hacer y cuándo hacerlo. Así que eligió una noche de niebla, soltó los caballos para distraer la atención, eliminó a Luis del Águila, lo montó en uno de los animales y se dirigió hacia el río. Allí organizó su numerito —aquí Arturo cargó los dados en contra de Ricardo Guerra Castells—, uno de esos impíos rituales masónicos de la canalla marxista, y sanseacabó.

Espinosa permaneció callado.

—¿Y bien, sargento? —le apremió.

—Las cosas pueden salir de aquí, de aquí o de aquí —fue señalando su cabeza, boca o pecho—. ¿De dónde prefiere?

Arturo sonrió con la pesadumbre de un crío afeado por una falta.

—De la cabeza —rozó su casco con el guante.

—Los hilos sueltos acaban por enroscarse al cuello, guripa, y ahí hay los suficientes como para ahorcarnos a los dos.

—Nunca se atan bien todos los cabos —se defendió Arturo.

Espinosa le miró con aire cansado, escéptico.

—O no conviene atarlos.

Arturo se sintió falso, expuesto, igual que frente a un padre reconveniente. Y consideró compartir sus pensamientos acerca de la inutilidad de enfrentarse al poder, la burocracia, la rutina o cualquier otra representación de la estupidez y la falsedad del género humano, pero era consciente de que Espinosa tampoco era ajeno a aquello.

—Bien, me parece que ya hemos perdido demasiado tiempo —obvió cualquier remilgo—. Las cosas están así. ¿Y qué hay de Radio Macuto?, ¿dice algo acerca de la violeta? —simuló seguir indagando.

—Pues el mismo cantar de siempre: aquí nadie ve nada, ni oye nada, ni imagina nada, ni sospecha nada.

—Ya.

Arturo se entretuvo unos segundos admirando los álamos y abedules del bosquecillo; rígidos, vítreos, sus ramas se derretían en gélidas y refulgentes formas. A pesar de su cinismo, su conciencia no tuvo más remedio que considerar otra vez el asunto de la violeta; si realmente Luis del Águila necesitaba mandar dinero a casa, había otras formas no tan fructíferas aunque sí menos arriesgadas de conseguirlo, aparte de que los haberes conjuntos del ejército español y del alemán no eran despreciables. Entonces, ¿qué necesidad tenía de jugarse el pellejo de aquella manera? Luis del Águila amaba a su familia, tenía un motivo para regresar; ¿para qué comprometer su vida con su muerte? ¿Y qué se escondía en su pasado que le incitaba a quemar su hígado, que le negaba el remedio a aquel sufrimiento del que hablaba su hermana? Arturo optó finalmente por poner una capucha de intereses sobre las pistas, y se decantó por que su culpable oficial, Ricardo Guerra Castells, absorbiese todos sus esfuerzos. La aparición de la comitiva funeraria por el talud del camino carretero que bordeaba el río reclamó su atención.

—Pues de momento habrá que dejar el asunto en manos de Roma —señaló al cortejo fúnebre que se acercaba, con el páter a la cabeza.

Observaron a los guripas cargando con una caja rústica a modo de féretro que habían improvisado con toscas tablas sin desbastar.

—¿Y qué se sabe de él? —indagó Arturo.

—Es dominico —explicó Espinosa—, de Teruel. Antes de salir de España organizó unos cuadros religiosos armados tipo Cruzada con los cuales pretendía venir a purificar Rusia. Cuando el Ejército se enteró, se los desbarataron.

No dijo más, considerándolo suficiente biografía de un carácter. El desfile avanzaba con cautela para evitar caídas, hasta que llegó a unas fosas previamente abiertas. Allí colocaron la caja al lado de una, al azar, y comenzaron los gestos estereotipados de un entierro. El sacerdote, bien protegido en su traje mimetizado, inició una sencilla ceremonia que encabezó con un breve responso, coreado por el resto de asistentes al oficio, y consumó con un puñado de nieve que, a falta de tierra, besó y granizó sobre la tapa del ataúd. Antes de bajarlo a su agujero, «un pedazo de España en Rusia», había orado el páter, uno de los soldados desplegó una burda bandera roja y negra, enseña de la Falange, y cubrió con ella la caja. A continuación iniciaron el descenso con cuerdas, lentamente, hasta que el ataúd golpeó el fondo con un sonido lúgubre. Unas palas terminaron el trabajo. Espinosa y Arturo habían asistido a la escena en silencio, y justo en la última palada, Arturo le dio una palmadita en el codo y enfiló hacia el corro que empezaba a deshacerse. Tuvieron que remontar una ligera pendiente; en la subida le sacó unos metros al sargento. Ya al lado del grupo, Arturo resbaló sobre la nieve dura, faltándole poco para descalabrarse.

—Cuidado, hijo, no vayamos a tener otra desgracia —le advirtió el páter al tiempo que le agarraba con presteza.

Lo primero que consideró Arturo fue su voz ronca, controlada, ceñida a las palabras. Para nada la voz chillona y apabullante que había descrito Alonso «Clar Gable» Cogollos. Lo segundo, su fuerza, que sostuvo su cuerpo flaco con la justeza de un torniquete. Cuando logró encontrar la vertical, se recolocó el uniforme y le dio las gracias al páter.

—Muchas gracias, padre.

—Dáselas a Dios, hijo, a Dios es a quien hay que agradecer.

Sin más preámbulos, Arturo rebuscó trabajosamente entre las múltiples capas de cebolla de su uniforme y sacó la autorización de Navajas del Río, ya muy arrugada y astrosa. Se disponía a borrar la primera impresión que había causado a base de una actitud vigorosa, eficaz, pero se contuvo a tiempo comprendiendo las ventajas de imponer el sentido común sobre el sentido del ridículo: la subestimación siempre era el camino más corto hacia el éxito. Compuso su mejor máscara de tipo ordinario, a tono con la entrada en escena, y le entregó el oficio al páter. Su lectura no mudó su flema.

—Vienes por el difunto.

—Sí, padre —se apercibió de que el cortejo permanecía pendiente de ambos, aplazando su retirada—, pero a lo mejor deberíamos tratar el asunto en otra parte.

—Estoy de acuerdo.

Dicho y hecho, se acercó a los soldados y, en un autoapostolado, repartió estampas, santos y libritos con las oraciones más importantes, conminándoles a «rezar un poquito, porque aquí todos estamos en peligro de muerte». Después los bendijo de una forma inespecífica, suelta, como a un rebaño aborregado, los disolvió y se puso a su disposición.

—Cuando quieras. Podemos hablar en la iglesia.

Arturo dio su visto bueno; la experiencia le había enseñado a dejar que el otro eligiese el terreno de la entrevista, porque la convicción de controlar la situación escogiéndolo tú solía resultar errónea. Hacía un rato que Espinosa estaba a su lado, así que le sugirió que se fuera con los soldados para interrogarles. Inesperadamente, el sargento, sin hueco para más que discrepancia en la cara, se resistió a acatar la orden; a punto estuvo Arturo de recordarle que allí las decisiones no se tomaban con la mitad más uno detrás, pero en su gesto también leyó una profunda desilusión. Por alguna extraña razón, Espinosa quería estar presente en la charla con el páter. Tomó en cuenta la insólita conversación que habían tenido, y concluyó que hay ocasiones en que lo mejor es obviar las leyes y seguir las que tienes dentro de ti. Decidió transigir. Un tipo como el sargento no se «despistaría» sin un buen pretexto. Y tampoco era bueno joder un principio de amistad.

—O mejor —corrigió—, les toma las señas y lo hace luego con más calma.

Su gesto se desencapotó. No obstante, Arturo dejó constancia de su deferencia.

—Ya ha gastado un deseo, mi sargento. Le quedan sólo dos.

Espinosa sonrió secamente, pero, en el fondo, se le notaba más contento que unas pascuas.

La iglesia de la División en Mestelewo era una calificación sumamente optimista para referirse a una capillita ortodoxa cercana al pueblo que los soviéticos habían utilizado como Casa del Soviet local, empapelando las paredes con carteles de propaganda agrícola, cuadros estadísticos mostrando el rendimiento de las trilladoras, y efigies de Marx y Lenin, así como de diversos comisarios del pueblo. El sacerdote les invitó a pasar al apretado local, apenas caldeado por unas estufas de campaña, y la exigua nave los acogió en su clemencia. Las delgadas columnas que la sostenían estaban recamadas en pan de oro, y las partes de la escayola que no habían estallado o no estaban ahumadas por el fuego de los proyectiles que, a juzgar por algunos boquetes cicatrizados artesanalmente, la habían alcanzado, mostraban una decoración estilo bizantino, con frescos y relieves poblados por escenas de la historia de Rusia, mezcladas con las figuras carcomidas y decoloradas de centenas de ángeles. En su momento, la ira divina del páter Ramón había efectuado un auto de fe para purificar el suelo sagrado de las afrentas del infiel, logrando devolver al recinto un poco del viejo olor a incienso y del aún más viejo miedo al dios hebreo. *«Kirie, kirie eleison»*, pensó Arturo. Fue levantando acta de todo el interior rociado por la luz que se filtraba a través de un rosetón de colores.

Mientras, el páter se deshizo de su supertraje, revelando un cuerpo seco, fibroso bajo el uniforme de la Wehrmacht con la galleta de paño morado en el bolsillo izquierdo de su guerrera, índice de su condición. En el segundo ojal de la misma, tenía un cintajo que los alemanes definían con uno de sus clásicos nombres compuestos, *Kriegsverdienstkreuz II Klasse,* y que en cristiano quería decir que estaba en posesión de la Cruz de Hierro de segunda clase. Cuando finalmente se arrancó el verdugo reversible, Arturo comprobó que quien le había parecido un tipo de treinta años que llevase mal su edad, observado con atención, era en realidad un cincuentón que la llevaba bien. Tenía un leve aire mestizo, mulato, y un ligero tic en el labio que rompía la rigidez levítica de su rostro, aunque lo que más le llamó la atención fue su cabello, es decir, su ausencia, porque era calvo como un huevo. El páter se fue a santiguar ante el altar portátil, gesto que copió Espinosa, y que Arturo también efectuó más por una reacción simpática que por otra cosa. A continuación se acercó a una cómoda, y trasteó en su interior entre estolas, ornamentos, una cajita con óleos..., hasta sacar una botella de fino La Ina, dos vasitos, unas servilletas de hilo y una caja de cartón, que fue disponiendo ordenadamente sobre ella, salvo los vasos, que elevó y atravesó con la mirada, comprobando su limpieza. Al parecer, no quedó satisfecho con ella y los frotó con un paño por diversos puntos hasta dejarlos limpios.

—¿Os gusta el buen vinito? —se apresuró a convidarles, buscando uno de los filones elementales de la cortesía: la sed—. Reservo esto para las visitas especiales, son de mediano pasar, pero menos es nada.

Sin esperar su respuesta, repartió las servilletas, les llenó los vasos, y abrió la caja invitándoles a coger alguno de los mostachones, pastas y galletas que la mediaban. Tras destocarse los cascos y colocarlos al lado de la botella, Espinosa aceptó una pasta después de insistirle mucho, pero con Arturo apenas tuvo que batallar.

—Por no hacerle un feo... —dijo con la boca pequeña, manteniendo su actitud gárrula.

El páter dejó la caja a su alcance, pero no se sentó, dándoles a entender que la visita sería breve. Sonrió; cuando lo hacía, el tic de sus labios se detenía.

—Decidme.

—No le robaremos mucho tiempo, padre —aseguró Arturo—. Bien, como le supongo al tanto de nuestras investigaciones acerca del asesinato de Luis del Águila, iré directo al grano. Sabemos de buena tinta que el finado mantenía una estrecha relación con usted. Me refiero al trato pío que les unía.

—Sí, Luis era un buen cristiano, celoso de los preceptos de la Iglesia —confirmó casi con voluptuosidad.

—Así que le conoció bien.

—Todo lo bien que un pastor puede conocer a sus corderos.

—¿Se confesaba con usted?

—Sí.

—¿Con frecuencia?

—Hijo mío, lo que permanece en el interior fácilmente se agria, se enturbia, y acaba convirtiéndose en vicio o delirio. Es bueno compartir la carga. Y Luis era un buen cristiano —redundó—. Y tú, hijo, ¿tú te confiesas?

Arturo trató de aparentar turbación.

—No todo lo que debería, padre. Aquí no hay mucho tiempo.

—Lo que no hay es muchas ganas —el tono de censura subrayaba lo seguro que estaba de poder manejarlos—. Recuerda que los pecados se cuajan dentro, ¿no es mejor purificarse en la iglesia que hacerlo en las llamas del infierno?

—Sí, padre, tiene usted razón, procuraré ir más a los servicios religiosos, le doy mi palabra... Pero debemos continuar... Luis del Águila... —tropezó aposta con el escollo de una hipotética impericia dialéctica, para que el páter continuase pensando que no sería menos inepto que su apariencia—. ¿Luis del Águila tenía muchos pecados?

—Todos los tenemos, hijo, todos. Y debemos rogar por que Dios, en su infinita misericordia, se apiade de nosotros.

—Tiene razón, padre... —titubeó buscando el siguiente cabo; no tardó mucho—. Tenemos una carta. En ella la hermana de la víctima habla de un sufrimiento especial, y le encomienda a usted. Puede aclararnos algo de eso.

—Lamento decirte que todo lo que me haya dicho en confesión es secreto. Es un sacramento inviolable, hijo. Deberías saberlo.

—¿Y fuera de ella?, ¿le contó algo que pueda ayudarnos a encauzar las investigaciones? Creemos que su asesino podría ser, de una u otra forma, una persona allegada a él.

El páter Ramón se acarició su pelado cráneo y se quedó mirando el techo, como si sobre él gravitasen los frescos de la Capilla Sixtina. Tras aquilatar sus recuerdos, les refirió más o menos todo lo que ya sabían acerca de la biografía de Luis del Águila, rodeándolo con murallas de detalles superfluos y protocolarios.

—Pero ¿seguro que no le contó nada de su pasado? —intentó proseguir Arturo—, ya sabe, durante la guerra pasaron muchas cosas...

—Siempre andaba de capa caída, y era muy reservado —esquivó el páter Ramón—. Sus compañeros no le tenían en mucha estima. Invariablemente hay un muchacho así en cada regimiento, tímido, que le cuesta hacer amigos. Sí, me contó cosas, pero no creo que tengan nada que ver con lo que os compete. Luis había sufrido mucho durante la guerra, pero era un alma sensible, un buen cristiano.

—A lo mejor tienen que ver.

—No insistas.

Arturo no insistió y le dio un tiento largo al fino, colocando luego el vaso con cuidado sobre la servilleta.

Comenzó a hacer permutaciones en la batería de preguntas que había confeccionado en su cabeza, porque con las que traía supo que no iba a sacar nada del páter. No obstante, con sólo verle se había hecho una idea de las relaciones que había mantenido con el tal Luis.

—Un buen cristiano... —coreó inesperadamente Espinosa—, seguro, aunque también tenemos entendido que jugaba a la violeta. Y eso es un pecado mortal, ¿o me equivoco?

Una sombra hostil cruzó la mirada del páter Ramón, apareciendo y desapareciendo vertiginosamente. El tic de su boca tembló con violencia.

—Te repito que lo que el muerto, que en gloria esté, me haya revelado queda entre Dios y él. Yo sólo doy la absolución en su nombre.

—¿Y qué piensa de la violeta? —encadenó Espinosa—, seguramente sabe que Luis del Águila ayudaba a su familia, y si dependían de él, ¿por qué se arriesgaba de esa forma? ¿Eso no es también otro pecado?

Arturo advirtió que el sargento también había cuadrado sus cuentas y que a él no le importaba hacerle demasiadas preguntas a la verdad.

—Vuelvo a decirte que yo perdono en nombre de Dios.

—¿Y cuántas veces, padre? ¿Cuántas veces puede perdonarse un pecado? ¿Cuántas, si no hay propósito de enmienda? ¿Cuántas sin que te acabe salpicando?

—¿Pecado? —al páter se le nubló un poco la mirada—. ¿Puedes hablarme tú del pecado? ¿Qué sabes de él?

El silencio resbaló entre ellos con lentitud, como una gota de metal ardiente. Arturo miró de reojo al sargento y notó que éste no iba a contener su vehemencia, más conectada con sus demonios que con la investigación. A punto estuvo de detenerle, pero no lo hizo, porque sintió lo peor que se podía sentir en su situación: curiosidad.

—Tanto como usted, padre —terminó por replicar Espinosa—. Me enfrento a él todos los días.

—No, tú no sabes nada —el tono del páter se fue volviendo histérico, como el tic de sus labios—. Luis del Águila sabía que la patria ha sido prostituida por el liberalismo, embarrada por el marxismo, y vino aquí para llevar el aliento de la venganza de Dios sobre la punta de su bayoneta.

—Pero matamos, padre, seguimos matando, aquí y allí. Pecamos.

—Ellos empezaron antes. Cientos, qué digo, miles de sacerdotes muertos, las iglesias quemadas, los colegios, los conventos... Ellos empezaron antes —repitió.

—Y ahora nosotros se lo devolvemos centuplicado, padre —insistió Espinosa—. ¿Eso no es pecar?

—¿Pecar? No hay pecado en eliminar a los sindiós, en llevar la justicia del Altísimo, implacable y necesaria, a la Tierra... Esta mano —levantó su mano derecha, subrayando el gesto con un vaivén dislocado— ya no se acuerda de cuántos párpados ha cerrado en Possad, en el Ilmen, en el Dedo... pero seguirá cerrándolos hasta los confines de esta tierra de Caín, hasta que nuestra guerra, santa y justa, la reconquiste física y espiritualmente, para que toda la preciosísima sangre de los mártires vertida en España no haya sido derramada en vano. Todas las demás consideraciones son impías, disolventes, inmorales, blasfemas... —su voz se alzó hasta quebrarse en un chillido—. Luis se sacrificó por la causa de Dios, ¿te sacrificarás tú por la justa causa?

Espinosa adoptó una pose estatuaria, con sus facciones aquilinas, cortantes, enceladas todavía en la presa.

—Una cosa es lo justo y otra lo humano —sentenció.

Al páter sólo le faltó retroceder y escarbar en el suelo.

—¿Tú de qué parte estás, hijo?

—De lo humano.

—Lo humano... —su labio se detuvo inesperadamente y asintió con calma, como si aquello fuera el colmo de la prudencia—. Lo humano, perfecto, hijo, perfecto, porque lo que tenemos enfrente son ratas, arañas, culebras... y para acabar con ellas hay que quemar sus nidos. No hay otra forma de extirpar el cáncer rojo que corroe el mundo que mediante el termocauterio. Benditos sean los cañones, benditos si en las grietas que abren florece el Evangelio. Y tú, hijo mío, formas parte de una causa, grande, libre, una Cruzada donde España y la Iglesia, la espada y la cruz, marchan juntas con voluntad de imperio para recatolizar la Tierra. Buscamos la Ciudad de Dios, el tiempo de la parusía en que ya no habrá contradicción posible, y el lobo se juntará con el cordero, y el águila con la paloma, para vivir todos felices por los siglos de los siglos...

Al tiempo que hablaba, el páter se había arrimado a Espinosa apoyando su peso sobre su hombro, mientras sus palabras, como una plegaria, se descargaban también de contenido. Y Arturo no pudo evitar compararlo con el discurso radiado del Führer durante su visita a la compañía Watermann, por su intuición extraordinaria para atacar los puntos débiles del oyente y apelar al miedo que el ser humano le tenía a la responsabilidad que implica la libertad. La Ciudad de Dios. La vuelta a la inocencia del paraíso. La felicidad del rebaño.

—¿Comprendes, hijo?

El punto y aparte en el entusiasmo catequizador del páter Ramón sacó a Arturo de su soliloquio interior. Puede que no fuera convincente, pero no se le podía negar que era persuasivo, y Espinosa parecía haber restañado sus averiadas convicciones a base de éxtasis y fe, aunque con el sargento nunca se estaba seguro. Cuando el páter le alisó una arruga inexistente en su uniforme, como librándole de sus pecados, la cara de Espinosa no acabó de decidirse por la alegría, la indiferencia o la rabia.

—Disculpe, padre —se entremetió Arturo—, pero debemos continuar.

—Por supuesto, hijo, por supuesto.

—Antes nos ha dicho que Luis le había contado cosas de España, y sigo pensando que podrían sernos de utilidad. ¿No se puede pedir una dispensa eclesiástica? Las circunstancias apremian...

—¿Te das cuenta de lo que me estás pidiendo? Tendría que darla el mismo Papa.

—¿Y no hay casos especiales en los que un sacerdote puede excepcionarse?

—Los pecados capitales no admiten excepciones —concluyó apodíctico, con la voz tensa de orgullo o cólera.

Arturo procuró no aumentar el saldo negativo en esa dirección, a riesgo de desatar alguna plaga complementaria a las consignadas antes de que Dios fuese amor.

—Bueno, pues entonces creo que por hoy hemos acabado. Sólo le rogaría que me respondiese a una última pregunta: ¿dónde estaba usted la tarde noche del 27 de enero, alrededor de las ocho?

El páter Ramón no se hizo de rogar.

—Rezando.

—¿Dónde?

—Aquí mismo.

—¿Hay alguien que pueda atestiguarlo?

—Dios, hijo mío, ¿te parece poco?

Arturo se apresuró a negar con la cabeza y retornó a su taimada interpretación.

—Muchas gracias. ¿Puedo coger otra? —señaló la caja de delicias con maneras viscosas, zalameras.

—Coge, coge. Están buenas, ¿eh? Las hacen unas monjitas de Burgos y me las envían ellas mismas.

—Para chuparse los dedos, padre.

—¿Y usted?, ¿no quiere otra, sargento? —le ofreció a Espinosa.

—No, gracias, padre —respondió algo encogido, quizás reacomodando el peso de sus convicciones.

—Unas santas —ponderó Arturo, tragándose entero un mostachón—. Bueno, nos vamos, sargento. Ya hemos molestado demasiado al páter.

—Un momento —se excusó—. Padre, ¿puedo pedirle antes un favor?

—¿Qué deseas, hijo?

—Confesión. Por lo de antes. Y...

Se desabotonó la guerrera en un gesto infantil y se sacó una crucecita de oro, pellizcándola entre el pulgar y el índice de la mano derecha, como si fuera un grano de trigo pequeño y luminoso.

—... ¿puede bendecirla?

El páter Ramón sonrió, congelando el tic de sus labios, y poniendo sus manos sobre la joya cerró los párpados e hizo una plegaria. Arturo aprovechó el desahogo espiritual de Espinosa para echar un vistazo a la nave. Caminó desde la puerta hasta el ábside, plantándose ante el altar portátil. Sobre él, en la pared, se podían admirar los restos descascarillados de un gran icono de mosaico, sobre el que incidía directamente la luz del rosetón, arrancándole pálidos destellos de oro. La Virgen, una cohorte de ángeles y santos de largas barbas apostólicas y agudos semblantes bíblicos, todos con sus manos unidas por las palmas, empuñando rollos de corteza de abedul, o extendidas, en forma de alas de paloma, se espaciaban en semicírculo alrededor de la figura angular, un Pantocrátor todopoderoso, con su mano diestra levantada y con la siniestra sosteniendo los Evangelios. Unos instantes de contemplación fueron suficientes para inspirar en Arturo un pensamiento poco devoto: «Mierda». Acababa de recordar algo. Aguardó a que el páter terminase de confortar a Espinosa.

—Padre, tengo una última pregunta.

El páter miró su reloj de pulsera.

—Tengo que hacer —objetó.

—Es un segundo. «Mira que te mira Dios.» ¿Le dice algo esa frase?

El sacerdote aprovechó para recoger los vasos, la botella, la caja con los dulces y doblar minuciosamente las servilletas de hilo mientras cavilaba sobre la pregunta.

—No, nada especial, ¿por qué?

—Detalles, padre —Arturo hizo un gesto en el aire, como rasgando una tela de araña invisible—, bien, le dejamos tranquilo. Muchas gracias por todo.

Cogió su casco, observando por unos instantes el águila perchada sobre una esvástica que adornaba su lado izquierdo, y luego le acercó el suyo a Espinosa. Tras despedirse formalmente del sacerdote, a punto de abrir la puerta, a sus espaldas sonó el timbre intenso y preciso de su voz.

—Aunque, ahora que recuerdo... —se pasó la mano por su cráneo liso—, sí, qué estúpido...

Arturo dio un bote y rehízo sus pasos.

—Dígame, padre.

—En fin, no sé si tendrá importancia...

—¿Y qué no la tiene, padre? Yo no lo sé.

—Es tan evidente que no creí... ¿No sabéis lo que es? —les preguntó con voz de estar pensando en otra cosa.

Espinosa y Arturo negaron a dúo, cada vez más tensos.

—«Mira que te mira Dios, mira que te está mirando, mira que te has de morir, mira que no sabes cuándo» —recitó—. Es una oración infantil.

—Sigue sin sonarnos —Arturo tuvo un rápido presentimiento—. Pero ¿y usted?, ¿sabe por qué se lo preguntamos? —inquirió.

—Pues no, la verdad es que no.

—«Mira que te mira Dios»... Es lo que grabaron a punta de cuchillo en el cuello del muerto.

A Arturo sólo le dio tiempo a percibir algo que se deslizaba como una sombra por los rasgos mestizos del páter Ramón, una suerte de inquietud. Fue un relámpago, un santiamén.

—No... Lo desconocía. ¿Y creéis que os servirá de algo?

—¿Quién sabe? No podemos desvestir a un santo para vestir a otro.

—Entonces tomad esto, os ayudará.

Rebuscó en sus bolsillos y les entregó unas estampas religiosas con falangistas, requetés y legionarios brazo en alto, levitando hacia el cielo con robustas alas de águila y espadas flamígeras en las manos, escoltando a un Generalísimo disfrazado de Cruzado.

—Muchas gracias, padre —le agradeció Espinosa, besando las suyas—. Y ponga una vela por nosotros.

—No os preocupéis, lo haré. Pedir a Dios es el mejor remedio contra todo.

—Entonces, que sean dos, padre —le propuso Arturo—, por si acaso.

«Y la otra al diablo», se calló.

El mundo volvía a ser una corteza blanca, dura, extendida en una suave modulación a lo largo de kilómetros y kilómetros y recorrida por un viento de innumerables remos. Espinosa se plantó en medio de los puntos cardinales: al norte, la paciencia de los bosques soportando el peso de la nieve, al sur, el hormigueo militar de Mestelewo, al oeste, la lámina de vidrio del Sslavianka, y al este, Arturo. Abrió sus piernas y, afianzándose sobre sus *balenki,* sacó un cigarrillo de entre los pliegues de su abrigo y lo inspeccionó frunciendo el ceño; seguidamente lo alojó con cuidado entre sus labios, se encorvó, abocinó los guantes y arrimó una cerilla hasta que brotó el humo. A lo lejos, la intensidad artillera parecía afogarar el cielo.

—No sabe las ganas que tengo de volver a Valencia —aseguró Espinosa tras la primera calada, perdiéndose unos segundos por praderas estancadas de arroz, playas malvarrosas y terrazas de café abarrotadas de gente tomando horchata—. Allí la pólvora la utilizamos para las fallas —añadió a propósito—. ¿Qué piensa de la entrevista?

Arturo se puso serio.

—Que no debería mezclar el tocino con la velocidad —le reprochó, refiriéndose a su enfrentamiento con el páter.

El sargento dio la callada por respuesta y continuó fumando, impertérrito, mezclando el humo templado con su aliento gélido.

—Ya ve —dijo al cabo, medio arrepentido—, también tengo mis días malos.

—Como todos, mi sargento. No es excusa.

—Algunas veces resulta... —vaciló— difícil mantenerse al margen, ¿comprende?

Arturo comprendía a medias, pero si Espinosa le mostraba únicamente los síntomas de su secreta compunción, él no era quién para ir a buscar llaves al fondo del mar. Pensó si se habría confesado de verdad con el cura. No, concluyó, por muy devoto que fuera, el sargento no era de los que compartían su dolor.

—Sólo los muertos pueden mantenerse al margen, mi sargento —opinó—. ¿Y dice que qué pienso? —se ajustó el cinturón—. Primero, que el páter está calvo como una bola de billar.

—Sí —Espinosa, impávido, escrutó el humo que se iba al ser soplado con fuerza—, será complicado tomarle el pelo.

«Las orejas...», concedió con presteza taurina Arturo.

—Segundo, que él no ha tenido que ver con su muerte, pero sabe más de lo que dice. Puede que no nos mienta, pero no nos está diciendo toda la verdad.

—¿Por qué lo cree?

—Porque cuando le dijo que Luis del Águila jugaba a la violeta, no lo negó, ni se sorprendió, nada. Tiene que saber algo a la fuerza.

—¿Y por qué no ha tenido que ver con su muerte?

—¿Se fijó que cuando le pregunté por la frase que grabaron en el muerto, se le quedó cara de palo? Salvo unas pocas personas, y él no es una de ellas, nadie en la División está al tanto de ese detalle. Si hubiera tenido algo que ver, no nos hubiera aclarado nada.

—De todas formas son conjeturas.

—Sí, pero es lo único que tenemos. Lo que sigue intrigándome —retomó la ilación— es por qué el muerto se empeñaba en jugar a la violeta teniendo que cuidar de su familia.

No era una pregunta en sí, sino más bien asombro, desconcierto, incluso pesar.

—Está claro.

Miró a Espinosa con estupor.

—¿Claro? Pues yo lo veo oscurísimo.

—Es una forma de penitencia. Contrición, confesión y penitencia. Se mortifica para expiar sus pecados.

—No sea fantástico, ¿cómo le va a poner el cura esa penitencia?

—Se la impuso él mismo, una penitencia tal que pone directamente su vida en manos de Dios. La culpa es a veces tan grande que no cabe lugar para el perdón.

—Pero ¿todo eso no es una contradicción?

Espinosa se encogió de hombros y lanzó su colilla a la nieve; el punto donde su cabeza, aún encendida, hizo contacto con ella, provocó que la nieve se licuase mínimamente. Arturo comprendió que tampoco él podía dar certezas sobre nada.

—Sea lo que sea —resumió—, nosotros debemos continuar. Usted puede ir a hacer esas preguntas que antes no hizo en el cementerio. Mire a ver si alguno de los guripas que cargaban con el ataúd conocía al muerto más de lo debido. Y cuando acabe, continúe echando redes, da igual lo que pesque, ya encontraremos la forma de cocinarlo. Llámeme mañana —reflexionó brevemente acerca de hacia dónde seguir dirigiendo la investigación—. Yo hablaré con el capitán Joaquín Isart para que ponga a alguien tras el páter —resolvió—. Y hoy mismo le haré una visita al tal Ricardo Guerra Castells, eso si no ha pisado ya alguna mina, y...

Su siguiente frase quedó cortada por un impacto seco en su pecho. Un estallido que les dejó sin respiración a ambos, encogiéndolos instintivamente a la altura de sus rodillas. Apuntando con sus armas a la vez, buscaron a su enemigo, Arturo sorprendido de seguir aún con vida. Unos cuantos giros violentos de sus cañones fueron suficientes para dar con él. Se hallaba a descubierto, junto a la puerta de la capilla, y con otro proyectil dispuesto para enfilarles. Pero tanto Arturo como Espinosa se levantaron lentamente, guardando sus armas, y calmaron su miedo a base de blasfemias, entre las cuales Espinosa mezclaba parabienes a Herodes. El ruso disparó de nuevo con una puntería envidiable, volviendo a acertar en el pecho de Arturo, que se limpió los restos de la bola de nieve con parsimonia. Sonriendo, prensó también él una y se la devolvió a Alexsandr; un disparo corto que provocó el alborozo del rusito, que le saludaba con su sonrisa de incisivos abiertos, absolutamente ignorante de la fuerza primitiva que se le venía encima. Porque una de las mujeres del grupo que se dirigía a la iglesia comenzó a propinarle una tunda en el trasero. Arturo se alegró por él, incluso sintió envidia; en ciertos casos, la violencia era la demostración más esencial del amor. Y eso quería decir que el rusito había encontrado a su madre o, en su defecto, a una adoptiva.

—¿Conoce a ese arrapiezo? —se interesó Espinosa.

—Sí —certificó Arturo—, hemos meado juntos.

—¿Cómo?

—Mear, ya sabe: picha española nunca mea sola.

El sargento se pasó la lengua por los labios y se hizo el loco, algo inquieto por los parentescos pedófilos de sus palabras.

—Menuda panadera —apreció mientras contemplaba la somanta—. Como siga zumbándole la pandereta, el *chiquet* no se va a poder sentar.

—¿Verdad?, ¿no es enternecedor?

Espinosa le miró, esta vez sobresaltado y rígido, añadiendo a las aberraciones pederastas oscuras inversiones sadomasoquistas. El bombeo de azotes sobre Alexsandr acabó con su rostro congestionado por el llanto y una forzada entrada en la iglesia. A pesar de todo el empeño que había puesto, Arturo no había podido distinguir el rostro de la «mamuska». Dando el espectáculo por concluido, Arturo y el sargento terminaron de ajustar datos y hechos para asignarse sus respectivos menesteres y se despidieron con un leve manotazo a la altura de las sienes. Arturo todavía permaneció un rato en los alrededores de la iglesia, con las manos bien embozadas en los bolsos de su traje de invierno y mirando al cielo. Al final, decidió que salvo que el comandante Reyes Zarauza o Joaquín Isart aportasen nuevas pruebas sobre el resto de sospechosos, o que don Esmerado encontrase una carta con el nombre y apellidos de su asesino, Ricardo Guerra Castells tenía todos los números para el Gordo, se pusiera como se pusiera. ¿Las pruebas? Fácil, las mismas que se habían utilizado para juzgar a media España: no compartir las ideas de la otra mitad. Sólo el eco de una intriga falangista le tenía algo preocupado; pero, de momento, se encauzaría por la tangente. El bramido del viento en el interior del bosquecillo sonaba como si estuviera lleno de animales antediluvianos, distrayéndole de todo aquel runrún que se filtraba en su cabeza. Miró en su dirección; lo que quedaba del sol destellaba en las ramas congeladas de los árboles con una luz que daba la impresión de pertenecer a ciertos sueños perdidos, y más allá, tras la lámina quieta del río, entre álamos y abedules helados, distinguió las pesadas cúpulas del monasterio de Molewo, cuya pátina de oro comenzaba a verdear por el óxido. Dentro, la locura instalada cómodamente entre la locura. Y se imaginó a los alienados de los que le habían hablado, magníficos ceros a la izquierda en las cuentas perfectas de Dios, merodeando por los alrededores, con sus obsesiones reduciendo el mundo a un tamaño manejable, unifacético, y por lo tanto obsesivo, aislado, incomunicado... El castigo del viento le hizo sentir la ropa como si fueran harapos y experimentó la modorra que produce su azote continuo, acompañada del hormigueo de la congelación en las extremidades. No le apetecía pasarse los años que le quedaban de vida sosteniendo la taza de café con unos muñones, así que empezó a andar hacia los barracones.

8. El viejo traje nuevo del emperador

El camión Renault traqueteaba a lo largo de la carretera hacia Puschkin, con las cabezas de los veinte soldados que viajaban en la caja penduleando al compás del vaivén del vehículo. Sus ruedas salvaban a duras penas los cráteres que horadaban la carretera, y en una ocasión habían tenido que apearse para empujar cuando, a pesar de las cadenas, se habían quedado atorados en un bache forrado de nieve helada. Los artilleros soviéticos, como si hubiesen tenido un ataque de presciencia, habían comenzado hacía poco a buscarles a tientas, barriendo la carretera con sus 20,30 que, espaciadamente, sin prisas, ponían sus proyectiles en el aire con una regularidad y precisión inquietantes. Los soldados iban callados, tensos, conteniendo el miedo, pero lo hacían sin esfuerzo, porque era un miedo limitado a la causa que lo provocaba, y por lo tanto lo conocían de memoria. De improviso, se oyó la clásica salida de un obús a lo lejos, seguido de su atemorizante silbido, que pasó por encima del camión explotando remotamente. Nadie respiró. Al poco, dos silbidos y dos explosiones más sonaron mucho más cerca, volviendo a cortarles la respiración y encogiéndoles un poco más. No había nada peor para un soldado que estar encajonado, esperando la siguiente tanda de proyectiles, sin poder desenvolverse, correr, simplemente moverse. El conductor aceleraba como un poseso para salir a uña de caballo de aquel avispero, hasta que un cuarto y quinto silbidos, prologando dos explosiones más, fueron quedando atrás paulatina, definitivamente. Nadie comentó el susto; todos sabían que un pepinazo de aquella categoría hubiese supuesto una parrillada de guripas, y alguien comenzó a cantar por lo bajinis, desafinado, «el día que nací yo, qué planeta reinaría, que por todas partes que voy, me tira la artillería», siendo acompañado tímidamente por dos o tres voces más, hasta que todo el camión se unió a la cantilena. «Cuando el español canta, es que está jodido o poco le falta.» Una cantimplora de café y coñac apareció de no se sabe dónde y empezó a zigzaguear entre las manos, con un sonido de maraca que indicaba que parte del líquido se había congelado exactamente en la misma proporción que sus corazones. Algunos, en vez de beber, chupaban trocitos del helado cóctel. Cuando la fúnebre situación fue exorcizada, los soldados aprovecharon para comer con prisa, refugiarse tras el ascua de un cigarrillo o atacar unas rancheras que hablaban de mujeres que ya no la «soplaban».

Atardecía.

La cantimplora, ya en las últimas, terminó en manos de Arturo, que iba sentado en la plataforma del camión, entre los pies de sus camaradas. Le echó un trago y volvió a ponerla en circulación, sumiéndose de nuevo en un yo reflexivo mientras se arrebujaba en una manta pelada. Media hora antes había cogido el macuto de asalto, el fusil, y rancho para un par de días, y aprovechando aquel relevo en el tercer batallón del 263 se había embarcado hacia Puschkin para echar el lazo al tal Guerrita. En el trayecto había intentado dar con una manera de hacerle la cama, si no lógica, al menos verosímil, pero entre el susto y el hartazgo de todo, había decidido que lo más urgente era esperar a que en su cabeza volviese a haber marea alta. Acompasadamente, su cerebro exacto, y por ello incómodo, fue haciéndose más cálido y habitable. Rodeado de reglamentos, consignas e ideales, volvía a formar parte de una geometría militar que le protegía contra el desorden, la vesania y la exuberante inutilidad de todo. Al otro lado del toldo que los cubría, se oía de cuando en cuando el renquear de motores ajenos, rumores que se aproximaban y se perdían en la distancia. Un paisaje crudo y blanco se iba estirando detrás de ellos, salpicado por las manchas de los bosques. En uno de los tramos del camino, sobre unos rollizos que ralentizaron la marcha, Arturo pudo distinguir un grupo de *mujiks* en marcha; hombres, mujeres y niños tirando de unos *akjas,* y envueltos en esa generosidad inútil, esos harapos demasiado grandes o esas botas dos tallas mayores, que los volvían grotescos. Llevaban su pobreza de siglos de una manera acostumbrada, elemental, repitiendo sus inútiles e incomprensibles ciclos de trabajo e hijos con el único lenitivo de la religión, de un paraíso futuro. ¿Con qué podían soñar sus almas nihilistas? Seguramente con cosas simples: una casa que no arde, una llanura sin tanques, un amanecer en silencio... Y Arturo pensó que, para ellos, los alemanes, los españoles, incluso los revolucionarios bolcheviques, no eran más que un acontecimiento meteorológico en la invariabilidad de sus días. Alguien avisó de que estaban llegando.

Puschkin. Palacios, laboratorios de ciencias, jardines botánicos abarrotados de plantas exóticas, estanques artificiales, liceos, centros oficiales, casas con palmerales bellísimos... En un espacio sin símbolos como la Rusia invernal, todo en Puschkin se había esforzado por ser símbolo de sí mismo, es decir, la Tsarskoye Seló, la residencia de verano de los zares, su corte y la aristocracia rusa. La antigua ciudad, rebautizada en el 37 en conmemoración del centenario de la muerte del gran poeta ruso, se hallaba ahora en liquidación, en medio de dos concepciones del mundo, la nacionalsocialista y la bolchevique, de cuya contradicción saldría un nuevo orden. Día a día, hora a hora, el rostro de Puschkin cambiaba; los obuses alteraban su topografía; las trincheras se abrían y se cerraban; los edificios se desplomaban o se hendían. Radio Macuto hablaba de que el 263 se desangraba en aquellas posiciones a razón de veinte muertos por día. Y a través de ese escenario, después de haber presentado sus credenciales en la plana mayor, Arturo se dejaba guiar por un cabo con aspecto de revolucionario mexicano, tan pequeño y duro como la bola de un cojinete. Caminaban semiencogidos, casi a ras de nieve, paralelos a la primera línea cubierta de parapetos, zanjas, caballetes y alambres de espinos, con el tableteo intermitente de las pesadas y eficaces Degtyarev soviéticas como música de fondo.

—Aquí ya reparten el bacalao —le previno—, así que cuidadito con la jeta, que esos cabrones te la vuelan en un santiamén.

—¿Hay pacos?

—Más que piojos.

Arturo escrutó los alrededores con aprensión, figurándose su cabeza ensartada en la cruz de una mira telescópica. Continuó copiando los pasos de su Virgilio particular, más arrugado aún si cabe, hasta la embocadura de una trinchera, desplazándose a partir de entonces un poco más guarecidos. Cada cuanto, silbaba sobre su vertical alguna bala perdida o un tiro de hostigamiento de la artillería. El foso iba a dar a un búnker, una construcción de rollizos plana, con enchapado de madera, abrazada a la tierra, cuya entrada estaba guardada por un centinela que, con el fusil terciado, se movía para paliar el intenso frío. Les saludó apenas con un movimiento de su guante, dejándoles el paso franco. Con ellos entró en el búnker una bocanada de aire gélido que hizo oscilar la llama del candil de aceite que colgaba del techo, enredando la fina línea de humo negro que se desprendía de él.

—Cierra la puerta, que se escapa el gato —les recibió una voz anónima, cansada.

En el interior de la chabola, en una media penumbra y soportando un nauseabundo olor a humanidad, seis zapadores de asalto, a juzgar por los vivos negros, y un oficial estaban sentados o echados en unos catres, envueltos en sus capotes verdosos. Desgreñados, sucios, quemados por la nieve, dormitaban, fumaban, supervivían alrededor de una estufa de trinchera. Sus rostros no ardían de entusiasmo, pero tampoco parecían desesperados; tenían esa mueca displicente de los veteranos que servía para encubrir el sueño, el hambre y el miedo. Al verles entrar, sólo el oficial se incorporó a medias de su catre y les observó con unos ojos enrojecidos. Tanto el guripa como Arturo se cuadraron con rigor, y el primero se acercó al oficial, manteniendo una conversación rápida y confidencial. Ocasionalmente, la madera de la chabola se astillaba por el mordisco de un trozo de metralla o un proyectil. El parlamento concluyó con otro saludo y su salida del búnker, dejando atrás a unos ocupantes con la sensación de haber sido visitados por espectros. Emergieron al frío medio mareados por el olor, coincidiendo silenciosamente en que era preferible jugarse el tipo a continuar empantanados en aquella atmósfera deletérea. Volvieron a circular por el complejo dispositivo de búnkers y trincheras, con una nube de adrenalina a la altura de los ojos, y con Arturo rogando por que no se les ocurriese a los soviéticos ir a entregarles ese día su tarjeta de visita. En el trayecto, Virgilio le resumió el resultado de sus averiguaciones.

—Guerrita está aquí cerca. Al final de la Inés.

La Inés era el nombre con que habían bautizado aquel trozo de trinchera; Arturo no preguntó más y se limitó a clavar los ojos en la espalda de su práctico. Unos cientos de metros más de funambulismo les sacaron de las trincheras y les condujeron a través de parques y jardines devastados, hasta las inmediaciones de un pequeño palacio clásico, medio derruido, frente a un lago artificial helado. El guripa se detuvo en su escalinata principal y contempló las dos torres que lo coronaban, una destruida y la otra llena de impactos de obús.

—Éste es el palacio de Alejandro —aclaró como un guía que acompañase a un turista—. Me dijeron que de aquí se llevaron al último zar y a su familia para pasearlos.

Arturo se estremeció recordando la tragedia de los Romanov; el zar Nicolás, su esposa Alejandra, y sus cinco hijos, Alexei, Olga, Tatiana, María y Anastasia, cuya sangre había servido para engrasar el carro inmóvil de la historia rusa.

Luego, el guripa señaló otro palacio, no muy lejos de aquél, éste barroco, con una fachada en blanco y azul, coronado por cinco cúpulas doradas, y rodeado por numerosas estatuas de desnudos clásicos esparcidas por el suelo.

—Y aquél era de una tal Catalina. Dicen que era enorme, supongo que se parecería a mi suegra.

Arturo supuso divertido que la tal Catalina sería Catalina II la Grande, emperatriz de la Santa Rusia. Su brazo giró de nuevo señalando una eminencia del terreno, entre la residencia de la emperatriz y un abedul desmochado.

—Y aquel de allí es Guerrita.

Arturo vislumbró a un tipo mimetizado casi por completo con el terreno, inclinado sobre una especie de guadaña.

—¿Y por qué nos paramos aquí?

—Usted puede seguir.

El guripa apoyó su pecho en el fusil, sin intención alguna de dar un paso.

—¿No viene? —le preguntó un sorprendido Arturo.

—Mejor no.

—¿Hay algún problema?

—Alguno.

—¿Me lo explica?

—Esta parte está llena de minas.

«Minas.» Solamente la palabra bastaba para secar la garganta y las venas. A Arturo le temblaron un tanto las piernas. Carraspeó un poco.

—Comprendo —murmuró—, ¿y se puede saber cómo voy a llegar hasta allí?

—O le llama y que venga, que con este viento no creo que le oiga, o pise por donde ha ido él.

—¿Que pise por dónde?

El guripa utilizó la boca del máuser para señalar un compás de bota claveteada, que avanzaba por la nieve trazando extrañas vueltas y revueltas hasta el palacio de Catalina.

—Perfecto. Gracias por acompañarme.

—A mandar. Ah, y si oye campanillas, ya sabe, a correr.

La expresión de Arturo fue lo suficientemente atolondrada como para que el guripa se dignase a dar una explicación.

—Cogimos unas campanillas de balancín que había en esta choza —señaló el palacio de Alejandro—, y las atamos por toda la línea de alambradas, por si a los ruskis les da por hacernos una visita. Pues eso, suerte.

Se persignó, se recolocó un casco que le venía algo grande, le saludó, y mirándole con una combinación de pena y respeto, se fue por donde había venido. Arturo observó con más detenimiento a Guerrita. Ahora estaba de pie; un tipo espigado, agarrando lo que parecía un largo palo con el cual realizaba movimientos concéntricos, como si barriese o segase, mientras se movía a pasitos, con una cautela de gran felino. Ricardo Guerra Castells, alias Guerrita, masón, chekista y maricón, como le había definido su evangelista, el comandante Reyes Zarauza. Según los informes, un antiguo socialista «pasado» a los comunistas, que había hecho un carrerón primero como jefe de la brigadilla más sangrienta del Comité Provincial de Investigación Pública, una especie de Convención que había funcionado al inicio de la guerra en la tristemente célebre cheka de Fomento, en Madrid, y más tarde en el SIM, colaborando con las diversas secciones de la NKVD soviética que operaban en España. Por si aquello no bastase, se le había aplicado la Ley de Represión de la Masonería por su supuesta pertenencia a una oscura logia denominada Cibeles, culpada por el régimen de todos los crímenes cometidos en España desde el fratricidio de Caín hasta ahora. Con aquellos antecedentes, que pensase ya era suficiente delito, pero además había sido uno de los organizadores del Plan Talión. En el 39, al poco de instalarse el Caudillo en El Pardo, habían descubierto una galería subterránea que partía de una vivienda cercana hasta el palacete, en la que sólo faltaba por excavar un último tramo para prender una mecha bajo las habitaciones de Su Excelencia. Previendo la próxima capitulación, zapadores y dinamiteros del Ejército Popular habían comenzado a abrir el túnel dirigidos por Guerrita. Arturo desconocía los detalles del plan ni cómo había sido posible su ejecución, en aquella época había ingresado ya en prisión, pero sólo el hecho de haber sido capaz de plantar aquellos cimientos de sangre denotaba a un tipo con los cojones cuadrados. Y con aquella ficha, ¿el mismo Franco le había condonado una muerte cantada? Algo no cuadraba. Arturo volvió a estudiar su figura; continuaba trazando lentas circunferencias a su alrededor. Calibró la fuerza del viento y la distancia que su voz tendría que recorrer, y al no quedar satisfecho con los posibles resultados, decidió dar un primer paso. Se agarró fuertemente a la correa de su fusil y procuró que sus botas se ajustasen perfectamente al complejo trazado de los moldes sobre la nieve. Avanzó con esfuerzo, el miedo duplicaba el peso de su cuerpo. Cerca ya de Guerrita, los crujidos delatores de sus pasos hicieron que éste detuviese el último círculo del extraño artilugio que manejaba justo frente a él.

—Buenas tardes. Ricardo Guerra Castells... —dijo sin prolegómenos.

El interpelado posó en la nieve aquella especie de antena y se quitó con un gesto fatigado el casco que, a falta de fundas blancas, había mimetizado revocándolo con la pasta ahora congelada de varios tubos de dentífrico. Arturo se encaró con una cabellera corta pero violentamente rizada, como estallada en sortijas; unos ojos a punto de caerse, que le observaban tras unas gafas de cristales montados en círculos de acero; un mentón puntiagudo, que seguía la estela de sus rasgos de galgo, algo amoratados por el frío, y una sonrisa a medio hacer que delataba inequívoca la conciencia de su propia inteligencia.

—Soy yo —respondió pausadamente, con un cerrado acento gallego.

Arturo asintió y, entregándole el ya astroso oficio de Navajas del Río, aguardó a que la firma, el sello y el membrete hicieran su efecto. Pensó que si fuese el asesino sabría perfectamente a qué había venido y empezaría a ponerse nervioso, pero Guerrita se lo devolvió con desidia.

—Ya tardaba —afirmó sin más.

—¿Qué tardaba?

—El paseo.

—¿Eso es lo que cree?, ¿que he venido a pasearlo?

—¿A qué si no?

—No veo por qué habría que pasear a alguien con tamaña disposición de sacrificio por la patria —señaló el insólito artilugio que empuñaba Ricardo Guerra—. A propósito, ¿qué coño es?

Guerrita observó el artefacto como si fuese la primera vez que lo veía.

—Un detector de minas... Producción nacional —añadió con una chispa de orgullo—. Le quitamos el émbolo a una bomba de bicicleta, ¿ve?, aquí y aquí —fue señalando con el guante cada una de sus especificaciones—, y le adaptamos en el extremo ese pincho de metal. Resulta más sensible que los instrumentos que nos daban los *doiches*.

«Epur si muove», pensó un admirado Arturo.

—Vengo nada más que a hacerle unas preguntas —encadenó.

—Ya me las vinieron a hacer los de la Segunda.

—Pues ahora se las hago yo. Es acerca de la muerte del guripa Luis del Águila.

Su media sonrisa se curvó unos grados más.

—¿Y dice que no viene a darme puerta?

—No entiendo por qué.

—Lo que es seguro es que no viene a verme por guapo. Y no me diga que mi cartilla no tiene que ver con su visita.

Arturo se descolgó el fusil del hombro y lo enganchó del cuello, a la manera alemana, apoyando sus brazos en él como sobre el quicio de una ventana.

—Bastante han hecho con mantenerlo en el anonimato, ¿no le parece?

—Eso es porque alguien allá abajo me quiere —respondió sin amilanarse, señalando el suelo—. España es una portería, lo raro es que cualquier mindundi no me haya dado ya el pasaporte.

—¿Y no lo tendría merecido?

Ricardo le aguantó la mirada. Su intemperancia acabó por disolverse en una categoría menor.

—Creí que me iban a «marear» —explicó con fatalismo galaico, volviendo a ponerse el casco.

—Pues no seré yo. Pero lo lógico es comenzar por alguien como usted, eso creo.

—Yo haría lo mismo —concedió—. ¿Qué quiere saber?

Arturo extravió su mano entre los estratos de su supertraje hasta encontrar una foto del cadáver refrigerado en el Sslavianka. Se la entregó a Ricardo Guerra.

—Éste es Luis del Águila. ¿Le conoce?

Guerrita le echó un somero vistazo.

—No —respondió, ofreciéndole las fotos.

—No le ha dado tiempo ni a verlas. Vuelva a echarles una ojeada.

Se lo tomó con más calma.

—¿Son de Paramio?

—¿De quién?

—Del fotógrafo de la División.

—Ah, sí.

—Hace poco anduvo por aquí —Arturo recordó las extrañas aficiones del fotógrafo—. Pero no, seguro —resolvió Guerrita tras otro vistazo, devolviéndoselas.

—Pero sabrá lo ocurrido, ¿no?

—Algo.

Arturo le hizo una sinopsis de la situación, obviando los aspectos políticos y las notas más subjetivas del caso.

—... y tiene alguna... —Arturo vaciló en pronunciar la palabra «coartada», le sonaba demasiado manida—, ¿dónde estuvo la noche del 27 de enero entre las siete de la tarde y, digamos, las nueve?

—Aquí —confesó sin dudar.

—Aquí dónde.

—En Puschkin.

—Pero ¿dónde, haciendo qué?

—Por esta zona. Patrullando.

—¿Cuánto tiempo?

—Un par de horas.

—¿Puede alguien corroborarlo?

Ricardo Guerra guardó un reticente silencio.

—Si no ha tenido nada que ver, lo mejor es que me diga la verdad.

—Pues no, nadie puede.

Arturo se terció de nuevo el fusil. El viento cortaba en seco la poca piel que tenía a la intemperie, escamándola. Se acordó de la Nivea.

—¿Y cómo es que recuerda tan bien lo que hizo? —le probó—. Ya han pasado unos días.

—Era mi cumpleaños. Me jodieron el día.

Arturo asintió y, llevándose la mano al filo del casco, lo echó para atrás y elevó los ojos, escrutando un cielo deslustrado, con algunos ribetes encarnados. Permaneció así unos segundos, expulsando vaho con cada respiración.

—Usted ha estado en la cárcel —afirmó Guerrita con presciencia de meiga, inclinando un poco el mentón y mirándole por encima de sus gafas.

Arturo, desprevenido, tensó sus facciones.

—Yo también he hecho mucho turismo penitenciario —continuó Ricardo, corriendo con un dedo la montura a lo largo de su nariz, hasta su tope—. Hay que colaborar en la restauración material de España —su sonrisa dejó traslucir la ironía que su entonación encubrió.

—Sobre todo si se ha hecho por destruirla —puteó Arturo.

Ricardo tragó mecha, impertérrito.

—Yo estuve en dos campos de concentración y en ocho cárceles. Pero de todas las cochiqueras en las que he estado, la peor fue una cárcel de El Bierzo. Había más piojos que lentejas te dan por mil pesetas. En mi vida he visto tanto piojo junto, grandes, cebones. De lo contentos que estaban, se tiraban en paracaídas del techo.

Arturo odiaba recordar su paso por el sistema penitenciario nacional. No obstante, sintió una especie de fraternidad en el sufrimiento. Y también entendió que aquella connivencia podría facilitarle el enterramiento de Ricardo Guerra.

—Yo vi un jersey moverse solo en el suelo, por los piojos —confesó.

—¿Dónde estuvo?

—En la Modelo.

—Coño, ahí también estuve. ¿Cómo es que no nos vimos?

—Había mucha gente.

—¿Se acuerda de Fructuoso Martínez? Era muy conocido.

—Ni idea.

—Sí, hombre, aquel que se pasaba algunas noches recitando poemas, de memoria, para acompañar a los condenados a muerte que iban a fusilar al amanecer.

—Hubo muchos valientes.

—Sí, pero lo raro es que era un cura, y encima un claretiano. ¿Recuerda lo que les hicieron a los claretianos al principio de la guerra? El padre Fructuoso, qué tío. Y eso era porque había muchos que no querían confesarse.

La palabra también sana, se animó Arturo, recordando el reverso de la moneda, el páter Ramón.

—No, no lo recuerdo.

—Ah —pareció desconcertado—, bueno, sí, es normal, demasiada gente...

—¿Cómo ha adivinado que estuve preso?

La pregunta, llena de angulosidades, cortó en seco el discurso de Guerrita. Arturo se había dado cuenta del incierto peligro que comenzaba a tener la conversación, y aunque no distinguiese su objeto, antepuso un cauto cortafuegos. Ricardo Guerra no pareció sorprenderse y sonrió.

—Lo supe cuando miró al cielo. En la cárcel pasan pocas cosas, por eso aprendes a observarlo todo con atención. Esa forma de mirar sólo la tiene un preso, alguien que se ha pasado horas mirando lo más parecido a la libertad.

Los vampiros sólo pueden entrar en las casas con el consentimiento de su dueño, y él había estado a punto de abrir la puerta a uno de los más sanguinarios. Aquella capacidad de observación terminó de centrarle y, obviando la aparente inanidad de su fachada humana, recordó las partes del informe que especificaban la estela de saqueos, torturas y asesinatos que había perpetrado daltónicamente, aplastando tanto a azules como a rojos.

—Total, que su última palabra es que el día de autos patrullaba —sintetizó.

—Eso parece.

—Y no tiene testigos.

—Bueno, le seré sincero —se resignó.

El quiebro inopinado de Guerrita hizo que Arturo frunciese los labios y se arrepintiese de no haber cerrado bien el puño.

—Adelante.

—No sólo patrullaba.

—¿Y qué más hacía?

—Follaba.

Arturo creyó no haber oído bien.

—No he oído bien —dijo.

—Aproveché la patrulla para echar un casquete. Y como sabrá, diciéndole esto me juego el consejo de guerra. Por eso no dije nada antes.

—Bueno —recapituló, reponiéndose del estupor—, hay que buscarle su lado positivo: tiene un testigo. ¿Quién es ella?

Ricardo Guerra articuló una sonrisa sarcástica, justo al borde del cinismo.

—Él —enfatizó—. Podría darle un nombre y una compañía, pero a lo mejor lo niega. Además, es un oficial.

Arturo esperó que el frío le hubiese enrojecido lo suficiente la cara como para disimular el rubor.

—Le prometo que todo será confidencial.

—Preferiría no hacerlo.

—No me lo pone fácil.

—¿Serviría de algo?

—Todo suma.

Guerrita miró alrededor, dubitativo, hasta que al final se decidió por darle unas señas. Luego señaló el palacio de Catalina.

—¿Puedo enseñarle una cosa?

—¿Qué es?

—Algo que puede ayudar a corroborar mi versión. Por si mi amigo no se decide a apoyarme.

Arturo no supo si permitírselo; cuanto más hablasen más saldría perdiendo, porque Guerrita tendría más palabras para manipular, pero la ruptura de la cortesía le seguía resultando violenta.

—Vale.

—Se lo agradezco. Puede dejar por aquí la joroba —señaló su mochila—. Vaya detrás de mí y pise por donde yo.

Su rostro escurrido estudió una y otra vez la nieve a su alrededor, como si fuese una frase que no acabase de entender, hasta que terminó de distribuir en su cabeza la ubicación de cada mina y enfiló hacia el palacio sin prisas. «¿Por qué no las habrá señalizado?», se preguntó Arturo. Los pasos de Ricardo Guerra les llevaron con seguridad hasta la magnífica escalinata de entrada al palacio de Catalina la Grande. Arturo pudo ingresar así en otro mundo, como si cruzase al otro lado de un espejo histórico. Tras una espectacular fachada de columnas, molduras y pilastras, con su fecha de construcción datada en el portaje, 1752-1756, se estancaba un tiempo perdido, fastuoso, de elegantes caballeros y damas escotadísimas que se habían paseado por París y Viena como señores del mundo, ciegos al devenir histórico. Ricardo Guerra le fue mostrando un palacio que resumía una época, las majestuosas estancias, las escalinatas, las terrazas, viéndose obligado a imaginar el resto, los espejos, los ornamentos, la seda y el lapislázuli, las arañas de luz, los cuadros, las escayolas, los doseles, las alfombras que habían sido depredados por la guerra. La Rusia imperial respiraba en cada esquina, disparando la imaginación de Arturo, que recreó una iluminación nocturna, como si en el palacio se hubiese declarado un incendio, mientras los grandes duques y las princesas bailaban y bailaban al son de las polonesas, entre sirvientes árabes y torsos de mármol envueltos en rosas, hermosos jóvenes en una época tan vieja, ajenos al mundo de eternos veraneos y manzanas de oro que iban a perder. Tras la ideal y radiante escenografía, terminaron por encararse con unas puertas de cristal helado decoradas con siluetas de ninfas y flores, milagrosamente intactas, que les dieron paso a una habitación amplia, una pieza desmantelada por la rapiña, con los artesonados del techo caídos en un suelo ennegrecido por las flores oscuras de antiguas fogatas, y rodeados de restos de aquellas cajitas que daban los alemanes con pastillas inflamables. En una de sus esquinas había un zorro disecado, con la borra saliéndole de una herida en su barriga y su mirada concentrada en el único ojo de cristal que le quedaba, y en la otra, con su cabeza apoyada en el ángulo, junto a un zurullo congelado, un rollizo querubín de madera con la pintura descascarada. Guerrita se situó en el lugar donde idealmente debería haber estado la cama. Por primera vez, se despertó en los ojos de Arturo un recelo súbito, que dejó muy claro que no quería sorpresas.

—Fue aquí donde eché el polvo —dijo Guerrita.

La frase, sin intermedios preparatorios, sonó maliciosa.

—Le felicito. ¿Y?

—Quiero decir que lo hice aquí. Éste es el lugar.

—Ya, ¿y qué?

—Pues sólo eso, que vea el sitio.

Arturo cortó por lo sano.

—Yo me fío de su palabra. El problema es que la palabra no sirve de mucho ante un tribunal.

—Sólo intentaba decir la verdad.

—Lo tomaré en cuenta, puede estar seguro.

—Gracias. Salgamos de aquí.

Ricardo Guerra le tomó la delantera y Arturo, echándole un último vistazo al querubín desfigurado, le siguió. Rehicieron el camino, el mismo que en su día tuvieron que hacer los aristócratas, confundidos ya con los criados, y pensó que cada puerta que se había cerrado tras ellos había convertido la estancia respectiva en una sala de museo; un tiempo congelado que sería delimitado con pivotes y cordones con borla y la voz de un guía que explicaría que tal salón se llamaba de tal forma y que por favor no tocasen los relojes. Salieron del palacio; Arturo se apercibió de que lo habían hecho por otra puerta lateral, acabando en medio de un parquecillo recoleto, estilo inglés, salpicado aquí y allá por glorietas, arcos, estatuas mitológicas y un estanque, todo derribado, roto, en el que Guerrita se adentró unos cuantos metros. La nieve estaba tan dura que no dejaba huellas, por lo que Arturo tuvo que aplicarse con especial esmero en copiar su recorrido, que continuaba trazando interminables reviros. Se detuvo al lado de una fuentecilla de piedra, de pilón estriado, con un par de peces barbados de colas entrelazadas empeñados en el gesto de soplar por la boca una parábola de agua congelada.

—¿Por qué hemos salido por aquí? —preguntó Arturo.

—Para hacer las cosas por derecho.

Arturo sonrió con cierta rechifla.

—A ver qué cosas.

—Usted es como yo —su tono endurecido hizo que Arturo recuperase la distancia.

—No me conoce de nada.

—Nos entendemos, y eso es mejor que conocernos. No sé por qué ha estado en la cárcel, pero sí sé que ahora está aquí, y si está, es porque necesita su pedazo de cielo, y no creo que haya nada que se vaya a interponer entre los dos. Eso es lo que yo haría.

Arturo comprendió entonces la causa del compadreo anterior. Ricardo Guerra se había limitado a estudiar al enemigo, se había esforzado en comprenderle, para acabar mejor con él.

—Continúe —concedió Arturo.

—Teniendo el delito, es muy fácil encontrar un culpable. Y yo soy el primero de la lista, así que le propongo un trato.

—Le escucho.

—Yo puedo ayudarle. No puedo decirle quién ha sido, pero puedo ayudarle a dar con él.

—¿Y qué pide a cambio?

—Sólo que siga investigando.

—Eso dependerá de lo que me cuente.

—Le interesará, se lo aseguro.

—¿Y por qué no lo ha dicho antes?

—Tengo mis razones.

Arturo consideró la oferta. No tardó mucho.

—Yo también quiero algo a cambio.

Las cejas de Guerrita formaron un ángulo hacia arriba.

—Creí que el chantajista era yo.

—Somos iguales, ¿no?

La sonrisa ladeada de Guerrita fue una invitación.

—¿Qué quiere?

—Que me cuente por qué no le han fusilado ya.

—Eso no puedo.

—¿Por qué?

—Porque no.

—Entonces no hay trato.

Ricardo Guerra observó su uniforme durante un rato, como prendado de sí mismo. Cuando Guerrita volvió a mirarle, primero a su hombro y luego a su rostro, Arturo había dejado de ser un policía para convertirse en un confidente.

—De acuerdo. ¿Tiene a mano esas fotos?

Arturo, sin perder tiempo, le pasó las fotos. Ricardo Guerra las volvió a estudiar con la prudencia de un tasador de joyas, memorizando cada ángulo del cadáver. No tardó en devolvérselas.

—¿Sabe usted algo sobre la masonería? —preguntó al cabo.

—Lo justo para meterlo en un crucigrama —respondió.

—Entonces tendré que explicarle unas cosas. Llevará tiempo.

—Lo tiene.

—Bien, supongo que sabe que yo soy masón, de la logia Cibeles.

—Sí.

—Perfecto. Ahora no es el lugar ni la hora para hablarle de la masonería, así que resumiré. Al margen de sus raíces como constructora de templos, desde hace muchos años la masonería es una sociedad secreta, un instrumento de presión al servicio del poder. Y como en toda sociedad secreta, los hermanos tienen el deber de no revelar los secretos de «El Arte», como se denomina a la masonería, ya se refiera a sus ritos, a sus debates o a sus miembros. En su juramento de iniciación, que es de por vida, hay una parte que se refiere al severísimo castigo que recibirían —recitó monótonamente—, «que mi cabeza sea cortada, y mi sangre derramada en la tierra hasta su última gota...», si lo hicieran.

—Eso explicaría la sangría —agregó Arturo, excitado por la posibilidad de que sus invenciones masónicas pudiesen ser ciertas.

—Ya, pero el juramento es el castigo en el primer grado de la masonería. Hay otros tres, pero yo no pasé del primero. Aunque no sé a qué viene esa frase, «Mira que te mira Dios», ni lo de los caballos, lo importante es que lo degollaron, y ese tipo de castigo sólo se reserva a quien ha revelado la Oscuridad Visible.

—¿Y eso qué es?

—Tiene muchos nombres, la Luz Masónica, el Gran Alcahest... La masonería tiene un substrato pagano, anterior al cristianismo; en la antigüedad se consideraba como una iluminación mística parecida a la de los santos cristianos, y se refería a la identidad secreta de Dios, a su nombre. Hoy en día se impone a quien ha violado un secreto o una norma, ya sea delatar a un hermano, chivarse de un chanchullo político, o lo que sea. El caso es que lo han liquidado por el rito.

—¿Cualquiera puede conocer el rito?

—Sólo los iniciados.

—¿Y cuántos masones calcula que puede haber en la División?

—Ni idea. Pero tenga en cuenta que no hay sólo entre los rojos, entre los oficiales nacionales había tantos o más. Ahora se les persigue, pero antes del Alzamiento estábamos todos en el mismo lado, porque entrar en la masonería era la manera más fácil de ascender en la República. Yo mismo me aproveché de ello.

Arturo rechinó los dientes y contempló toda aquella información como Miguel Ángel estudiaría las caóticas posibilidades de un bloque virgen de mármol. Decidió que lo gestionaría todo más adelante.

—Gracias por colaborar. Ahora nos queda la segunda parte del trato. Liquidar al Caudillo... —adoptó un matiz de censura—. ¿Cómo es posible que siga vivo?

Ricardo Guerra respiró con cuidado de no llenar sus pulmones y se apoyó con sus manos, de perfil, contra el pilón de la fuentecilla de piedra. En ese momento, comenzó a sonar un pasodoble, *Ramona,* y una voz en español con fuerte acento ruso comenzó a proferir soflamas y consignas desde un camión de propaganda que recorría lentamente el otro lado de las líneas. Ricardo Guerra esperó a que se alejase y se empujó hacia atrás como un nadador que se separase del borde de la piscina.

—Porque yo mismo avisé a la seguridad del Caudillo —respondió.

La primera pausa de Arturo fue de sorpresa, a la que siguió el desconcierto y, seguidamente, la expectación. El mismo Guerrita despejó sus dudas con un gesto de estudiada indiferencia.

—Estuve de quintacolumnista desde el principio de la guerra. Y da igual que lo sepa, porque no le creerán. Además, sólo hay dos personas que estén al tanto; las dos están en España y las dos lo negarían.

Las preguntas se acumularon rápidamente en la cabeza de Arturo: ¿qué hace aquí?, ¿por qué la cárcel?, ¿cuál es la causa de que nadie sepa quién es...? Ricardo pareció leerle el pensamiento y resolvió de oficio sus interrogantes.

—No responderé a ninguna pregunta más sobre este asunto.

Arturo tuvo la tentación de presionarle, pero descubrió en su actitud una voluntad de acero cuidadosamente afilado. Sin embargo, la culpa no se origina en el crimen, sino en la acusación, por eso quiso comprobar su reacción.

—¿No se arrepiente de lo que ha tenido que hacer?

Ricardo Guerra esperaba cualquier cosa menos aquello. Y se notó.

—Por cada camarada caído, hubo diez rojos —se defendió—. ¿Cuántas vidas cree que cuesta la Causa, el Caudillo mismo?

—El Caudillo es insustituible —respondió Arturo, guardando la ropa.

—Mírelo de esta forma: era otro frente más.

Arturo supo que sus palabras habían inclinado la pendiente de su curiosidad de tal forma que le resultaba irremontable. Le apeteció un poco más de esgrima dialéctica, sin efusiones verbales, sin empatía ni afecto, simplemente establecer un vínculo *inter pares,* dos personas que han ido demasiado lejos en la soledad y que saben que de allí no se vuelve.

—Al final, no era el Paraíso —dijo Arturo señalando una ideal Casa Rusia—. Engañaron a todo el mundo.

Ricardo Guerra comprendió su intención.

—El fin de la pobreza, de la explotación, de la humillación —enumeró con voz mecánica—; la victoria sobre el yugo del capital, la abolición de las clases, la redención de los preteridos del mundo... La felicidad. Son grandes palabras, grandes aspiraciones.

—Por lo que he visto aquí y por lo que les he oído a los prisioneros, demasiada sangre para no haber conseguido nada.

—Ellos creen que todavía no han llegado.

—No entiendo.

—Creen que están atravesando el desierto. Y la tierra prometida implica un precio. La maquinaria del

Estado proletario debe mantenerse hasta haber derrotado al último de sus enemigos, una maza que no se detendrá hasta que no quede en el mundo un propietario o un hambriento. Y cuando la tierra esté anegada en la sangre de los justos y los injustos, es entonces cuando el Estado desaparecerá y vendrá el reino de la justicia. Mientras, habrán de soportar el crimen, el trabajo a destajo, el dolor, la servidumbre, la muerte..., hasta lograr la república universal de la felicidad.

—La Ciudad de Dios —reconoció Arturo—. Es una hermosa profecía.

—Sí, sí lo es.

«Pero una cosa es profetizar y otra predecir», pensó Arturo. Y la profecía siempre es algo indemostrable, a largo plazo, un desierto que puede alargarse indefinidamente y en el cual el Moisés de turno tendrá carta blanca durante toda la travesía. Una tentación demasiado grande para cualquier naturaleza humana, porque cuando se tiene un martillo en la mano, todos los que están a tu alrededor empiezan a parecerse sospechosamente a clavos. Arturo se estremeció, y esta vez no fue por el frío. ¿Era el único que lo veía? ¿Era posible? Se sintió como aquel crío del cuento de Andersen, el único que, por su inocencia, fue capaz de exclamar ante el paso del Emperador que éste se hallaba desnudo, una verdad que el resto se callaba por interés, estupidez o miedo. El final del cuento confirmaba desalentadoramente la tenebrosa naturaleza del poder; el Emperador, inquieto, a pesar de sospechar que el niño tenía razón, siguió más altivo que antes, con un único pensamiento ocupando su mente: «Hay que aguantar hasta el fin».

Arturo, al contacto con una colérica ráfaga de viento que escarchó su rostro con cristales triturados, se hundió más en su traje. Ricardo Guerra se asentaba firmemente sobre sus botas, con las manos resguardadas en los bolsillos y observándole tras sus gafas. Arturo valoró sus palabras, sus pausas, sus actitudes, sus silencios, concluyendo que

Ricardo Guerra Castells, Guerrita, era un enigma tanto o más arduo que la muerte de Luis del Águila. ¿Era en realidad un superhombre o sencillamente un monstruo que tejía una mentira tras otra para escapar de la muerte? ¿Un patriota que se había sacrificado por sus creencias durante los mil días que había durado la guerra en España, y que, supuso Arturo, había continuado su labor de confidente durante sus años de cárcel, disponiéndose ahora a perseguir el fantasma que había recorrido Europa hasta su misma guarida, o el mayor traidor de la Historia, alguien que había vendido a sus compañeros con la esperanza de hallar el momento oportuno para pasarse al otro lado? ¿Dónde acababa el ideal y dónde empezaba la perversión? Siguió contemplándole hasta que se le ocurrió otra posibilidad. ¿Y si Guerrita, al haber vivido tanto tiempo junto al enemigo, al compartir sus ideas, hubiese llegado a comprenderlas? ¿Y si al estar tan cerca de él y tan lejos de los suyos, dejándose llevar por su propio y oscuro personaje, hubiera acabado por sentirse solo, incluso traicionado, y como resultado de aquel contrasentido ya no supiera quién era, a quién servía, y prosiguiese su labor de espía, rutinariamente, tanto para unos como para otros? Tanto si era un héroe como si era un Judas, en cualquiera de los dos lados el espectro continuo del tiempo corría en su contra. ¿Cuánto tardaría cualquier guripa en enterarse de quién era y meterle un trozo de plomo en el estómago?, ¿cuánto los soviéticos en desconfiar de un individuo que se había salvado del «enterado» de Franco y someterle a una sesión de la misma cheka que él había aplicado con tanto esmero? Cuando le buscó con la mirada, descubrió que Guerrita se había desplazado hasta la puerta secundaria del palacio y le observaba con los brazos cruzados, apoyado en uno de los pretiles casi churriguerescos de su escalera.

—Espero que respete nuestro trato —dijo Guerrita cuando captó su atención.

—Tendrá que confiar en mí.

—Por supuesto... —sonrió—, igual que usted en mí.

Un extraño matiz en su voz hizo presa en el instinto de conservación de Arturo. Bastaron unos segundos para que la realidad le cogiese por el cuello y la adrenalina se tragase toda su conciencia. Comprendió por qué Ricardo Guerra había salido del palacio por una entrada de servicio. Y no le maldijo tanto a él como a la nieve helada que no permitía que nada dejase huella. Miró a su alrededor con cuidado, como si una mirada demasiado intensa pudiese hacer estallar las minas.

—Esto es un golpe bajo —le reprochó.

—Los suyos tampoco van rectos.

—Es un golpe bajo —repitió vindicativo.

—La vida da muchas vueltas. Sólo quería que se diera cuenta.

—No hacía falta. Y ahora ¿qué?

—No tiene más que venir hacia mí.

Arturo no conseguía llevar a cabo ningún pensamiento. Se agarró con fuerza a la correa del fusil.

—Yo soy su única oportunidad. Si yo desaparezco, vendrá otro.

—Lo sé. Tendrá que confiar.

Ricardo Guerra parecía compungido, pero en algún punto de su mirada comenzaba la oscuridad, una comprensión perfecta de que el equilibrio humano se mantenía precariamente entre unos estrechos límites, y que no se necesitaba en absoluto de potros y braseros para hacer perder el juicio a un hombre. «Disfruta con esto», se le ocurrió a Arturo. Quiso llorar, insultarle, amenazarle, pero la angustia ocupaba el cien por cien de su conciencia. Agarró su miedo por los cuernos y lo utilizó para avanzar, paso a paso, temblando, con sus ojos enzarzados en los ojos de Ricardo Guerra. A los pocos metros empezó a sudar, una transpiración alimentada por la imagen de su pierna pisando una mina y desapareciendo hasta la rodilla, con los tendones colgando, sanguinolentos, y el hueso al aire. Con un último saltito, subió al primer escalón de la escalera, un par de ellos por debajo de Ricardo Guerra, hipando un poco del susto, pero sin desengancharse visualmente.

—Debería pegarle un tiro —le espetó con un odio flojo, disuelto en la fatiga.

—A lo mejor me haría un favor —respondió enigmático.

Arturo negó con la cabeza y se desenredó de sus ojos, para a continuación estudiar la superficie rígida de la nieve, intentando vislumbrar las formas oscuras de las minas. Cuando su lógica logró desbloquearse, comparó el recorrido elíptico que había trazado Guerrita con la línea recta que había seguido él, barruntándose algo.

—Me ha puteado, ¿verdad? —le preguntó, encarándole—. No hay minas.

—¿Por qué lo cree?

—Antes fingió rodearlas.

Esta vez Ricardo Guerra no recurrió a una ambigüedad cosmética y, descruzando los brazos, cogió un par de cascotes que había en el peldaño inmediatamente inferior al suyo, «agáchese y tápese los oídos», para lanzarlos con un movimiento pendular, como si jugase a la petanca, hacia un lugar concreto a pocos centímetros de donde había pisado Arturo. El segundo de ellos provocó un súbito relámpago y una explosión seca, elevando un surtidor de tierra que dejó sobre la nieve un girasol festoneado de negro. Todavía con el eco del estallido en los oídos, Arturo intentó abrocharse bien el cuello de su traje, pero los dedos no le respondieron. Empalidecido, incapaz de cortar su episodio de hipo, se irguió y, sin dirigirse a Ricardo Guerra, volvió a entrar en el palacio, recorriendo las estancias hasta que se detuvo, malhumorado, dándose cuenta de que sin la ayuda de Guerrita no podría sortear el campo de minas que le esperaba en la entrada principal. A su vez, éste, consciente de su olvido, se mantuvo quieto en la escalera, con la mente extrañamente llena del recuerdo del verde exuberante de su Galicia natal, de las rías metiéndose tierra adentro, de la costa batida por el Cantábrico, quizás esperando, sólo quizás, el áspero sonido de otra explosión.

Arturo llevaba ya un buen trecho sin hipo. Todavía con el susto en el cuerpo, se dirigía hacia la plana mayor con paso vigoroso entre la nieve y los palacios trabajados por la metralla. A sus espaldas, después de recoger su hilo de Ariadna entre las minas que custodiaban la entrada al palacio de Catalina, como un monumento tenebroso de sí mismo, había dejado a un Ricardo Guerra que le despidió silenciosamente. Arturo tenía los ojos húmedos por el frío, y avanzaba sin olvidar que la zona estaba plagada de francotiradores y con el temor a escuchar las campanillas colgadas a lo largo de las alambradas. El rosario de medias verdades enlazadas con mentiras se dirimía en su cabeza cuando casi se dio de bruces con un puesto de observación artillero. Era un edificio de ladrillo, alzado en medio de un bosquecillo, probablemente una antigua fábrica de harinas, a todas luces neutral si un cable medio enterrado del tendido telefónico no hubiera indicado su condición actual. Eran casi las tres y media de la tarde y estaba empezando a anochecer; eso y las chimeneas fabriles que cortejaban en la lejanía a los palacios le recordaron que tal vez aquélla fuese una ocasión única para contemplar Leningrado. Sin pensárselo dos veces, penetró en el edificio, cuyo interior se resumía en un par de salas vacías, y tras localizar una escalera de madera ascendió por sus crujientes peldaños. Su último trecho iba a dar a un depósito de agua; asomó la cabeza por el hueco de la escalera y, sacando primero su fusil y el macuto, hizo fuerza sobre sus manos, izándose en el entarimado. En el exterior permaneció en cuclillas, con los cien ojos de quien otea francotiradores.

Allí no había ningún guripa de guardia, pero cerca del borde alguien había dejado la funda cerrada de unos prismáticos y un teléfono de campaña como recordatorio de que no tardaría en regresar. Arturo se sentó a su lado, muy encogido, y extrajo los binoculares. Eran austriacos, muy potentes, de cuarenta aumentos. Destapó sus lentes y los enfocó hacia el sector para graduarlos con exactitud. Lo primero que visionó fue el bosque que rodeaba Puschkin, y cuando logró centrarse más, una alambrada que peinaba la nieve; en concreto, una de las famosas campanillas del palacio de Alejandro, colgando entre dos apretados nudos de espino. Jugó un poco con la graduación hasta distinguir al detalle sus afilados aguijones y, siguiendo lentamente los grandes ramales de trincheras de trazados paranoicos, cruzó a la zona soviética invadiendo el semicírculo defensivo que la suspensión cinco meses atrás de la Operación Nordlicht había tejido alrededor de la ciudad. La tierra removida por los obuses y cubierta de casamatas, zanjas antitanque, nidos de ametralladoras y enormes fosos que bordeaban el curso del Neva, tenía inmovilizada a la Wehrmacht, cuyo despliegue de voluntad y hierro en el asedio no hacía más que demostrar su debilidad, porque su poder, el mismo con el que había conquistado toda Europa, residía en el movimiento. Finalmente se ciñó a la raya del horizonte. Allí, un abigarramiento de chimeneas, grúas, depósitos de acero y plantas industriales, ennegrecidas por los bombardeos y sobrevoladas por una espesa nube de humo, señalaban la ciudad de Kolpino, un vasto complejo industrial ubicado en los arrabales de Leningrado, que constituía una peligrosa cuña en las líneas españolas y desde la que el enemigo podía atacarles en cualquier momento. Arturo alargó un poco más su mirada, girando su torso al nordeste, hasta que sus gemelos se llenaron, a unos quince kilómetros, de una nueva masa gris de puentes, oscuros edificios de cemento, trapecios de líneas de alta tensión y gigantescas factorías que se elevaban en los suburbios del casco urbano de Leningrado. Unos grados más allá, entre la neblina del Báltico, se podían vislumbrar las dársenas del puerto, los astilleros de Putilov y Blatyskie, la isla-fortaleza de Kronstadt y, a lo lejos, a su derecha, la suave curva del istmo de Carelia, alargándose hacia Finlandia. Pero lo que Arturo buscaba eran las calles de Leningrado. Sus ojos se centraron en ellas; algunas eran visibles, sus parapetos y barricadas de sacos terreros, sus tranvías rojizos y sus camiones, y la gente, caminando por las mismas aceras que habían recorrido genios literarios, ilustrados y revolucionarios. Eso, eso era lo que buscaba; más allá de la grasa comunista, el músculo, la San Petersburgo todavía con la fe intacta y un Apocalipsis por organizar. Bastó con variar un poco la graduación para captarla. La fortaleza de Pedro y Pablo, la cúpula de la catedral de San Isaac, los puentes sobre el Neva, la Perspectiva Nevsky, la fantasía rococó verde y gris del Palacio de Invierno... Leningrado, Petrogrado... San Petersburgo. La antigua capital de las noches blancas, destronada por la boyarda Moscú, había nacido del sueño megalómano de un zar claustrofóbico y, como tal, su destino no podía ser otro que albergar la cuna de otro sueño, esta vez el más grande que había tenido la Humanidad. Hombres y voluntades confluyendo a lo largo del tiempo hacia el embudo de la revolución de Octubre, buscando un atajo a través de la Historia hacia la felicidad universal, «la Ciudad de Dios», únicamente para que la Historia les demostrase que nunca toma atajos, porque en ellos se hallan siempre al acecho los emperadores. Y no pudo dejar de recordar aquel texto de Azaña, «en todos los tiempos aparecen emperadores demagógicos, emperadores de orden público, emperadores de espada y degollina...». Sí, pensó, y ahora había aparecido un nuevo tipo de emperadores, los emperadores extraños, precipitados de la Historia que, en un mundo de caballeros y dragones, de Bien y Mal, se quedaban en medio, sin ideología, sin moral, sin pasión. Herederos del Destripador que, al igual que Ricardo Guerra, al vivir en el corazón de la verdad, más se van sintiendo traicionados por todos y más se alejan de sí mismos. Y así, estos nuevos emperadores habían ido hasta los límites de todas las pasiones para descubrir la gratuidad del mundo. Y cuando las pasiones se enfrían, adoptan formas monstruosas, nada vale nada, y como niños que se refugian en su egoísmo, buscan una destrucción a la medida de su soledad y desamparo. Con su primer chorro de sangre inútil habían bautizado a una nueva raza de hombres, habían inaugurado el futuro.

En ese momento, campanillas, decenas de ellas, empezaron a sonar.

9. Sade

—¿Diga?

—...

—Sí, buenos días. A sus órdenes, mi sargento.

—...

—No me diga.

—...

—Sí.

—...

—Sí.

—...

—¿Cuándo?

—...

—Excelente. Permítame felicitarle, mi sargento. A usted y a sus hombres.

—...

—¿Y dice que ya viene para acá?

—...

—Muy bien, no sé cómo agradecérselo.

—...

—De acuerdo. Muchas gracias. A sus órdenes, mi sargento.

Arturo colgó con un seco timbrazo. La llamada, al fin, había sido hecha por don Esmerado. La voz minuciosa y ordenancista del sargento le había confirmado que acababan de encontrar la carta de Luis del Águila y que, en esos momentos, Aparicio se hallaba de camino a Mestelewo. Se acercó a la estufa de su tabuco con un ligero castañeteo de dientes y procuró calentarse a su vera; la nevada que en ese momento caía fuera había bajado la temperatura y la estufa devoraba leño tras leño ofreciendo poco a cambio. Tenía sueño y notaba los párpados como llenos de arena; apenas había dormido tres horas desde su vuelta de Puschkin, pero la inminencia de la recepción en el cuartel general y la pertinencia de un informe para el teniente coronel Navajas del Río le obligó a ordenar, limpiar y fijar todo lo que flotaba en su cabeza. Cogió lápiz, una holandesa y la naranja que resplandecía junto al teléfono, y se sentó a la mesita. Echaba en falta su dosis habitual de negra y humeante cafeína, pero su reserva del precioso líquido se había agotado. Sorbió los mocos de su nariz, buscando inspiración en la fruta. Ante el fallido gambito de Ricardo Guerra, se veía obligado a buscarle un sustituto en el cadalso; para ello debía comprobar previamente su coartada sexual, así como mostrar su foto a Trinitario, el encargado de las duchas, a fin de evitar posibles sorpresas. Cumplimentados dichos trámites, y con el inesperado tragaluz que había significado su relato, una venganza masónica bien podía cuadrar su círculo de crímenes, caballos y advertencias divinas. El comandante Reyes Zarauza y la gendarmería del capitán Isart se encargarían de buscar más a fondo patentes de limpieza de sangre en la División, así como de no descuidar al páter; y la fórmula de doble filo que le había proporcionado Guerrita para identificar a posibles hermanos también sería de utilidad, aunque no tuviera ni idea de cómo utilizarla. Si bien continuaba avanzando a oscuras, tanteando, ahora tenía una dirección. Mojó su lógica en los diferentes pigmentos del razonamiento y no tardó en escribir, tachar y reescribir un informe debidamente matizado. No pudo evitar que, a medida que lo terminaba, sonasen en su cabeza, en *ritornello,* las palabras de Erundina del Águila. ¿Qué oscuro agujero intentabas llenar de alcohol, Luis del Águila, que contenía siempre más de lo que podías echar? ¿Qué carga llevabas sobre los hombros, cuyo peso te hacía preferir una bala a tu familia? Secretos. Fueran masónicos o no, eran puertas que nadie había abierto y que, posiblemente, nadie debería abrir nunca. Justo cuando ponía el punto final sobre la hoja, unos golpes sonaron fuertes y secos al otro lado de la puerta.

—Adelante —invitó Arturo.

El rostro bisojo de Aparicio se coló a medias entre el marco y la puerta, y su musculoso cuerpo terminó de agrandar la brecha, ocupando la mitad del tabuco.

—Brrr... Vaya rasca —se quejó, aún cepillándose la nieve del capote.

—Sí, menuda la que cae, mi cabo —Arturo se levantó y saludó con rigor.

Aparicio se arrimó directamente a la estufa y aplaudió con los guantes como si las llamas actuasen para él.

—Descansa, hombre.

—Tengo algo de coñac por ahí —le ofreció Arturo, sentándose.

—Demasiado pronto, pero gracias. ¿Qué tal la jarana del otro día? ¿Te levantaste bien?

—Sí, pero debería haberme despertado.

—Dormías con tu hembra como un bendito, daba no sé qué. ¿Dejaste el pabellón bien alto?

—Eso habría que preguntárselo a ella —dijo Arturo aparentando modestia.

—Bueno, pero ¿te quedaste a gusto?

—No me importaría verla otro día.

—Estas *panienkas* son como la miel, ¿eh?... —el cabo cerró los ojos, casi en trance—, le endulzan a uno. Sí, bastará con hablar con el *starassa*. Y no se me vaya a olvidar... —rebuscó en sus bolsillos—, toma, que hoy todo son agujas en el pajar.

Arturo cogió la tarjeta de campaña con mil dobleces que le ofrecía con el ahogo que la emoción pone en la garganta. No la leyó en el momento: cortesía y curiosidad obligaban.

—Pero si sólo había que buscar una —arguyó.

—Sí, dimos con su carta y, de paso, encontramos a Tarzán.

—Tarzán... ¿Le conozco?

—No creo, porque después de que lo enchiqueremos no lo va a conocer ni su madre. Se va a cagar por la pata p'abajo, te lo digo yo.

Arturo miró con gentileza de presidente que pregunta con los ojos si el orador tiene algo más que decir.

—¿No va un guripa —aclaró Aparicio—, y en la primera carta que le escribe a su madrina de guerra coge y le pone que tengo la fusila loca y que a ver cuándo quedan para que le saque brillo al sable y que, mientras tanto, le mande una foto para cascársela a su salud todas las noches? Y el muy cabrón firma Tarzán. Se le va a caer el pelo.

Arturo no pudo reprimir una sonrisa. Sin más interrupciones, estudió la tarjeta con la dirección de Erundina del Águila, calle del Perdón, número 8, Santa Eulalia, Ibiza, España, Spanien, y un sello del Luftfeldpost con un Junker volando entre nubes.

—¿La ha leído, mi cabo? —preguntó, petrificando el gesto.

Aparicio negó con la cabeza mientras se quitaba el casco y escrutaba la calcomanía con la bandera española, ya algo desprendida, en una de las sienes. Arturo asintió y recorrió una caligrafía de líneas apretadas, muy inclinadas a la derecha.

Rusia, 25 de enero de 1943

Queridos todos:

Me alegro de que al recibo de estas páginas os encontréis bien. Yo por aquí tirando, con el dolor de la herida menor, que ya casi está rendida. Os mando más dinero, que los buenos duros nunca sobran. Por estas tierras hace un frío que no os imagináis, pero ahora tenemos una estufa rusa, que se traga más de un quintal de leña por hora, aunque en esta tierra leña no falta.

Yo también me acuerdo mucho de vosotros, ya queda menos para volver. No estéis tristes porque cumplo con la patria, y no penséis que me va a pasar nada malo, porque José Antonio y las centurias de camaradas que montan guardia en los luceros están con nosotros. Todavía hay mucho que hacer y los rusos son duros, pero podremos con ellos.

Cuéntame más de ti, y de padre y madre, y de los amigos. Y a Elpidio dile que le llevaré un gorro de piel para que se lo ponga.

El padre Ramón me da mucho consuelo y apoyo y me dice que nada de remordimientos pues cumplo con mi deber. Ahora tengo un amigo que he hecho y que también me comprende. Le decimos Tiroliro, pero se llama Galo y mira si es que hasta los rusos le tienen miedo.

Os deseo salud, besos para padre y madre, y recuerdos para todos y lo que queráis de este que os quiere.

Arturo dejó la tarjeta sobre la mesa y paseó unos momentos por el claustro silencioso de su mente. El espíritu de Luis del Águila estaba aparentemente íntegro, aunque Arturo desconfiaba de las palabras, advertido de la tendencia a levantar montañas de ellas para protegernos del vacío; no intranquilizar a los seres queridos, no llamar la atención indeleble de la censura, eran razones más que suficientes. El páter continuaba siendo un escrupuloso guardián de su «estado de alma», cosa que no confirmaba sus sospechas acerca de él, pero sí las apuntalaba. Y la palabra «remordimiento» remitía de nuevo a ese cuerpo extraño alojado en su conciencia. Sin embargo, había aparecido una piedrecita nueva en el rastro que conducía a su culpable: Tiroliro. Arturo identificó que el motete del tal Galo era el término con que los soldados se referían a los lanzallamas o *Panzerfaust* alemanes. Miró a Aparicio, que esperaba con las manos cruzadas a la espalda.

—Mi cabo, un tal Tiroliro o Galo no sabrá quién es, ¿eh? Al parecer era amigo de la víctima.

—Claro, Galo Rodríguez, es muy conocido.

—Vaya —Arturo puso cara de fumarse un habano—, parece que hoy tenemos más agujas que paja. ¿Y bien?

—Es jefe de una sección de asalto del 262. Un cacho cabestro que ya tiene toda la quincallería que le pueden colgar a uno en el pecho; los ruskis andan acojonados con él, pero no menos que los alemanes.

—¿Acojonados?

—El tío no duerme, y algunas noches se las pasa aullando, como si fuera un lobo, y diciéndoles a los rusos que se va a comer sus corazones. Lo jodido es que lo hace, cada cuanto se va él solo a hacer golpes de mano y vuelve siempre con algún recuerdo.

—Un chalado.

—Sí, pero los oficiales lo aprecian mucho. Está en la fábrica de los cocodrilos.

Arturo se inclinó hacia delante, como esperando el final de la frase.

—La sexta compañía, en Krasny Bor. Están atrincherados en una antigua fábrica, a treinta metros de los ruskis, y es la posición con más cachondeo de todo el frente. Todo lleno de pacos. Tocan a veinte muertos diarios.

—¿Y lo de los cocodrilos?

—Es por un blocao que había en África, en Beni-Arós. Era otra zona plagada de pacos, y los de la posición meaban en una lata para no salir fuera, pero, claro, la lata había que vaciarla, y como nadie quería hacerlo, se imponía como castigo por faltas de disciplina. Imagínese, con los moros tirando a todo lo que se movía, siempre había una baja o un herido.

—Sigo sin entender lo de los cocodrilos.

—Allá hay ciertas manchas de agua que son las únicas en cientos de kilómetros, y los bichos saben que tienen que ir ahí por cojones si no quieren morir de sed. Eso los cocodrilos también lo saben, y se han trasladado a vivir allí. Flotan siempre cerca de la orilla.

«Tan listos para unas cosas...», filosofó Arturo acerca de la inventiva de los guripas.

—¿Alguna cosa más que deba saber?

En torno a la boca del cabo Aparicio se dibujó un gesto obstinado; se desplazó hasta la ventana del tabuco y ejecutó un movimiento circular con el enorme guante hasta abrir un ojo de buey en el vaho del cristal. Al otro lado la nieve caía limpia, silenciosa, ordenada. Habló en voz baja, como quien llega tarde a una iglesia.

—Anteayer, en la fiesta, cuando hablabas con Servando, no pude dejar de oírte que el muerto jugaba a la violeta.

Arturo hizo un gesto afirmativo.

—Sí.

—Entonces igual te conviene saber que Tiroliro también juega.

De vez en cuando, la chiripa tenía tanta contundencia como la lógica. Arturo se preguntó qué era lo más indicado para lo que iba a decir, ser condescendiente, seco, ingenuo, imperativo...

—Y, por casualidad, ¿sabrá dónde es la próxima partida, mi cabo?

No le salió ningún tono en particular, y la pregunta flotó en el aire con esa inutilidad de rueda que gira en el vacío. Aparicio se limitó a dibujar líneas radiales alrededor del agujero en el vaho, transformándolo en un sol en cuyo interior nevaba.

—A mí que me registren —respondió a la postre—. Y mejor no hagas planes por ese lado.

—Entiendo.

En el fondo, Arturo no había esperado conversiones paulinas. Buscó sus botas junto al camastro, cuyas cañas caían hasta el suelo, y las rellenó con trapos y papeles. Luego se ajustó los tres pares de calcetines, se calzó, se estiró con sus huesos crujiendo como una armadura, y se peleó con el uniforme hasta estar listo.

—Si no le sabe mal, mi cabo, iré con usted al cuartel general. Tengo cosas que hacer allí.

—Por mí no hay problema.

—¿Y qué nos toca esta vez?, ¿trineo? —se interesó con buen humor.

—Esta vez no hay desecho de tienta: tenemos un camión nuevo.

—Los *doiches* se han vuelto generosos.

Aparicio sonrió misteriosamente.

—No, no es eso, es que tenemos un sistema que no falla.

—¿Cuál?

—Paramos uno y se lo pedimos.

—Pero los conductores se negarán.

—Entonces le quitamos el seguro a una granada y esperamos. Suelen reconsiderarlo.

—Pero eso es un atraco directo.

—Es una opinión.

—¿Y si se entera algún oficial?

—Venía uno con nosotros. Era el que llevaba la granada.

Las bayonetas permanecían erguidas bajo la nieve, que caía blandamente, sostenidas por los soldados que formaban a la izquierda del cuartel general. Estirados, inmóviles, el sargento Longinos Perete vigilaba con un ojo su compostura murmurando cada poco un «al que pestañee, lo empaqueto», al tiempo que con el otro no descuidaba la caravana de Mercedes de la Wehrmacht que había aparecido por la carretera del sur, y que en ese momento cruzaba un puentecillo sobre un afluente del Sslavianka en dirección a la explanada del palacete. Cuando se detuvieron ante ellos, el general Esteban-Infantes, rodeado de los jefes del Estado Mayor, se aproximó a los mastodontes oficiales con castrense satisfacción. De los vehículos fue saliendo un numeroso contingente de ayudantes, jefes de Estado Mayor, oficiales de órdenes e intérpretes, que no tardaron en organizarse alrededor de sus respectivos jefes, el coronel general Lindemann, del XVIII Ejército, al que pertenecía la División Azul, el general Christian Hansen, del XXIV Cuerpo de Ejército, el mariscal Erich von Lewinski Manstein, del XI Ejército, el célebre conquistador de Sebastopol... Hubo saludos, taconazos, voces restallantes como látigos, y todo el grupo pasó ante la escolta, cuyo sargento, con un «descansen armas», respiró aliviado. Ya estaba dando las órdenes pertinentes para disgregar a la tropa, cuando vislumbró otro vehículo que, con tanto riesgo como pericia, cruzaba raudo el Sslavianka. A medida que se aproximaba, el sargento pudo confirmar que se trataba del camión estafeta, y recordando el rostro de albañil joven de Aparicio, prosiguió su comisión sin inmutarse. El camión terminó por estacionarse con un ligero derrape en un lateral del palacete, y Arturo se bajó de la cabina con toda la orografía de Rusia fielmente reproducida en sus costillas. La comitiva de Mercedes le advirtió que llegaba tarde; un avión soviético había caído directamente sobre la carretera, derribado por los Messerschmitt de la Luftwaffe, obstaculizando temporalmente el tráfico; todavía tenía en la cabeza el fuselaje envuelto en llamas y al piloto consumiéndose como la cabeza de una cerilla, junto con el olor a combustible, hierro y carne abrasada. Se despidió del cabo con premura. En el interior del cuartel reinaba el babel habitual, y tras identificarse apretó el paso escaleras arriba hacia el primer piso. El pasillo flanqueado de estatuas paganas se hallaba tomado por germanos de recias mandíbulas y cascos de acero que competían en granítica prestancia con las primeras. Arturo fue detenido por uno de los guerreros, siendo rescatado a vuelapluma por el melifluo capitán que custodiaba el antedespacho de Navajas del Río, que en ese momento pasaba por allí y le reconoció. Guiándole hasta la misma puerta historiada tras la que había visto a la pianista, le introdujo en el salón. Distribuidos en el interior, diversos grupos departían en corrillo, mezclados los alemanes con los jefes y oficiales francos de servicio del Estado Mayor de la División, los de unidades próximas, y con pequeñas comisiones de los regimientos desplegados. Entre ellos circulaban camareros portando bandejas de aperitivos con vino y aceitunas españolas, coñac francés, pastelillos rusos... Arturo buscó inconscientemente la figura de la pianista, pero sólo distinguió al comandante Reyes Zarauza y al capitán Joaquín Isart. El diligente chupatintas le condujo hacia el grupo donde se hallaba Navajas del Río, que le recibió con una fulminante mirada pero sin hacer ningún comentario. De inmediato se dispuso a una doble labor de intérprete con algunos oficiales rusos encuadrados en unidades de la Wehrmacht y con los mismos germanos. La recepción se desarrolló como todas las recepciones antes de que se pronuncien los discursos y los invitados se sienten a la mesa. Fotógrafos de la Propaganda Kompanie iban captando escenas de la reunión; en uno de los guiños de la lente Arturo fue inmortalizado junto al teniente coronel Navajas del Río, el general Infantes y el mariscal Manstein. Recordó que uno de aquellos profesionales debía de ser Paramio Pont, aunque no acertó a dilucidar cuál debido a que ninguno tenía un aspecto suficientemente ibérico. La comida no se hizo esperar, y los huéspedes fueron ocupando sus asientos en la larga mesa. Durante el ágape, Arturo descubrió también al capitán Wolfram Kehren. A los postres hubo nuevos brindis y salutaciones, y en la sobremesa que siguió, Arturo le pidió permiso al teniente coronel Navajas y se arrimó a Reyes Zarauza, que en ese momento se hallaba en tertulia con el capitán Isart, al lado de la chimenea. Sonrosado y embutido en su uniforme como un trozo de ternera mal empaquetada, cuando vio a Arturo comenzó a atusarse su bigotillo de carrera de hormigas.

—Vaya, vaya, mire a quién tenemos aquí, capitán —simuló su sorpresa apuntándole con un enorme tubo plateado—. No descansa usted, Arturo. Ayer en Puschkin y hoy alternando.

Arturo se cuadró, y si Reyes Zarauza pretendía deslumbrarle con su omnisciencia, procuró no darle ese placer.

—A sus órdenes, mi comandante. Sí, cuando se carece de talento, lo único efectivo es el trabajo.

El gorjeo de hilaridad del comandante hizo temblar su barriga gelatinosa, movediza.

—Espero que no le pillase el jaleo.

El comentario del comandante retrotrajo a Arturo al concierto de campanillas entreveradas con los pitidos de los oficiales soviéticos que había anunciado el repentino golpe de mano, y durante el cual se limitó a permanecer emboscado en el observatorio.

—Fue justo después de marcharme —mintió.

—Pues ha tenido suerte. Escabecharon la zona, ¿eh, capitán?

Reyes Zarauza buscó con sus ojillos cerdunos la aquiescencia del rostro hepático del gendarme, y el aludido, rodeando con ambas manos la circunferencia de una copa-balón mediada de coñac, vaciló un segundo antes de responder.

—Pero también se llevaron lo suyo, mi comandante.

El comandante asintió y extrajo del tubo un enorme puro, le quitó el envoltorio y la vitola, guillotinó su punta con los dientes y lo chupó en frío.

—Bueno, bueno —dijo Zarauza observando la húmeda y oscura punta—, hoy es día de repique gordo, menudo piscolabis nos han dado. Estaba todo bueno, ¿eh?

—Como en casa de mi madre —refrendó Arturo.

—Y ha venido incluso Manstein, ése sí que es un tío de pelo en pecho, menudo tiberio les armó a los rojos; espero que los espías no hayan cobrado hoy sus treinta monedas, capitán, porque podrían hacer otro escabeche de generales.

—Los tenemos bien vigilados —respondió por alusiones.

—¿Sabe que el capitán tiene una curiosa teoría sobre los espías? —se dirigió a Arturo—. Dice que no hay que fusilarlos, al contrario, debemos tenerlos localizados y dejarles hacer alguna pifia de vez en cuando, vale más lo malo conocido...

Arturo recordó el fusilamiento del bosque.

—Sensato, pero alguna excepción habrá —objetó.

Joaquín Isart removió su coñac con un ligero contoneo de su copa.

—Es inevitable.

—Cierto, pasa hasta en las mejores familias —convino el comandante.

Éste rozó su nariz a lo largo de la piel del cigarro, lentamente, disfrutando del aroma viejo del tabaco, sin decidirse a prenderlo. Cuando llegó a la punta, miró su reloj de pulsera.

—Vaya, las tres ya, cómo pasa el tiempo, y no nos hace más jóvenes —carraspeó—. ¿Y qué hay de lo nuestro? —efectuó la transición sonriendo, como si no tuviera importancia.

Arturo, teniendo en cuenta que las luchas de poder seguían activas, expuso un informe aplicando a los datos parquedad, extensión, ambigüedad o precisión dependiendo de su interés.

—Evidentemente, todo esto son suposiciones —se exoneró al concluir.

Reyes Zarauza resolló y unas arrugas transversales se dibujaron en su frente.

—Todo en la vida lo es. Así que ese Ricardo nos ha salido rana... —no parecía decepcionado por el yerro, como si deseara complicaciones políticas—. Sin embargo, todavía cree que esto es cosa de masones.

—Tantas pistas en una misma dirección no suelen ser casualidad.

—Masones —estudió la palabra como una pieza que no casara, girándola de un lado, de otro, indeciso—. A ver si encontramos alguna de esas garrapatas. Continuamos investigando. Nos quedan alrededor de cuarenta y siete individuos.

—Sería importante encontrar a algún masón —dijo Arturo—, o a alguien que supiera de sus ritos.

Reyes Zarauza removió sus ondulantes grasas de gran morsa.

—En eso puede echarle una mano Octavio.

La frase concentró su atención como una lente.

—¿Octavio Imaz?

—¿Le conoce?

—Nos han presentado.

—Entonces sabrá que es una promesa de la intelectualidad.

—Eso he oído.

—Escribió un librito muy interesante sobre la masonería, una especie de ensayo.

—No lo sabía. ¿Y cómo le dio por ahí?

—Pregúntele.

—Lo haré, lo haré. Y, mi capitán —se dirigió al gendarme—, también sería conveniente que se me informase de los movimientos del páter Ramón.

Isart buscó el beneplácito del comandante.

—¿Está seguro de ello? —le preguntó Zarauza como extrañándose de una cosa por la que no querría sentirse extrañado.

—Fue el confesor de Luis del Águila. Mera precaución.

Reyes Zarauza alabeó mínimamente su cigarro.

—Sospechar de un cura... —le reprochó sonriendo—. ¿Algo más? —ironizó.

—Pues sí, mi comandante.

—Diga, diga —jadeó complaciente.

—¿Recuerda cuando en la estafeta me dijo que, en ocasiones, las únicas leyes válidas son las que no están escritas...?

Arturo se detuvo al comprobar que el recuerdo de su pacto extraoficial había agarrotado el volumen de hipopótamo del comandante. Éste miró al capitán Isart, que entendió la seña y se retiró un tanto.

—Continúe.

—Pues nada, que necesito un empujoncito.

—¿Por ejemplo?

—Estar presente en la próxima partida de violeta.

El comandante procuró mantener su irritación dentro de los límites de la corrección.

—La violeta está prohibida.

—No lo comprendo, mi comandante.

—¿Qué parte no ha comprendido, la violeta o está prohibida?

Arturo se acercó más a la chimenea.

—Entiendo que la violeta esté prohibida, pero que, al margen de los intereses que concurran, la Segunda no esté informada de cuándo y dónde se producen las partidas no me entra en la cabeza.

—No me parece que haya nada de lo que estar informado.

—Hace poco el teniente coronel Navajas del Río me sugirió que las cosas parecen lo que uno quiera que parezcan. A lo mejor con la información pasa lo mismo.

La ceniza en la mirada del comandante confirmó que el pulso entre falangistas y militares seguía firme.

—La Segunda no se dedica a los trabalenguas, soldado.

—Muñoz Grandes tampoco se dedicaba a ellos, y ya ve.

La referencia al ninguneo sufrido por el general en favor de un turiferario del régimen como Esteban-Infantes provocó que el elástico de su relación se tensase. El comandante se entretuvo unos segundos acariciando las llamas de la chimenea con el cigarro, hasta que su punta se redujo a cenizas manchadas de rojo. Se humedeció los labios para hablar.

—¿Para qué quiere ir?

—Ya le he contado que el tal Tiroliro tiene por costumbre jugar. Podría hablar con él en cualquier momento, pero sería conveniente conocer el ambiente, ver con qué gente se trataba Luis del Águila.

Una sonrisa retorció los gordezuelos labios de Reyes Zarauza.

—Hubiera sido un buen torero, guripa, no cabe duda. Le gusta recibir el toro a porta gayola, de rodillas, y mostrándole el engaño. Pues no se preocupe, yo le abriré la puerta. Y atienda bien a lo que voy a decir, porque su vida va a depender de ello. Un día de éstos le irán a buscar e irá solo; no pregunte nada y limítese a cumplir estrictamente lo que le ordenen. Después, todo lo que vea y oiga se lo llevará a la tumba, que si sigue a rajatabla mis instrucciones, será dentro de muchos años, ¿me ha entendido bien?

—Perfectamente —respondió entrechocando sus talones.

En ese instante uno de los camareros se les acercó con una bandeja llena de licores. Arturo rechazó la copa pero Zarauza, maniobrero, se hizo con una, mojando la embocadura de su cigarro en el coñac. Mientras chupaba con delectación, envolviéndose en las fibras grumosas, flotantes del tabaco, enarcó las cejas en dirección al capitán Isart, conminándole a volver. Arturo echó un vistazo a la panorámica de una sala en constante rumor; botas lustrosas, uniformes *Feldgrau,* aposturas castrenses. Un par de fotógrafos todavía pululaban entre los corrillos.

—¿Alguno de ellos es Paramio Pont? —le preguntó a Reyes Zarauza.

—Sí, el de la izquierda —le indicó el comandante.

Arturo le observó con curiosidad. Era un tipo de hombros caídos, brazos largos y cara de ratón, que se movía nervioso, como un pájaro que acabase de tomar tierra. En ese momento trataba de inmortalizar al capitán Wolfram Kehren, que, renuente, se negó imperativo. Entonces la vio. La pianista. Se encontraba a la derecha del germano, vestida con el uniforme femenino de las SS, muy recta y con una taza en la mano. Su pelo rojo recogido en un nudo, las líneas pálidas e imponentes de su rostro, los bloques turbios de jade marrón de sus ojos. Arturo tragó saliva; le tenía sin aliento su poder de seducción, pero procuró instalarse en los márgenes del hechizo. No obstante, era curioso comprobar que no era el único afectado por la fascinación; los oficiales españoles, poco acostumbrados a las mujeres en campaña, suavizaban sus maneras y sus voces, y eran incapaces de detener rápidos y continuos vistazos de sus interlocutores a la dama.

—Es preciosa —apuntó el comandante Reyes Zarauza, avisado de su interés.

—También el sol lo es, hasta que te acercas demasiado —replicó Arturo sin pensar.

La cara del comandante fue un poema.

—No hay cuidado, según me han contado es fría como el hielo.

—El hielo también quema, mi comandante —Arturo apreció entre ella y Kehren cierta complicidad—. ¿Está liada con el capitán?

—¿Con quién?, ¿con el señor Magia Negra? —el tono fue desdeñoso—. No, no creo al menos. Es sólo su asistente.

—Magia Negra... —repitió Arturo.

—Sí, ese cabrón nos trae a mal traer.

—¿Un simple enlace?

Los ojos incrustados en pliegues de grasa de Reyes Zarauza intercambiaron una mirada complotada con el capitán Isart.

—El capitán no es un enlace cualquiera —explicó Isart—, pertenece a las SS.

—Exactamente a las SD —puntualizó Zarauza—, su servicio de inteligencia.

—¿Y qué pintan aquí?

—El capitán Kehren se encarga de coordinar y abastecer en colaboración con nuestra Intendencia a los *Einsatzgruppen* de la zona.

—¿Y qué es eso, si puedo preguntar?

—Los grupos operativos.

—Sí, pero ¿cuál es su cometido?

—Hacer desaparecer a la gente —contestó Zarauza tenebroso—. Elementos subversivos, comisarios políticos, espías, partisanos, colaboracionistas... Judíos.

«Magia Negra», enlazó Arturo, comprendiendo al fin el protagonismo de las SS en el fusilamiento del bosque. También quedaba resuelto el misterio de la presencia del alemán en el despacho de Navajas del Río durante su primera entrevista. Volvió a mirar al capitán con curiosidad y algo de angustia. Ahora estaba departiendo con la pianista; parecían encajar uno en el otro como dos peines, y sintió un pinchazo de celos. Para sortearlo, buscó de nuevo a Paramio, sin encontrarlo; cuando volvió a mirar a la pareja, sus ojos se cruzaron repentinamente con los de ella. Arturo notó cómo el color le teñía las mejillas. La germana prácticamente le radiografió con un severo mohín, cuchicheando luego al oído de Kehren. El susto de Arturo creció cuando éste le indicó que se acercase con idéntica sequedad. Se disculpó ante unos sorprendidos Zarauza e Isart y, cruzando el salón, se cuadró con minuciosidad.

—*Zu Ihren Befehlen, mein Hauptsturmführer* «A sus órdenes, mi capitán».

El capitán le devolvió un desvaído saludo, y sin inmutarse ante su conocimiento del idioma, desovilló su currículum al oído de la mujer, al tiempo que giraba un anillo plateado en su dedo corazón derecho; en una de las vueltas, Arturo distinguió una calavera y una runa mística.

—La brigada Hilde me ha comentado que le gusta la música —le dijo cuando terminó su introducción—, sobre todo Chopin —añadió con intención.

—Debo disculparme por la intromisión, mi capitán. Me equivoqué de puerta. Aunque también debo decir que no me arrepiento, porque toca maravillosamente bien.

—Así que es cierto lo que se dice del temperamento galante de los españoles —intervino Hilde en su trabajoso castellano. Sus labios sonrieron, aunque sus ojos no.

—Eso creo —replicó Arturo, atreviéndose a sostener su mirada.

—¿Y qué tal va su tarea? —se interesó Kehren.

—Lo sabremos cuando terminemos —su respuesta se le antojó algo seca; no quiso dejarlo así—, pero podría ir peor.

—El mismo Führer ha dicho que los españoles son unos valientes, sería una pena que su división desluciera una actuación tan brillante por una manzana podrida.

—Somos conscientes de ello.

—Habla usted muy bien nuestra lengua —le felicitó Hilde, dando un sorbo a su taza.

—El capitán también habla perfectamente la mía —le devolvió el cumplido.

—Pero lo mío no tiene mérito —se disculpó con apenas acento—, estuve dos años en su país, durante la guerra.

—¿Dónde?

—Eso no importa —su gélida voz trazó una frontera invisible.

—No parece usted... español —la afirmación de Hilde restó tensión a su desencuentro.

—¿Y eso es bueno o malo?

—*Spanisch* «Español» —Hilde pronunció la palabra procurando no juzgar, sino definir—. *Innerhalb einiger Jahre hat man nicht das Gefuehl das eine oder andere Land zu sein, das neue Europa, welches wir unter des Obhut unseres Fuehrers gruenden werden, wird keine Unterschiede aufweisen* «Dentro de unos años carecerá de sentido ser de un país o de otro, la nueva Europa que construiremos gobernada por la infalibilidad de nuestro amado Führer borrará cualquier diferencia».

Arturo permaneció callado, sin saber qué le estremecía más: si su convicción o su belleza.

—¿No dice nada? —le pinchó Kehren.

—Podría ser malinterpretado.

Apenas fue una leve presión, un parpadear de la conciencia que le indicó que había dado un paso más del que debía.

—Adelante, no tema ser sincero. Al fin y al cabo, los dos somos soldados.

Tras las palabras del capitán tuvo la impresión de ser como Luis del Águila, alguien que se creía libre, se movía, hacía planes, mientras otro convertía cada uno de esos movimientos en un fin que podía controlar. No supo por qué se arriesgaba a pelear aquella posición; a lo mejor para rayar mínimamente la carrocería de vanidad de Kehren. Pasó de la indecisión a la concisión más enérgica.

—De la manera que tratan ustedes a los rusos, no creo que quieran pertenecer a esa nueva Europa de la que hablan.

Kehren sonrió, dejando que su egolatría irradiase como una inmensa estufa.

—Una raza tiene el derecho natural a dominar o incluso exterminar a naciones más débiles en la lucha por su supervivencia. Y para que el Reich dure mil años, necesita a los mejores, a los más capaces, nada del igualitarismo bolchevique ni del elitismo podrido de la aristocracia, sencillamente los más fuertes, provengan de la clase que provengan, el resto no tendrá lugar en nuestro mundo. Los soviéticos son «infrahumanos», y por ello tienen que dejar paso a sus nuevos amos.

—Pero el pueblo ruso no son los soviéticos. Y Stalin les ha machacado tanto que bastaría con darles un trozo de pan para que ellos mismos conquistaran su país y nos lo entregasen en bandeja. Gobernemos gracias al amor y no gracias a la bayoneta.

—¿Quién ha dicho eso? ¿Jesús? —preguntó mordaz.

—Su ministro de Propaganda, Joseph Goebbels.

Hilde apreció su ironía, pero con el capitán pinchaba en hueso.

—El Führer ha declarado que debemos acabar con todos los enemigos de Alemania —se extendió monocorde—, toda esa bastardía judía que devasta nuestra nación, que la desintegra racialmente, todos esos parásitos que contaminan a nuestras inexpertas y jóvenes alemanas...

Arturo comprendió que recitaba de memoria párrafos del *Mein Kampf*, y al observar de reojo a Hilde, se dijo que no era difícil entender a aquellos parásitos contaminantes. Al tiempo que Kehren reafirmaba su autoridad a base de despotricar consignas acerca de la particular Ciudad de Dios nazi, Hilde le mostró a Arturo la verdadera alma de Alemania, su oscura, tortuosa, caótica, crepuscular alma. La germana se quedó mirando su taza, una pieza de porcelana casi transparente, levemente azulada. Se mantenía quieta, contemplándola con una extraña lejanía, hasta que abrió sus dedos y la dejó caer al suelo. La tacita cayó sobre la piel de un oso que hacía las veces de alfombra; allí quedó, intacta, inclinada entre el mullido pelo del animal. Arturo, de manera instintiva, se agachó y la recogió; fue un gesto realizado sin pensar, una respuesta pavloviana a un estímulo. Y al devolvérsela se dio cuenta de que ella, al igual que Kehren, estaba habituada a dominar, y que sabía que todo dominio implica desprecio, pero, al contrario que el capitán, lo ejercía de una manera mucho más sofisticada, comprendiendo al dominado, despreciándolo con tacto y, por ello, de una manera mucho más absoluta.

—Muchas gracias —le agradeció Hilde.

Arturo apretó unos segundos la taza en el momento que debía soltarla. Le gustaba aquel sometimiento, quería prolongarlo, pero cuanto más le gustaba, más miedo le daba. Finalmente, soltó la taza. Luchaba por escapar del poder mágico que Hilde ejercía sobre la realidad, cuando una voz gruesa vino a rescatarle de los bajíos donde había encallado.

—Arturo, tenemos que hablar.

Se dio la vuelta y se encontró con el rostro de tierra arada del sargento Espinosa.

—Sargento, qué sorpresa.

Espinosa cumplió con el protocolo militar ante Hilde y Kehren, y se acercó al oído de Arturo.

—Hemos encontrado otro cadáver.

El rostro de Arturo se quedó fijo, sin expresión. Se disculpó con rapidez frente a los alemanes y se retiró a un aparte con el sargento.

—¿Dónde?

—En Molewo.

—¿En el manicomio?

—Sí.

—¿Cuándo ha sido?

—Hace una hora. Uno de los locos vino a avisarnos. He dejado un retén allí para que no toquen al muerto.

Los pensamientos de Arturo fueron confusos, corales. Un vistazo a la sala le bastó para darse cuenta de que se había convertido en el vértice de la curiosidad general, especialmente del teniente coronel Navajas del Río y del comandante Reyes Zarauza, que le observaban con la conciencia del escalón jerárquico que ocupaban y de su derecho a ser informados. Arturo sintió miedo, el pánico que produce la responsabilidad, hasta que fue consciente de que un miedo sólo se vence con otro mayor: hacer el ridículo delante de Hilde. Recuperó los actos mecánicos y sin sentido del deber, y excusándose ante sus interlocutores, utilizó el escalafón para, en primer lugar, informar a Navajas del Río, aprovechando para entregarle su informe escrito y, a continuación, a Reyes Zarauza y su valido. Satisfechas las obligaciones, se dirigió con el sargento hacia la puerta.

—Ese *doiche* con el que estaba no me gusta ni un pelo —le dijo Espinosa nada más salir al populoso pasillo.

—Si le gustase, debería preocuparse, se lo aseguro.

—¿Y la mujer? ¿Quién era?

Arturo chasqueó la lengua entre el desdén y la impaciencia.

—«Es», mi sargento. Esa mujer «es» una equivocación. Una jodida e inevitable equivocación.

Luego sonrió. Con toda su tristeza.

La cuña mordió la nieve en cuanto el trineo se detuvo. El nativo que les había llevado hasta Molewo aseguró la palanca de metal inmovilizándolo, al tiempo que el cuerpo de los dos sudorosos caballos exhalaba un denso vapor. El barbilampiño guía ruso —no tenía más de dieciséis— estiró aún más sus rasgos asiáticos con una sonrisa franca para indicarles que habían rendido viaje. Tras él, apenas tocada por la guerra y rodeada por un espeso bosque, emergía la silueta inmensa y oscura de Molewo. Las oxidadas burbujas de sus cúpulas coronaban cada uno de los vértices de su cuadrilátero; cuatro cuerpos en los que se superponía una extraña mezcla de estilos arquitectónicos, y en cuya fábrica se distinguían, aquí y allá, extrañas cabezas talladas. El bronco rumor de los cañones retumbaba en un cielo que, en algún momento de la recepción, había dejado de escurrirse de infinitas y minúsculas maneras.

—Qué raro. No hay ningún loco por los alrededores —señaló Arturo.

—Hace frío —supuso Espinosa; consultó su reloj y el cielo—. Apenas tenemos luz. Vamos.

Bajaron del trineo armados hasta los dientes, hundiéndose en la nieve hasta las rodillas. Antes de encaminarse al monasterio, Arturo se detuvo todavía unos instantes como si buscase algo en la nieve; el sargento le dejó hacer sin preguntas. Cuando terminó, se dirigieron hacia Molewo; a sus espaldas se quedó el ruso, ajustando los atalajes de los caballos. La llegada al saledizo de piedra que cubría la enorme puerta fue un alivio contra la trabazón de la nieve. El sargento golpeó con decisión hasta que se oyó un sonido de cadenas y cerrojos. Un soldado con el máuser terciado les franqueó la entrada y, tras un seco saludo, penetraron en las entrañas de aquel mastodonte de piedras.

—Los lugareños dicen que el mismo Dios se le apareció aquí a un monje —le ilustró Espinosa.

—Ya, ya había oído.

Los corredores eran rectos, penumbrosos, inacabables, y el ferraje de sus botas arrancaba ocasionales chispas a las losas octogonales que los cimentaban. En las paredes, trozos de tendido eléctrico colgados de ganchos, cuya capa aislante de goma y cáñamo ardía lentamente, emitían una llamita azulada alumbrando el camino. Su débil resplandor también iluminaba estelas de símbolos grabadas en las paredes: representaciones de parábolas, calvarios, pecados capitales, velos de Verónicas, rostros de Cristo... mezclados heréticamente con relatos mitológicos, estrellas de David, escuadras, compases, símbolos astrológicos y Luciferes, distinguibles de los ángeles cristianos por ser los únicos representados boca abajo. A trechos, como si se hubieran girado también hacia el interior, se vislumbraban las cabezas paganas que vigilaban el exterior. Arturo no tardó en ver locos vagando por los pasillos, hombres y mujeres arrastrando harapos, desgreñados, oliendo a orines.

—No se preocupe. Éstos son inofensivos —dijo Espinosa al notar en Arturo cierta alarma.

—No estaba preocupado —desveló sin mucha convicción—. Ha dicho «éstos», ¿es que hay otros?

—Aquí los locos se cuidan unos a otros, pero a los peligrosos los mantienen encerrados.

—Locos, pero no tontos —Arturo se fijó en sus cuerpos casi radiografiados—. ¿Y qué comen estos desgraciados?

Los músculos de Espinosa se endurecieron, como si la úlcera le hubiese hundido un clavo oxidado en el estómago, encriptándose en un inquietante mutismo. Siguieron su camino, cruzando un gran patio con una inesperada estatua de bronce de Lenin con una mano sujetando la solapa de su abrigo y la otra metida en un bolsillo del pantalón, derribada, y continuaron por intrincados y nebulosos corredores adonde apenas llegaba, amortiguadísimo, el retemblor de los cañones. Inesperadamente, tras cruzar una pequeña puerta, el resplandor de la nieve volvió a sorprenderles. Ésta tapizaba el interior de un claustro recoleto, con varios accesos confluyendo bajo sus arcos de medio punto, y en cuyo interior se enmarcaban grupos de alienados cautivados, al parecer, por su luz. No tardó en apercibirse de que no era sólo la nieve el objeto de su atención.

—Joder.

El juramento de Arturo fue adecuado para la enormidad que acababa de descubrir. En el centro geométrico del claustro había un pozo compuesto por un pie derecho y una pértiga cruzada a modo de palanca, con un cubo con cadena y cuerda en un extremo y una piedra de contrapeso en el otro. Sentado contra el pozo, había un hombre. O eso parecía a simple vista. Porque una observación más demorada le añadía un matiz siniestro a su figura. Lo que parecía un simple individuo descansando era, en realidad, un cadáver con las piernas estiradas, sin trazas de nieve, en cuyo rostro desencajado se reflejaba el puro espanto. Su guerrera abierta permitía distinguir un rosetón oscuro que manchaba la parte derecha de su pecho. A su lado, uno de los locos, un tipo con un abrigo pardo sujeto con una cuerda a la cintura, venciendo el temor reverencial de sus compañeros, se había acercado al cadáver y se aplicaba en la tarea de despojarle de sus botas. El sargento reaccionó con energía; como sus gritos no bastaban para arredrar al ladrón, entró en el patio y efectuó una corta ráfaga al aire con su fusil ametrallador. El desgraciado saltó como si hubiera recibido una corriente eléctrica y corrió a refugiarse entre el sanctórum de la masa.

—¿Dónde cojones está Cristino? —le preguntó Espinosa al retén.

La bronca pregunta del sargento no tuvo eco en el soldado, que apretó los labios y efectuó un asustadizo movimiento de cejas. «Cristino», el aullido de Espinosa retumbó en las bóvedas y el soldado Cristino Esteve no tardó en aparecer a la carrera con un gesto amedrentado.

—¿No te dije que no te movieras de aquí? —le espetó Espinosa.

Sin darle tiempo a explicarse, el sargento se acercó ofensivamente al rostro del soldado y empezó a ponerlo como un trapo. El acongojado soldado aguantó el chaparrón sin pestañear porque le reconocía el derecho de sustituir con un par de hostias todas aquellas palabras. Arturo dejó al sargento dando rienda suelta a su ira, se colgó el fusil del hombro, y entró en el patio seguido del segundo retén. Alrededor del cadáver había todo un enjambre de huellas, literalmente un salón de pasos perdidos. Se movió lentamente alrededor del muerto en el sentido de las agujas del reloj —descubriendo que le habían atado las manos—, hasta situarse frente al enorme boquete que habían abierto en su pecho; la herida, perfectamente congelada, permitía ver los colores y matices de la carne como una lámina de Testut. El asesino se había tomado todo aquel trabajo por una razón tan explícita como atroz: arrancarle el corazón. Ya en cuclillas, no tardó en realizar un segundo hallazgo, que provocó que la adrenalina comenzase a hacer piruetas a lo largo de su sistema nervioso. En su pectoral izquierdo, escrita con una pluma sangrienta, había una frase: «MIRA QUE TE ESTÁ MIRANDO». Era, sin lugar a dudas, la continuación de la plegaria infantil que les había revelado el páter Ramón. Contempló todo aquel estropicio con una mezcla honda de tristeza y miedo.

—¿Quién encontró el cuerpo? —preguntó al guripa.

—Misha, uno de los chiflados. Es una especie de cabecilla que maneja todo el cotarro. Fue el mismo que nos avisó.

—Luego quiero hablar con él —echó un vistazo al revuelto de pisadas que cubría el interior del claustro—. ¿Qué pasa, que han jugado un partido?

—Cuando llegamos ya estaba así.

—¿Estaba todo exactamente igual? —subrayó «exactamente».

—No, igual no. Cuando llegamos faltaba algo.

—¿Qué faltaba?

—El corazón.

—Eso lo ve un ciego —confirmó Arturo con cierta irritación.

—No, no, me explico mal —el guripa rebulló incómodo dentro de su capote—. Quiero decir que Misha nos dijo que cuando lo encontró tenía el corazón puesto sobre una de las piernas.

—¿Y cuando volvieron ya no estaba?

—Así es.

—¿Y quién se lo ha llevado?

El soldado guardó el mismo silencio que poco antes había mantenido Espinosa, pero Arturo no supo relacionarlos. Meneó la cabeza y se aplicó como un aspirador visual sobre el cadáver; no le fue necesario preguntar en cuál de las piernas lo habían colocado. En la derecha, a la altura de la rodilla, había un cerco sanguinolento que marcaba la fantasmagórica ausencia. Mientras lo estudiaba con detenimiento, Espinosa cruzó el patio a zancadas, todavía enervado por el rapapolvo. Se colocó al lado de Arturo y se destocó el casco, pasando un guante por sus escasos mechones de pelo.

—¿Se lo han contado ya? —le preguntó.

—¿Contarme qué?

Espinosa escrutó al gendarme, pero éste parecía mirar algo que había detrás de ellos. Gruñó, sorbió por la nariz y se cubrió de nuevo.

—Parece que se han comido el corazón.

—Habrá sido algún bicho.

—No, ha sido uno de los huéspedes.

Arturo creyó percibir una alucinación sonora. Sintió un ligero aturdimiento.

—¿Canibalismo?

—Más bien hambre.

La diminuta gota de verdad estalló en su conciencia como una bomba. Comprendió las reticencias tanto del soldado como del sargento, y observó los arcos trufados de locos, flacos, espiritados, ahora no como una amenaza, sino como víctimas.

—Sería inútil buscar culpables —concluyó.

—Me temo que sí —le confirmó Espinosa.

—Está bien, manos a la obra, no nos queda mucho tiempo antes de que se presente aquí la caballería. ¿Se sabe quién es, mi sargento?

—De momento, no.

—Hay que averiguarlo y luego determinar cómo ha llegado hasta aquí.

—Con la nevada no creo que haya muchas huellas.

—Tiene que haber algo. El asesino hizo todo esto después de que dejara de nevar.

—¿Por qué está tan seguro?

—El muerto no tiene nieve encima, y antes ha caído mucha. Deben de haber hecho esto mientras nosotros comíamos. Yo no me he fijado, ¿usted se dio cuenta de cuándo dejó de nevar?

—Sobre las dos y pico.

—Al poco de sentarnos a comer. ¿Y cuándo avisó ese tal Misha?

—Vino en cuanto lo encontró. Llegó hacia las cuatro y media. La gendarmería me avisó y vine para acá con un retén; luego volví por usted.

—Ahora son las seis menos veinte. Total, que tenemos un intervalo entre las dos y, pongamos, las cuatro, en el que se pudo cometer el crimen —reflexionó unos segundos—. ¿Hay testigos? —volvió a interrogar al gendarme.

—Que yo sepa...

—Cómo no va a haber testigos...

Estudió el cadáver de nuevo.

—Al menos ya tenemos ciertos indicios de método —constató como para sí—. Le han extraído el corazón y le han grabado otra frase en el pecho. Es razonable que haya sido el mismo. Y según lo que me ha contado Ricardo Guerra, parece ser que, como sospechábamos, todo esto es cosa de masones.

—Pero ¿ese Ricardo no era el culpable?

El sarcasmo con que el sargento tiñó la pregunta obligó a Arturo a extenderse sobre su entrevista con Guerrita, obviando el pacto que habían cerrado y el peligroso signo de reconocimiento.

—Pues no veo nada que le exculpe —insistió Espinosa extrañado.

—Si fuese culpable y hubiera inventado una historia, procuraría que encajasen todas las piezas, ¿no? Y en la suya había tuercas sueltas.

—¿Y eso le asegura que está diciendo la verdad? Mucho arroz para tan poco pollo.

Por un momento pareció que Arturo iba a responderle; abrió la boca, volvió a cerrarla.

—No tenemos tiempo para discutirlo, mi sargento. ¿Le dijeron algo los guripas que cargaron el ataúd de Luis del Águila?

—Nada importante. Y tampoco he sacado mucho de las preguntas que he ido haciendo por ahí.

—Ha cumplido con lo suyo. Esta mañana apareció la carta de Luis del Águila y en ella tenemos un nuevo sospechoso, un tal Tiroliro. Al parecer era el único amigo que tenía. Da la casualidad de que este individuo también juega a la violeta.

—Mal asunto.

—No tanto. He conseguido que me introduzcan en una partida.

Arturo hizo un breve hiato en su discurso, a la espera de que el sargento mostrase algún tipo de sorpresa, pero Espinosa permaneció inmutable.

—Espero que le hayan dado garantías.

—Descuide. También he conseguido que el capitán Isart le ponga una sombra al páter, a ver si sacamos algo... —consideró comentarle algo acerca de Octavio Imaz y su magisterio masónico, pero no lo estimó esencial—. Ahora sólo nos queda esperar la autopsia. Bien... —se dirigió al guripa—, vamos a hablar con ese...

—Misha —completó.

—Misha, sí. ¿Dónde está?

—Les acompaño.

El soldado abrió la marcha y ambos le siguieron; cuando pasaron a la altura del abroncado Cristino, que no había tenido redaños para entrar en el claustro, el sargento ni siquiera necesitó mirarle para que saliera disparado a custodiar el cadáver. El guripa les condujo bajo las pétreas ojivas hasta una sala más caldeada, muy amplia, con techos de alturas catedralicias y ventanas estrechas. A Arturo se le ocurrió que posiblemente fuera el antiguo refectorio. En ella, alrededor de tres fuegos sobrevolados por bandadas de chispas, gente tumbada, de pie, sentada; hiperactiva, embotada, semiinconsciente, convulsionada, moribunda. Un olor a deyección, vómitos y paja podrida, potenciado por el calor, se agarraba a la nariz y te debilitaba. Avanzaron hacia la hoguera central hasta que el guripa se plantó delante de un tártaro de cara pequeña y flaca, con pómulos salientes, que se levantó con torpeza.

—No se le entiende un carajo, pero es el que maneja aquí —explicó el soldado.

Arturo se apoyó en el fusil y estudió a Misha; vestía una zamarra acolchada, atada con un cinturón de cuero, pantalones anchos y gruesos y un gorro con orejeras, una de ellas doblada hacia arriba. Parecía ser de ese tipo de personas que están destinadas a representar un papel principal aunque no estén dotadas para ello con especiales capacidades intelectuales o aptitudes de líder, simplemente porque sí.

—*Meña zovut Arturo* «Me llamo Arturo» —se presentó.

Misha le respondió con una retahíla en un idioma que sonaba como palabras leídas al revés, y que Arturo identificó con precisión de código penal como una variante calmuca. Especuló con diversas combinaciones lingüísticas hasta que lograron llegar a un consenso acerca de los lapsos temporales en que se habían desarrollado los hechos, confirmándole sus cálculos así como la existencia de testigos.

—Dice que hay testigos —tradujo con satisfacción.

Arturo aguardó a que Misha le indicase quiénes, pero se quedó algo atribulado al comprobar que no mostraba intención de decírselo, comenzando a gimotear y compadecerse de su suerte. Arturo confirmó de nuevo que estar como un cencerro no era síntoma de idiotez. Se volvió hacia el sargento.

—Deme todo el tabaco que tenga.

—Este cabrón le está echando más teatro que una primeriza al parto —refunfuñó.

—Deme lo que tenga, por favor.

—Los *doiches* no tendrían tantas contemplaciones.

—Nosotros no somos *doiches.* Mi sargento...

Al tiempo que Espinosa rebuscaba de mal grado en su abrigo, incapaz de disimular la relación testicular que mantenía con sus cigarrillos, Arturo hizo lo suyo en su macuto hasta que aparecieron unas latas de sardinas noruegas y un bote de leche condensada. Misha recogió los regalos con alegría y les invitó a seguirle. Se desplazaron por la sala sorteando cuerpos y mentes tronchados, deteniéndose justo en el borde luminoso de una de las fogatas. Allí, tres hombres sentados y una mujer de pie antologaban la locura contenida en el refectorio. Misha le insinuó que los tratase con suavidad, para evitar pulsar esa tecla que albergaban todos los enfermos y que ponía en marcha sus crisis. Arturo asintió y comenzó por la mujer, una matrona de cabellos grises, tripa salida y enormes y pesados pechos, y continuó por los hombres, un gigante de formas piramidales, con cara de delincuente de manual lombrosiano, un hombre de mirada ausente, con un flemón en el carrillo izquierdo que deformaba sus menudas facciones, y un viejo tan arrugado que parecía haber sido exprimido por la vida. Arturo optó por utilizar el mismo método que con Misha y, a través de las raciones que pudo incautarles al soldado y a Espinosa, estableció una primera vía de comunicación no verbal. Seguidamente, sorteando cada uno a su manera las taras que se retorcían en su interior, consiguió que inventariasen sus recuerdos. Sin embargo, sus testimonios resultaron contradictorios, cuando no se impugnaban directamente. Arturo cruzó una mirada de circunstancia con el sargento, que se limitó a endurecer su gesto aquilino, sacar un cigarrillo que se había guardado y dedicarse a echar humo. «Siempre podemos abrirles la cabeza y ver qué tienen dentro», murmuró con humor antropofágico. El guripa tampoco le resultó de mucha ayuda, pero al menos se ahorró los comentarios. Arturo observó a los supuestos testigos con la sospecha de que se había mezclado el trigo con la paja a fin de sacarles más comida. Al poco, se reprochó su ineptitud; era suficiente una sola pregunta para espigarles: ¿nevaba? La interrogante bastó para que el viejo se quedara solo. Vestido con andrajos, perfumado con su propia orina, con un rostro como papel desestrujado y una barba muy blanca, no miraba, admiraba el pedazo de pan que le había entregado. Ordenó al soldado que alejase al resto de los locos.

—*Kak zovut etogo mushchinu?* «¿Cómo se llama este hombre?» —le preguntó a Misha.

—*Afanasi.*

—*I pochemu on zdies?* «¿Y por qué está aquí?».

—*Ñe znaiu, on davno uzhe zdies, s carskij vremion. Mozhet byt', on dazhe ñe sumasshedshiy. On mne skazal chto on videl* «No sé, lleva mucho, desde antes de los zares. A lo mejor ni siquiera está loco. Él me ha dicho que lo vio».

Arturo ni se planteó que le estuviera mintiendo: era su única carta.

—*Afanasi* —le rogó con delicadeza, poniéndose en cuclillas—, *shto vy vidieli? Mozhetie mñe skazat'?* «Afanasi, ¿qué ha visto usted? ¿Me lo puede decir?».

El viejo levantó la vista. Sus ojos ya no tenían luz.

—*Ikh bylo dvoie* «Eran dos» —desgranó con una voz arenosa—. *Bylo ocheñ jolodno* «Hacía mucho frío».

—*I shto ischo?* «¿Y qué más?».

—*Voshli vo dvor. Odin pritselivalsia v drugogo* «Entraron en el patio. Uno apuntaba a otro».

—*Tot, kotoriy pritselivalsia, vy iego litso vidieli?* «¿Le vio la cara al que apuntaba?».

—*Ñet, prikryto bylo* «No, la tenía cubierta».

—Un pasamontañas —apuntó Espinosa.

Arturo asintió.

—*Kak vygliadel?* «¿Cómo era?».

—*Vysokiy. Tonkiy* «Alto. Delgado».

—*I shto ischo vy vidieli?* «¿Y qué más vio?».

—*Govorili. Razgovarivali drug s drugom. Tot, kotori pritselivalsia, dazhe krichal* «Hablaron. Estuvieron un rato hablando. El que apuntaba incluso daba gritos».

—*Kak on vam kazalsia?* «¿Cómo se le veía?».

—*Vzbieshennyy. Ocheñ vzbieshonnyy* «Enfadado. Muy enfadado».

—*Oñi razgovarivali* «Así que hablaron» —le alentó Arturo—. *Kak dolgo?* «¿Cuánto tiempo?».

—*Dovolno dolgo* «Bastante» —la tos hizo retemblar el mar de arrugas de su rostro—. *Oñi razgovarivali i potom tot, kotoriy pritselivalsia, prekratil pritselivalsia, vyñal nozh i vyrezal drugomu serdtse. Vsio ocheñ bystro proizoshlo* «Y luego el que apuntaba dejó de apuntarle y sacó un cuchillo y le arrancó el corazón. Todo fue muy rápido».

—*I shto sluchilos potom?* «Y, luego, ¿qué pasó?».

—*Ñe znaiu. Ya ubezhal. Mñe bylo strashno* «No sé. Huí. Tuve miedo».

La última frase creó un silencio estremecedor. A pesar de mirarle, los ojos del viejo continuaban ausentes, como si los años de contemplar la blancura infinita de Rusia le hubieran contagiado su vacío. El fuego seguía crujiendo con un baile de chispas, y los cuerpos y objetos se alargaban a su alrededor como si pasasen por cuellos de botella.

—*Vy by mogli so mnoi poiti i mñe vsio pokazat', pozhaluista?* «Por favor, ¿puede venir conmigo y mostrármelo?» —le rogó Arturo por último—. *Poluchitie bolshe yedy* «Le daré más comida».

El viejo concentró su mirada de un modo extraño, inquisitivo. Arturo creyó que estaba pensándoselo, hasta que se dio cuenta de que simplemente no le había entendido bien y se limitaba a intentar captar algo para reaccionar. Le reiteró la petición. Esta vez el viejo recogió el trozo de pan y se levantó poco a poco, como un funambulista que se elevara sobre un cable en el vacío, encaminándose hacia el claustro. Arturo iba a indicarle por gestos al sargento Espinosa que le siguiera, cuando sorprendió en sus ojos el mismo empozamiento que había entrevisto cuando se enfrentó con el páter. Continuaba sumido en un abismo interior que únicamente él conocía; ¿cuál sería la fuente de su dolor? El sargento pareció intuir su examen y regresó velozmente de las regiones más remotas de su corazón.

—¿Tengo monos en la cara? —se revolvió.

—No, mi sargento. ¿Nos acompaña?

Espinosa acabó el cigarrillo y lo aplastó con meticulosa pulcritud contra el suelo, poniéndose en marcha al tiempo que iniciaba de nuevo su producción en cadena; evidentemente, no le había entregado toda su ración de tabaco. Un último vistazo al refectorio y Arturo se apretó el abrigo, dejando la sala a sus espaldas.

En el patio había empezado a caer nieve, aunque de una manera tan liviana que parecía sólo una manifestación del frío. No había ya locos enmarcados bajo los arcos, ahuyentados por la temperatura. En semicírculo alrededor del cadáver, Misha y Arturo siguieron su mímica mientras iban conformando una geografía de lo sucedido. Cuando terminaron, Arturo se quedó unos instantes silencioso, abstraído. Una luz oscura que todavía no era noche fue envolviéndole. Le bastaron un par de vueltas de tuerca más a sus reflexiones para concretarlas en palabras.

—*Pochemu vy jodili siuda, kogda bylo tak jolodno?* «¿Por qué, si hacía tanto frío, vino usted aquí, señor?» —preguntó a Afanasi.

—*Ya jotiel byt'odin* «Quería estar solo».

—*Vy mogli ostatsia na dvore* «Podía haberse quedado en el patio».

—*Mñe zdes'nravitsia* «Me gusta esto».

Arturo se sorprendió de sorprenderse: la demencia del viejo no le dejaba verle como hombre.

—*Tak, tak* «Bien, bien» —reaccionó—, *Vy govorite, oñi otsiuda prishli?* «¿y dice que aparecieron por allí?».

Señaló una de las entradas al claustro.

—*Da* «Sí» —revalidó Afanasi.

—*Vy videli kak oni voshli?* «¿Los vio entrar?».

—*Ñet* «No».

Arturo se desplazó y confirmó que desde la perspectiva en que había estado el viejo, cercano a la gatera por la cual habían entrado ellos mismos, víctima y victimario tenían que haber pasado a la fuerza por delante de Afanasi para entrar en el claustro. No acababa de ver claro cómo lo habían hecho. Volvió junto al grupo.

—*Vy uvereny v tom, shto ij tam ran'she nie bylo? Vazmozhno shto ij tam bylo, no vy ij ñe vidieli?* «¿Está seguro de que no estaban ya allí antes? ¿Es posible que usted no los viera?».

—*Ñet, oni vdrug poiavilis'* «No, aparecieron de pronto».

Arturo recordó el concierto de cadenas y cerrojos en el portón de la entrada.

—*Vjodnyie vorota vsegda zakryvaiutsia?* «¿Cierran siempre la puerta principal?» —le preguntó a Misha, con la voz cada vez más alerta.

—*Staraiemsia zakryvat' lz za volkov* «Procuramos hacerlo. Por los lobos».

—*I tozhe iz-za liudey, ñet?* «Y también por la gente, ¿no?» —apuntilló.

—*Da, tozhe* «También».

—*I ñikomu ñe otkryvalos'?* «¿Y no abrieron a nadie?».

—*Obychno meña preduprezhdaiut, kogda kto-to novyj pridiot, i togo, kak znaiu, ñe bylo* «Me suelen informar cuando llega alguien nuevo, y por lo que yo sé, no».

Un rapidísimo destello racional iluminó a Arturo. Le tradujo a Espinosa todo lo que le acababan de contar. A juzgar por la espaciada intermitencia con que empezó a elaborar su humo, también él había usado su lógica.

—Han entrado por otro lado —se le adelantó.

—Tiene que ser eso —trasladó sus recelos a Misha—. *Yest' v monastyrie bol'shie vjodov?* «¿Hay más entradas en el monasterio?».

—*Da, yest' yishcho dve kalitki, no oni nikogda neotkryvayiutsia* «Sí, hay otras dos portezuelas. Pero nunca se abren».

—*Poidiom posmotriet', iesli eto pravda* «Pues vamos a ver si es cierto».

Tradujo todo lo oído y conminó a Espinosa a seguirle.

—¿Y qué hacemos con el cuerpo? —inquirió el guripa que les había acompañado.

Arturo observó el cadáver con el ceño fruncido.

—De momento lo dejan aquí, no tardarán en llegar refuerzos —extendió un guante entre el espectáculo tenue y flotante de la nieve—. Y pueden resguardarse, pero sin perderle de vista —añadió.

Puso su mano sobre el hombro de Afanasi.

—*Spasibo vam, bol' shoye spasibo* «Gracias. Muchas gracias».

Arturo le miró como esperando que dijese algo más, pero el viejo parecía haber vuelto ya al orden secreto de su locura, y se limitó a darse la vuelta y cruzar el claustro, desapareciendo por la gatera. Arturo especuló cortamente acerca de la raya absurda que separaba la vida de la muerte, la cordura de la demencia, la paz de la guerra, y en el tiempo que intentó llegar a una conclusión, el cadáver le recordó que aún tenían un animal que lidiar. Fue tajante.

—Pues leña al mono.

Las sucesivas comprobaciones que realizaron Molewo arriba Molewo abajo resultaron negativas. Las dos puertas secundarias, ambas en polos opuestos del monasterio, permanecían selladas con esa costra de polvo, óxido y telarañas que indicaba cuánto tiempo llevaban cerradas. Se detuvieron en un pasillo como juguetes a los que se les hubiera acabado la cuerda. El sargento sacó una cantimplora terciada de vodka que compartió con Misha y Arturo.

—Al final va a ser que tenemos vampiros —rezongó Arturo, apoyándose en su fusil.

—O que ese viejo no nos ha dicho la verdad.

—También puede que nuestro guía nos mienta —echó un rapidísimo vistazo a Misha—. Sea lo que sea tendremos que conformarnos con lo que hay. Volvamos al claustro, el capitán Isart estará al llegar.

Se disponía a bajar un peldaño cuando el rostro de Misha le cerró el paso.

—*Shto sluchilos?* «¿Ocurre algo?».

—*Yest drugoi vjod* «Hay otra entrada».

Su tono no había sonado precisamente alegre. Arturo adivinó que si Misha se había demorado en revelarles la existencia de otra puerta, ésta albergaba alguna contrariedad del tipo Escila y Caribdis.

—*Poshli?* «¿Vamos?».

Misha movió con lentitud la cabeza, a la que siguió fielmente su cuerpo, y transitaron de nuevo el monasterio vigilados por la inquietante heráldica de sus muros, hasta que se detuvieron en un pasadizo recóndito, en cuyo umbral, sobre un pequeño espolón de roca en la pared, había una de esas linternas alemanas de dinamo. Misha, tenso y vigilante, trazó las tres cruces en el aire del rito ortodoxo y accionó una palanquita en la linterna que hizo brotar un hilillo de luz y un gemido continuo, enervante. *Itti, itti* «Seguir, seguir». Arturo y Espinosa se buscaron con la mirada, sincronizados por el mismo pensamiento aciago, y fueron tras él. El pasadizo no era más alto que un hombre, y mientras Espinosa sufría la desagradable sensación de que a medida que penetraban en las entrañas de Molewo el aire disminuía, Arturo experimentaba la negrura como algo protector, uterino. Los alaridos que empezaron a escucharse a intervalos, cada vez más cerca, quebraron la bonanza de su ánimo. Unos segundos antes de que sucediera, tuvo una minuciosa visión del desastre: ¿y si falla la linterna?, ¿y si nos quedamos sin luz? El hilo luminoso que les guiaba quedó roto en ese instante y la ceguera picó sus ojos como si hubieran sido sorprendidos espiando el cuerpo desnudo de una diosa. A la queja exasperada de Espinosa se sumó la de Arturo, así como el seco chasquido de sus armas al ser montadas. Misha no dio señales de vida, y aquella placenta de gemidos, palabras incoherentes, esporádicos gritos, golpes y arañazos metálicos era lo único que daba referencias acerca del abismo que les rodeaba. La voz de Espinosa sonó seca desde el centro de la nada.

—Calma, si fuese una encerrona ya estaríamos tiesos. Pero dile a ese ruso de mierda que si lo que busca es acabar con nuestros nervios, con lo único que está acabando es con mi paciencia.

—Éstos deben de ser los peligrosos —sugirió Arturo.

—Deben.

Intentó de nuevo que Misha le respondiera, sin resultados. «No se ve un carajo», dijo Arturo más por dar fe de que seguía allí que por otra cosa. Aquella oscuridad agudizaba sus sentidos no visuales, intensificando la pestilencia del lugar y los lamentos de sus ocupantes. Consciente de que ante una situación extrema lo mejor es hacer algo trivial, Espinosa rascó una cerilla previa advertencia de que era la última que le quedaba y tras el chasquido le dio dos segundos de fuego a un pitillo, lo justo para que le sobraran otros cinco que alumbraron una breve porción de un pasillo ancho y flanqueado por puertas metálicas, en el que no había trazas del tártaro. La negrura volvió a apretarse alrededor del fósforo carbonizado, tan densa que la punta luminosa del pitillo no lograba más que siluetearse a sí misma.

—Bueno, se acabó el recreo —dijo el sargento—. Nos vamos.

—Lo que no entiendo es para qué ese cabrón...

Un estruendo profundo seguido de un penoso chirrido cortó la frase. El súbito rectángulo de claridad que se abrió al fondo del pasillo, soplando una correntada de frío, perfiló a un Espinosa replegado tras el humo del tabaco, aunque con el arma apercibida, desmintiendo su aparente calma. *Idite siuda, bystro* «Venid aquí, rápido». El acento de un Misha recortado en la luz les apremió a abandonar los márgenes sombríos de aquella locura. Caminaron hacia el sello luminoso.

Su primer paso les hundió en la nieve casi hasta la cintura. Se hallaban fuera del monasterio, en lo que debía de ser su popa, una zona en desnivel cercada por árboles opulentos. Los copos seguían cayendo leve aunque meticulosamente sobre cada porción del paisaje ya anochecido. El cambio brusco en la temperatura les obligó a respiraciones poco profundas, para que los pulmones y la garganta no se resintiesen demasiado. Misha se hallaba a su izquierda, en medio de una vía abierta, un surco transitado que se perdía pendiente abajo en la frondosidad de los árboles. Arturo, sorprendido por la rota impasibilidad del tártaro, optó por no reprocharle nada.

—*Shto sluchilos'?* «¿Qué ha pasado?» —le preguntó.

—*Otkryta byla* «Estaba abierta» —dijo señalando la puerta con pasmo.

Arturo la miró.

—*U kogo iest'ischo kliuch?* «¿Quién más tiene la llave?».

—*Tol'ko u meña* «Sólo yo» —dijo mostrando un pedazo de hierro oxidado.

—*I ñikogda ñe otkryvayetsia?* «¿Y no se abre nunca?».

—*Ñikogda. S tiej por, kak ya prishiol, ñikogda* «Nunca. Desde que yo estoy aquí, nunca».

Arturo estudió la cerradura de la puerta, indudablemente forzada desde el interior. Llamó a Espinosa para cotejar su opinión.

—Está forzada —perogrulló, tirando su pitillo.

—*Projodili zdies' ispanskie soldaty?* «¿Han pasado soldados españoles por aquí?» —le preguntó Arturo a Misha.

—*Zdies' projodilo mnogo narodu* «Por aquí ha pasado mucha gente».

—*Gm* «Ya» —se dirigió a Espinosa—. Nuestro hombre conoce bien el monasterio. Parece que lo dejó todo preparado para entrar sin problemas. Se ha tomado muchas molestias, ¿no cree, sargento?

—Sí, lo que no entiendo es por qué.

—Ni yo, pero por algo debe de ser.

Arturo se fijó en la senda abierta, y luego en la nieve que caía como confeti, liviana, pero con una pertinacia que no tardaría en enterrar cualquier pista. Había que moverse con rapidez.

—*Mozhesh vernut'sia* «Puedes volver» —le indicó a Misha—. *Skoro pridut drugie soldaty* «No tardarán en llegar más soldados». Sargento, vamos a ver adónde nos lleva esto.

Espinosa se enfundó aún más en su abrigo de mutón, y le tomó la delantera. Avanzaron despacio; la nieve afelpaba sus pasos mientras leían el alfabeto que desplegaba ante sus ojos, cada vez más turbio debido a la noche que caía. A trechos, los pequeños muros que los encajonaban estaban derrumbados, como si alguien se hubiera desplomado sobre ellos. Cuesta abajo, acabaron por penetrar entre los árboles, hasta llegar a la orilla del Sslavianka. Espinosa y Arturo taconearon con fuerza sobre la marmórea lámina de agua para desprenderse de la nieve que se había acumulado en sus botas.

—¿Qué le parece? —le preguntó a Espinosa.

El sargento le miró y habló despacio.

—Que ese cabrón lo llevó a punta de pistola hasta el monasterio.

—Sí, eso creo.

—¿Seguimos? —Espinosa extendió su guante bajo los ya no tan diminutos copos—. El rastro tiene que seguir en la otra orilla, y esto parece que va a más.

Arturo no se decidía a contestar. Contempló la belleza turbulenta de la nieve, que no hacía más que acentuar una gélida sensación de desamparo. Copos, millones de partes uniéndose de forma indefinida con simetría interminable. Era igual que su búsqueda, llena de partes que, sin representar el total, ponían de relieve un aspecto del todo. De repente, algo ocurrió en su cabeza. Se apoyó con firmeza en el máuser. Las pistas empezaron a mezclarse como los copos de nieve, en ráfagas súbitas, inestables, y dejó que siguieran latiendo a los ritmos ocultos de su extraño corazón, hasta que una de ellas brilló con fuerza.

—Sargento.

—¿Sí?

—El lugar donde encontramos a Luis del Águila no queda lejos de aquí, ¿cierto?

Espinosa tasó referencias y perspectivas.

—Creo que sí. Un poco más allá, cerca de la curva del río.

—Me da que nuestro asesino también quería llevarse a Luis del Águila a Molewo.

—Pero eso no concuerda con el enredo de los caballos.

—Quería hacer lo mismo con Luis del Águila, pero le salió mal.

—¿Cómo que le salió mal?

—Se llevó un caballo, pero no contó con que el resto se le desmandaría.

—¿Y por qué tendrían que ir precisamente detrás de él? Mira que no hay sitio...

—Pues por lo de siempre, porque tiran más dos tetas...

Espinosa se quedó perplejo.

—Por la yegua, hombre —reveló Arturo—. Usted me dijo que el caballo sobre el que habían transportado a Luis del Águila era una yegua. Y que el resto eran sementales.

—Hostia.

El sargento cayó en su fenomenal conclusión. Era tan lógico que parecía inverosímil.

—Espero que no se equivoque.

—En todo caso, equivocarse siempre significa avanzar, mi sargento. Vamos a ver por dónde siguen las huellas.

—Ya no se ve un carajo.

—Pues deprisita.

Se dirigieron hacia la otra orilla. No tardaron en encontrar la continuación de las huellas; no estaban situadas exactamente enfrente del punto donde se habían cruzado con el río, sino un poco escoradas hacia la izquierda. Las siguieron hasta las inmediaciones de Mestelewo, donde se desleían ya bajo la nevada. Allí, Arturo dejó que sus interrogantes se fueran engrosando al mismo ritmo que la noche y la nieve: ¿qué pintaba Molewo en todo aquel ritual de sangre?, ¿qué tenían en común Luis del Águila y el nuevo cadáver? Intercambió una mirada inquieta con Espinosa, que guardaba un inquisitivo silencio. En sus ojos leyó decepción, pero no de esperanzas no cumplidas, sino algo más profundo y habitual: la costumbre de ello; el sargento percibió en los suyos cierta agitación, proveniente del esfuerzo por concentrarse en Zira, en concertar una cita para esa noche con Aparicio, a fin de neutralizar el pánico que comenzaba a invadirle. Se sostuvieron la mirada hasta que Arturo cerró finalmente los ojos, con fuerza, notando cómo sus párpados rompían una película de hielo lacrimal.

Una gran luna abría un cerco en la oscuridad del cielo, dibujando entre grises y nacarados los dos cuerpos que se debatían en medio de una violencia sexual. Sus empujones eran violentos, secos, casi convulsos. Zira resistía los embates de Arturo con una expresión crispada, dolorida. Sus gemidos transponían a veces el umbral del grito, pero tanto unos como otros no eran fruto del placer, sino del dolor. Unos minutos antes, sin apenas mediar palabra, Arturo la había desnudado de dos zarpazos y la había tendido boca abajo sobre un mojón de paja. Al principio ella no se había resistido, desconcertada por su violencia, pero no había tardado en comprender que su actitud tambaleante y su aliento agrio, alcoholizado, le habían transformado en un desconocido. Sin apenas desvestirse, con los pantalones por los tobillos, la había penetrado con rudeza, a lo que ella había respondido arqueando la espalda y retorciéndose, pero Arturo contrarrestaba sus intentos de zafarse sosteniéndose sobre ella, apoyado en sus puños, que apresaban sus muñecas, y cargando con todo su cuerpo para aplastarla contra la paja. Era un acto caníbal, y con el que Arturo, al igual que en sus esporádicos encuentros con hombres en la cárcel, buscaba un resarcimiento, un castigo. Entonces había sido por la traición de Anna, por la perfidia de su destino entero, pero en ese instante, mientras hundía su miembro con firmeza entre las piernas de Zira, no la follaba a ella, sino a Hilde. Transitaba la confusa red viaria de la pasión, en la que castigaba a Zira por no poder amarla, y a Hilde en el cuerpo de Zira por estar condenado a la maldición de su amor. Puta. Puta. Puta. Arturo se detuvo en plena cabalgada, jadeante, extrajo el pene y cogiendo con fuerza su erección la orientó hacia el culo de Zira. Ésta reconoció sus nuevos tanteos y entre gañidos e insultos intentó darse la vuelta con las uñas engarfiadas, buscando sus ojos, pero Arturo esquivó la embestida y la obligó a ponerse de espaldas. Cuando consiguió penetrarla de nuevo, la actitud de Zira cambió; mientras la sodomizaba, su cuerpo se transformó en un muro rígido y caliente, y con una expresión vacía dejó que las oleadas de resentimiento de Arturo la recorriesen sin ofrecer resistencia. Era una química sorda, una pasión reducida a sudor y esfuerzo, una confianza destruida. El alcohol retardaba su eyaculación, lo que le hizo aumentar su dureza. Había una tristeza ilimitada en todo ello. Infinita. Acabó por fin y se retiró a un lado con la boca seca y la mirada clavada en el techo. Zira permaneció unos segundos boca abajo, con el rostro oculto por su melena. Se incorporó con dolorida lentitud y recorrió el suelo en busca de su ropa. Lo hizo sin una sola queja. Luego se limpió y comenzó a vestirse recortada por la luminosidad plateada que proyectaban las ventanas de la isba. Salió sin una palabra, sin un reproche. En cuanto Zira se fue, toda la cólera y la lujuria de Arturo, una vez estalladas, se le quedaron entre las manos como ese material lacio y pegajoso que dejan los globos al explotar. Su estómago, lijado por todo el vodka que había ingerido mientras la esperaba, comenzó a revolverse, pero logró contener un par de amagos de vómito. Se miró; daba una estampa patética, rebozado en paja y con los pantalones bajados, dejando al descubierto su sexo ya flácido, sus huesudas rodillas. Tuvo una sensación de vaciedad, sintió el abrazo de la depresión. Recorrió los tortuosos caminos de su alma, las minas, las cavernas; todo aquel caos nebuloso, desordenado. ¿Por qué lo había hecho? Le resultaba abrumador nombrar sus sentimientos, tanto como enfrentarse a su posesión. La soledad, la ausencia de amor, embajadores de toda muerte. Y lo absurdo. Lo absurdo que siempre demostraba lo humano. «El absurdo», vocalizó. El absurdo... El absurdo... El absurdo...

10. Salida de hadas

Cartucheras con la munición para el fusil, el KAR 98, la cantimplora, la marmita, la manta, la capa impermeable, la bayoneta, la mochila... Aparicio lo observaba todo con la cara sonrosadísima por el frío, en una mezcla indisimulada de reconvención y desconcierto, mientras Arturo trasteaba por la isba, recogiendo toda su impedimenta.

—Si vuelves a hacer algo parecido, me vas a espantar el «ganao» —le amonestó.

Arturo se detuvo en su búsqueda, devolviéndole la mirada al mozallón, que permanecía apoyado en el quicio de la puerta con los brazos cruzados. Su expresión no varió un ápice, y mantuvo su hosco silencio no tanto por la conciencia de que podía ser fusilado si se demostraba su abuso, como por la profunda vergüenza que experimentó. Se enfrascó de nuevo en la tarea de recolectar su equipo.

—¿Me has oído? —reiteró Aparicio con algo de veneno.

—Sí que le he oído, mi cabo.

—¿Y qué me dices?

Arturo interrumpió de nuevo su labor. El vaho de su boca daba una forma vaporosa al frío.

—¿Qué le ha contado la chica? —preguntó sonrojado.

—La chica no me ha contado nada, ha sido el *starassa*. Vino a quejarse de que ella no vendría más si estabas tú.

—Si estaba yo... —repitió el condicional; era un alivio que no hubiera abierto la boca, ¿vergüenza?, ¿orgullo?, ¿miedo?—. No ha pasado nada, mi cabo, no le he pegado ni nada. Es que... —vaciló sobre cómo retocar el incidente; escogió la complicidad entre machos—, verá..., es que yo estaba caliente como una estufa, y había bebido, y... —se abotonó con lentitud el chaquetón del uniforme invernal para ganar tiempo.

—Nos van a dar las uvas.

—Si es que me da apuro, mi cabo.

—Venga, hombre, no será tan grave.

Arturo adoptó una actitud de contrición mientras le refería el episodio —en su cabeza resonaba inclemente la palabra violación—, macerado con un par de descargos más y la no consumación. Aparicio sonrió con indulgencia irónica y se pasó una mano grande y roma por el costurón que señalaba su mejilla.

—Pues no me extraña que saliera de espantá —la disculpó—, si le querían romper el culo ese tan meneón que tenía, cualquiera.

—Las cosas cuadraron así, mi cabo. Lo siento —una sombra de conciencia le hizo mirar en otra dirección.

—Pues no lo sientas tanto y componte, que estás hecho una pena. Y encima has tenido una suerte loca —su voz se endureció—, mientras tú estabas pelando la pava los ruskis han hecho de las suyas y se han llevado a tres por delante.

—¿Dónde ha sido? —preguntó Arturo sinceramente consternado.

—Aquí al lado. Dormían en una isba. Debieron de ser partisanos, iban a tiro fijo.

—Los espías...

—Sí —su actitud fue torva, acre—, pero no creas que se van a ir de dulce, están preparando un golpe de mano.

Arturo asintió, conservando su expresión escarmentada, y localizó el soporte trapezoidal de cáñamo de su equipo junto al casco, cerca del horno de ladrillo. Acabó de vestirse.

—Listo. ¿Sigue con el camión, mi cabo? —templó Arturo.

—Mientras no se joda...

—Los alemanes tienen recambio de sobra.

—Siempre que a nosotros nos sobren las granadas... —aseveró con recobrada sorna—. Te dejas la panera —le avisó.

Arturo le dio las gracias y recogió el cilindro de metal estriado donde se guardaba la máscara antigás.

—Yo no sé para qué nos la dieron, si la mitad no sabe cómo ponérsela y los que saben, se ahogan.

—Pero la comida se conserva bien dentro —apuntó sin burla Aparicio, mientras se daba la vuelta.

Arturo salió detrás de él alojando sus remordimientos en el trastero de su mente. Era un amanecer destemplado, ceniciento, de diana cruda y sin contemplaciones. Aún caían copos diminutos, con escasa precisión rítmica, como poniendo aquí y allá los últimos y titubeantes toques en la pureza constructiva de la nieve. Controlaron sus respiraciones sutilmente, reduciéndolas a apenas un hilillo de aire. De fondo, la guerra continuaba con lujo de ametralladoras, cañones y morteros. Se dirigieron hacia las edificaciones de Mestelewo entre el ronroneo de unidades en marcha y tropas formadas. Arturo se dio cuenta de que la sinfonía de problemas que se intentaba resolver a diario se había acumulado ostensiblemente. Saludaron a un oficial que se les cruzó, y luego se despidió de Aparicio; su juventud, su energía, su desdén arrogante e inseguro levantaban a su paso un velo energético que sometía el mundo, y Arturo permaneció quieto, pensativo entre la admiración y la envidia mientras le observaba alejarse. Inesperadamente, respiró una ráfaga de aire salobre, algoso, que evidenciaba la proximidad del mar. La paladeó con delectación mientras consideraba qué dirección tomar. De momento, donde sirvieran el condumio: aún no había desayunado.

En la cantina, entre el estrépito de marmitas, los cubiertos de estaño y la algarabía de los soldados, se proveyó de lo que pudo para calmar el hambre de lobo que arrastraba, rebanadas grisáceas, miel artificial, muy granulada, café de malta y mantequilla. Solventada la mala costumbre de tener un estómago, Arturo regresó a su tabuco. Allí se libró del uniforme de invierno y se dejó acariciar por el vaho tibio y aromático de un café perfumado con un chorrito de coñac, de la nueva provisión que había conseguido. Mientras su sangre era caldeada por la estufa, se sentó en el catre y volvió a hojear los informes del capitán Joaquín Isart —tan llenos de faltas de ortografía— y las fotografías de Luis del Águila. Los caballos capturados por el hielo, los hocicos apuntando al cielo, las bocas llenas de espuma helada, el rostro del cadáver cubierto por las escamas heladas del frío. Arturo terminó su taza y cogió la naranja que maduraba junto al teléfono; palpar su cáscara agria y arrugada le transmitía una extraña calma que engrasaba su pensamiento. Dos muertos, los dos congelados en un latido de cristal, y él era su intersección. Las preguntas giraron en una espiral de pensamiento, ¿quién era la nueva víctima?, ¿cuál era el secreto que le imbricaba a Luis del Águila?, ¿tenía algo que ver con ella el páter?, ¿qué pintaba Molewo en aquella feroz gramática? Ya había encargado a Espinosa que averiguase hasta el número que calzaba el muerto, y a la espera de la autopsia del comandante Alfredo Larios, usaría el teléfono para proseguir sus pesquisas. En Molewo, cuando Espinosa y él regresaban al trineo, se cruzaron con el capitán Joaquín Isart, sin embargo sólo habían conversado lo justo para ponerle en antecedentes. Por eso la primera llamada fue a Pokrosvskaia, para hablar con él. Al contrario que la vez anterior, sí se puso directamente. La conexión era limpia, sin interferencias perceptibles, y un ritual de preliminares dio paso al meollo de su llamada.

—¿Cómo le fue en el monasterio, mi capitán?

—No sacamos mucho más que usted —contestó en tono neutro—. Interrogamos a algunos de los inquilinos, pero lo básico fue lo que ya nos había contado. El cadáver lo está trabajando el capitán Alfredo Larios. ¿Ha hablado con él?

—Todavía no, será mi siguiente llamada.

—Pues ya sabemos quién es el muerto, hemos requisado sus enseres.

—Usted dirá.

—Se llamaba Agustín Covisa Calero, estaba con el tercer batallón del dos seis nueve, en Ssluzk. Veintidós años, nacido en Castilla la Vieja. De profesión, electricista. En la guerra anduvo por el norte, siguió por Barcelona y después acabó en Valencia, donde se enganchó para acá...

—¿Sabe si estaba afiliado a Falange? —le interrumpió Arturo.

—No, no era de Falange.

—Mmm, siga, siga.

—Poco más. La hoja de servicios es regular, pero sin nada gordo. Huérfano de padre, y con novia. Tengo aquí sus avíos y un informe por escrito.

—Muchas gracias, mi capitán, su trabajo me facilita mucho las cosas. He de ir a Pokrosvskaia, así que lo recogeré todo allí. Y a propósito, ¿recuerda que en Molewo le hablé de una posible relación entre el monasterio y los dos asesinatos?

—Masones.

—En efecto. Creo que lo más razonable sería poner allí un retén con radio, concretamente en la entrada que forzaron. Si las cosas son como me imagino, y si nuestro hombre vuelve a actuar...

—¿Piensa que lo hará de nuevo? —inquirió Isart con interés.

—Sí.

—¿Por qué?

—No sé, yo lo haría. ¿Usted no, mi capitán?

Una ráfaga granulada barrió la respuesta de Isart, pero su voz no tardó en brotar de nuevo, algo distorsionada todavía.

—¿... qué hacemos entonces?

—Poner un retén —insistió Arturo—. Cabe la posibilidad de que más tarde o más temprano rehaga el camino. Por cierto, ¿se ha encargado del páter?

—Sí, ya está vigilado.

—Muy bien, y, capitán... No vendría mal un registro de sus pertenencias. Algo discreto.

—Será discreto —confirmó Isart sin alterarse.

—Perfecto. Ahora mismo me pondré en contacto con la estafeta para que retengan cualquier correo de ese Covisa. Creo que no me olvido de nada.

Un crepitar en la línea rayó la comunicación.

—¿Mi capitán? —Arturo se pasó la lengua por sus labios ariados, apretó con fuerza la naranja—. ¿Mi capitán?

—Ahora le oigo. ¿Nos queda algo?

—No, es todo.

—Pues dese prisa, soldado.

—A sus órdenes.

Arturo posó el auricular sobre la horquilla, y comenzó a pasarse la naranja de mano en mano, con fuerza. Cuando se cansó, la encajó entre sus piernas y releyó el informe sobre Luis del Águila. Con la cosecha de nuevos datos, buscó todo lo que las víctimas tuviesen en común. Aparte de que ambos se habían alistado en el banderín de enganche de Valencia, lo único que compartían era la mediocridad. Arturo pegó la barbilla a su cuello y miró la naranja como si fuera la materialización de un indicio. Valencia... ¿Significaba algo? Era un fulcro endeble donde apoyarse, pero ¿cuál no lo era? Cogió la naranja y hundió las uñas en su carne, inundando al instante el aire con un perfume ácido que le hizo segregar saliva. Le apeteció comérsela, y fue arrancando trozos de cáscara, colocándolos junto al teléfono; cuando quedó limpia, separó cuidadosamente los cincos gajos sobre la palma de su mano componiendo una especie de flor. «Mira que te mira Dios, mira que te está mirando...», silabeó pensativo. Tomó un gajo y lo estalló en su boca, y luego otro, y otro, y otro... De repente, el teléfono hizo un extraño, sonando en falso como si alguien hubiese golpeado su campanilla con un trozo de metal. Aquel impulso eléctrico no tuvo continuidad en el aparato, pero sí en sus neuronas, sacándole de su marasmo. Dispuso los trozos de cáscara con precisión maniática, salvo uno, que separó del resto. Reflexionó unos segundos y dio la vuelta a su razonamiento anterior. Si buscaba un vampiro, ¿no resultaría más fácil, antes que dedicarse a profanar tumbas, esperarle junto a sus posibles víctimas? ¿Cuántos guripas se habían alistado en Valencia? Y de ésos, ¿cuántos tenían conexiones masónicas? Siempre había que golpear cuando el hierro estaba candente; cogió el auricular y llamó al comandante Zarauza. Lo puso al día con rapidez, a lo que el comandante no opuso ninguna objeción. Sin soltar el auricular, se despidió de él y pidió comunicación con la estafeta del cuartel general. Se puso al habla don Esmerado.

—¿Diga? —su locución era inconfundible: formal, modulada.

—Mi sargento, soy Arturo Andrade. ¿Sabe que han encontrado otro muerto?

—Sí, estoy enterado.

—Se llamaba Agustín Covisa Calero, y servía en Ssluzk. Ya sabe lo que hay que hacer.

—Buscaremos si hay correo.

—Y necesito que me haga otro favor.

—Adelante.

—Tengo la corazonada de que nuestro hombre es de Valencia, y que la próxima víctima también será de allí. Así que vamos a limitarnos a revisar sólo el correo de Valencia.

—Nos pondremos a ello.

—Muchas gracias, mi sargento. Una última cosa, ¿podría avisar al soldado Octavio Imaz?

Su silencio demostró que la petición no acababa de encajar en las minúsculas casillas de su rutina funcionarial.

—Espere —resolvió.

Mientras lo hacía, Arturo cogió un lápiz y comenzó a borronear sobre un informe uno de esos dibujos de teléfono, maquinales, subconscientes. Cuando sonó el primer «diga», la punta de grafito se detuvo en la última línea de una figura esquemática llena de espacios vacíos.

—¿Diga? —oyó por segunda vez.

—¿Octavio Imaz?

—Yo mismo.

—Soy Arturo Andrade. Verá, me han comentado que usted podría darme cierta información sobre la masonería.

Estuvo atento a cualquier variación en su voz: el tono fue casual, pero precisamente lo era demasiado como para no encubrir un ligero desconcierto.

—¿Quién le ha dicho que podría hacerlo?

—Hablé con el comandante Reyes Zarauza. Usted escribió un libro sobre el tema.

Tosió un poco.

—Un pequeño ensayo solamente.

—¿Cómo se titula?

—*El contubernio.*

—Muy propio. A propósito, leí sus *Razones de España*. Brillante, si me permite decírselo.

—Muchas gracias —el halago pareció resbalarle.

—Entonces, ¿podríamos tener una charla?

—Yo estaré donde siempre —contestó sin afirmar nada.

—Muy bien. Hemos encontrado otro muerto, y creemos que los asesinatos pueden estar relacionados... —Arturo se dio cuenta de que estaba dando una explicación que no le habían pedido—. Bien —se corrigió—, pues le tomo la palabra. Me acercaré al cuartel.

—Le espero. Adiós.

—Adiós —se despidió Arturo con languidez.

El cálido sonido de las llamas en el interior de la estufa retuvo su atención momentáneamente. Se levantó lo justo para alcanzar un trozo de madera del pequeño montón que había junto a ella y encajarlo en su boca, entre los pedazos renegridos y la escoria al rojo vivo. El rostro del fuego era cordial y familiar, como las facciones de un ser querido. Ahora sólo quedaba por consignar el orden de las siguientes visitas. Octavio, Larios y, por supuesto, el fotógrafo, Paramio Pont. ¿Paramio, Octavio, Larios?, ¿Larios, Paramio, Octavio? El sonido del teléfono interrumpió sus permutaciones.

—¿Diga?

—Arturo, ya se sabe quién es el guripa —era la voz rozada por el tabaco del sargento Espinosa.

—Buenos días, mi sargento. Sí, ya he hablado con el capitán Isart. ¿Dónde está usted?

—Aquí, en Mestelewo.

Arturo se organizó con rapidez.

—Muy bien, hoy tienen que hacerle la autopsia al tal Agustín Covisa. Vaya a ver al comandante Larios.

—¿Y usted?

—Tengo que hacer en el cuartel general —le respondió ampliando su respuesta a Octavio Imaz y Paramio Pont—. Hablaremos a mi vuelta.

Se despidieron y Arturo extendió las manos hacia la estufa, como si anhelara tocar el fuego que ardía en su interior. Una chispa saltó y salió en volandas consumiéndose en el aire, recordándole la enorme cocina de carbón de su infancia, con sus arandelas concéntricas, desmontables. Ensimismado, decidió asearse un poco. Levantándose del catre, se acercó a la palangana y se contempló en el espejito que había dejado dentro. Sus oscuras ojeras, su escualidez, las marcas de viruela... Se pasó la mano por su pelo engrasado, encrespándolo, y luego comenzó a extender espuma a brochazos por su barba, para empezar a afeitarse meticulosamente. Mientras pasaba la navaja, su cabeza volvió a llenarse de un Badajoz mítico, su paisaje amarillo tostado, su casa llena de recovecos, y su madre rociando con agua una camisa o una funda de almohada, para luego manejar una plancha con enérgicos golpes, entre bufidos de calor... Cosas que, una vez desaparecidas, no podrían ser jamás repuestas.

Detuvo la navaja y, con ella, el flujo anárquico de imágenes.

No quería más recuerdos.

Porque eran peligrosos.

Porque no tenían defectos.

Y ahora qué se le ocurría.

Qué. Qué.

El sargento Espinosa...

¿El sargento Espinosa no era también de Valencia?

La situación resultaba así de extraña. Estaba el edificio de Carnización, y delante del edificio de Carnización el pastor alemán, y justo en el borde del territorio del perro había un ruso, y detrás del ruso había un alemán apuntándole a la cabeza con una Walter. Ése era el punto de la escena que contemplaba Arturo. En tono perentorio y severo el alemán le ordenaba que diera un paso, mientras el ruso se resistía con una desesperación entre infantil y animal. El perro, entrenado para matar, permanecía congestionado de rabia, con el pelo erizado y el hocico entreabierto, curiosamente quieto, como si una ancestral sabiduría en su sangre le indicase que no malgastase fuerzas, que la presa acabaría viniendo a él. No hacía ni media hora que Arturo había salido del tabuco y, antes de ponerse a buscar un medio de transporte, no quería dejar de acudir a su cita con el rencor. Pero, por lo visto, ese día se le habían adelantado. Conservó la calma, evaluó la situación. A la derecha del alemán había un grupo de soldados de rostros torvos, con barba de varios días; no parecían de la Wehrmacht, quizás era alguna unidad de las SS, pero no podía asegurarlo. A la puerta del edificio, y también en grupos aislados alrededor de los dos protagonistas, algunos soldados observaban la escena sin decidirse a intervenir. Pero lo que dejó a Arturo absolutamente descolocado fue el grupo de rusos que habían reunido contra la pared de uno de los barracones, vigilados por un par de miembros de aquella extraña hueste. Reconoció a algunos de ellos, prisioneros que echaban una mano en Intendencia o gente del pueblo que veía un día sí y otro también. *Einsatzgruppen,* recordó. Para desgracia de los rusos, acababan de aterrizar en Rusia aquellos oscuros ángeles caídos directamente del cielo nacionalsocialista. Fue entonces cuando su corazón se detuvo en una sístole, porque mezclado con el grupo estaba Alexsandr. Agarrado al faldón del abrigo de uno de los adultos, miraba asustado hacia el alemán que en ese momento incrustaba el ánima del cañón de su pistola sobre la frente del ruso, obligándole a retroceder hasta ponerse en el borde del compás. Arturo fraguaba alguna manera de detener aquella salvajada, cuando uno de los guripas, un tipo de rostro enrojecido, pequeño pero duro como una nuez, se acercó al germano y le plantó cara. Como siempre, el soldado le habló en el galimatías de español, alemán y ruso que formaba el esperanto de la División y del que Arturo entresacó que el nativo era uno de sus ayudantes y algo de que lo que decía lo hacía a las claras. *Ungeziefer,* sabandijas, fue la respuesta del teutón balanceando la pistola en dirección al ruso pero sin variar su ángulo, momento que aprovechó Arturo para intervenir y ofrecerse como intérprete a fin de poner una mecha lenta a aquella explosiva situación. Todo se desquició entonces. Cuando el pastor alemán percibió su presencia, rompió el frágil juego de equilibrios y apuntó su hocico y sus ásperos ladridos hacia él. Su repentino estallido excitó al germano, que endureció su determinación escupiendo secas interjecciones y repartiéndolas entre el ruso y el guripa. El prisionero temblaba como si estuviera desnudo; el guripa levantó los brazos e insultó al teutón; Arturo intentó mediar para detener aquella locura. De entre el grupo de rusos empezaron a salir gritos de angustia, ruegos, y de los SS, órdenes y amenazas. En medio de aquella barahúnda, el alemán, nervioso, enfurecido, desvió unos segundos su Walter hacia el soldado. Fue suficiente para que el resto reaccionase con la violencia típica de los españoles, cercando con un bosque de armas que parecieron salir de la nada a los alemanes, tan sorprendidos de su furia que no acabaron de creérselo. Cuando lo hicieron, encañonaron a los guripas con igual firmeza, y uno de los que vigilaban a los del barracón cogió en volandas a Alexsandr, lo colocó delante de él y le apuntó con su fusil ametrallador. Arturo se quedó pálido y enmudeció al tiempo que el alboroto arreciaba. Gritos, empujones, chillidos, forcejeos, amenazas. Ni siquiera las voces de mando de los oficiales surtían efecto. De repente, en el punto álgido, se oyó un disparo atronador y a renglón seguido cesaron por completo los demás sonidos. El ruso se desplomó con fuerza sobre la nieve. En su frente, un tiro limpio, un agujero perfecto, de color oscuro, y en torno y bajo la piel la abolladura del hueso. De él comenzó a salir un hilillo de sangre, casi hirviendo por la temperatura exterior, que se escurrió hasta la nieve y la agujereó. Aprovechando el desconcierto, una mujer logró zafarse de sus guardianes y corrió a arrodillarse junto al desgraciado, empezando a mecer su cabeza entre sus brazos, sollozando sin parar. Todos, como figurantes de un sueño, callaban y contemplaban a la mujer, todos menos Arturo, que seguía vigilando la pistola que el alemán había mantenido recta, como si aún amenazase al espíritu del muerto, y que fue descendiendo lentamente hasta tener encañonada a la mujer, para disparar a continuación contra ella, reculando cortamente, haciendo que echase sangre por la cabeza. Los soldados se quedaron atónitos, pero Arturo no se lo pensó dos veces, sacó su Tokarev y se dirigió hacia el SS que tenía agarrado a Alexandr, que al verlo venir levantó su arma, titubeante, sin acabar de apuntarle, lo que le dio tiempo para agarrarle por el mentón y hundirle su pistola en el cuello.

—*Lass es los* «Suéltalo» —gritó.

Guiados por su determinación, los soldados recuperaron posiciones y estrecharon el cerco; ahora sí que no estaban para contemplaciones. Al mismo tiempo, el pastor alemán, que se había refugiado en su pecio tras escuchar el primer disparo, volvió a lanzar andanadas de ladridos que actuaron de acicate para la adrenalina y el miedo. Sus ojos iban locos de acá para allá, en un delirio de sangre, reflejando la determinación de unos y la contundencia de otros; los españoles, destapando una fuerza férrea bajo su aparente mediocridad, los alemanes, ángeles glaciales que no renunciaban a sus sacrificios humanos. Todos sabían que bastaría un nervio mal afinado para convertir Mestelewo en una llaga, pero nadie cedía. Arturo levantó el percutor con un movimiento de su pulgar y colocó la boca del cañón contra la sien del SS, haciéndole daño.

—*Ich werd Dir Deinen verdammten Kopf abschiessen. Verstehst Du mich?, Lass es los* «Te voy a volar la puta cabeza, ¿me oyes?, suéltalo» —gritó.

Por toda respuesta el alemán le miró; había un no sé qué irreal en sus ojos, una lentitud que no alcanzaba a seguir la eficacia de sus acciones. Agarró con más fuerza a Alexsandr.

—*Das wird nicht die Einzige* «No será la única» —respondió secamente.

Arturo se descolocó, no parecía un valiente, sino alguien cansado de vivir, y por ello mucho más peligroso, porque le daba igual que le matasen. Y lo vio claro, vio que estaban todos muertos, que no había salida. Observó a Alexsandr, que le miraba aterrado con el 7,92 pegado a su pecho. Cierra los ojos, le dijo Arturo, ciérralos, y luego empezó a rezar al oído del alemán, somos portadores de niños, porque mientras llevemos un niño, podremos eludir el mal con el manto de la inocencia, ciérralos, rusito, atravesaremos ríos, atravesaremos tempestades, ciérralos, pequeño, podremos atravesar incluso las llamas del infierno. De repente, en el borde de todo, un ronroneo constante flotó sobre ellos taladrando sus tímpanos a medida que se acercaba. Era la Parrala. La estridencia de los motores logró lo que no habían conseguido las amenazas. Rápidamente, los alemanes hablaron entre ellos y comenzaron a soltar a sus rehenes, iniciando una retirada escalonada sin dejar de apuntar a los guripas. El SS que tenía agarrado Arturo levantó su arma y empujó a Alexsandr levemente hacia delante. Arturo respondió separando el cañón de su sien y dio un paso atrás. Sin mirarle, el alemán se dio la vuelta con rapidez y siguió a sus camaradas. Arturo abrazó inmediatamente a Alexsandr, cuyo rostro se contraía, pero no acababa de llorar. La Parrala continuaba acercándose, provocando una desbandada general hacia los búnkers. También Arturo se dirigió hacia ellos con el crío. En el que eligieron para refugiarse coincidió con el tipo pequeño y colorado que había iniciado el enfrentamiento. Volvió a abrazar al rusito mientras vigilaba el cielo junto al soldado.

—Bien hecho —le dijo.

Pero el guripa no parecía muy orgulloso.

—Casi me meo encima —hinchó los carrillos y resopló—. Esos tíos eran duros de verdad, nunca había visto algo así. ¿Has visto cómo miraban? ¿Lo has visto? Parecía que estaban muertos. ¿Sabes quiénes eran?

Para que un veterano como aquél apenas pudiese tragar saliva del susto, tenían que haberle impresionado de verdad. Arturo negó con la cabeza y estrechó con más fuerza al rusito, que lo atisbaba todo temeroso. Mientras, la Parrala se acercaba más y más, ronroneando, ya estaba sobre ellos, ya abría su panza preñada. Y de ella comenzaron a caer docenas, cientos de... octavillas. Una planeó hasta donde se hallaban cayendo en sus manos. Tenía dibujado el cadáver de un soldado alemán al pie de un árbol navideño y, al lado, el retrato del Führer con un collar de calaveras y una inscripción: «¡Con Hitler sólo irás a la muerte! ¡Pásate al glorioso Ejército Rojo!». Arturo se la pasó al soldado y despeinó con cariño y energía a Alexsandr, que empezaba a dejar de temblar. También Arturo estaba logrando eliminar su miedo, lo supo porque comenzaba a sentir el frío, dos sensaciones incompatibles. Cuando pasó el peligro, cogió de la mano al rusito y fue en busca de sus compañeros. Encontró a un grupo de ellos no muy lejos del barracón de Carnización y dejó a su cuidado a Alexsandr, que, en cuanto Arturo se alejó unos metros, fue envuelto por el cariño de una mujer surgida repentinamente, abrigada por una pelliza burda y con una toquilla en la cabeza que le impedía verle la cara. Era el mismo tipo de amor que la última vez había expresado con azotes. Arturo esbozó una mueca de satisfacción y tuvo curiosidad por conocerla. Pero cuando intentó acercarse, la mujer pareció asustarse y se alejó casi arrastrando a Alexsandr, que no pudo ni mirar atrás. ¿No había estado presente cuando se había jugado la piel por el niño? ¿Creía que era otro de aquellos cabrones? Apretó los labios ponderativo; había algo en la mujer que le resultaba conocido, una inexpresable familiaridad. No tuvo tiempo de más consideraciones, un guripa desentonado había empezado a cantar, seguido a voz en cuello por otros.

Los voluntarios de la Falange,
viva la madre que los parió,
que viva el cura que los bendijo,
que son más grandes que el Faraón.

Por una vez, Arturo estuvo de acuerdo. Les acompañó.

Luego volvió la Parrala.

Y esta vez no se olvidó de las bombas.

Al bajarse en marcha del camión de Intendencia, tuvo que hacer una corta carrera hasta detenerse apoyándose en la oruga de un tractor. El aire estaba helado y transparente como un bloque de vidrio, con la temperatura rondando los cuarenta bajo cero, y alrededor de Pokrosvskaia continuaba sonando una inacabable sinfonía táctica y logística. La nieve temblaba a través de las ráfagas de aire caliente que provenían de una fila de vehículos; un ronroneo de motores que trasladaban tropas y artillería primaria a algún lugar del frente. Entre ellos, un magnífico y absurdo Hudson Terraplane incautado en Francia, con un dispositivo soldado para uncir el cañón que arrastraba; magnífico porque había sido construido para pasear por los casinos de la Costa Azul, y absurdo por arrastrar aquel antitanques. Arturo cruzó sus roderas de nieve y caminó hasta la entrada del palacete; dentro se identificó y se dirigió a la estafeta. El sargento Cecilio Estrada, «don Esmerado», le vio llegar, pero no hizo ademán de moverse, poco dispuesto a alterar su industriosa rutina.

—Buenos días, mi sargento —saludó Arturo.

—Buenos días.

—¿Cómo va todo?

—Se hace lo que se puede.

—Se lo agradezco.

Observó a don Esmerado, que no había dejado de sellar unos sobres con un movimiento muelle. No tenía majestad ni elementos heroicos, pero era de los pocos que transmitían una ilusión de seguridad. Se dispuso a preguntar por Octavio, pero el sargento le ahorró el trabajo.

—Octavio no está en las oficinas —dijo sin detener el estampillado—. Ha tenido que ir a Transmisiones.

—Muy bien, mi sargento, iré a buscarle.

Todavía aguardó un poco, pero su esperanza de que le preguntase algo, ser testigo de un gesto que le humanizara, se vio defraudada. Saludó de nuevo y se encaminó a Transmisiones. Cruzando el vestíbulo, localizó las escaleras que llevaban a los sótanos del palacete y bajó por ellas. En el subterráneo, a lo largo de un pasillo abovedado, se afanaban los telefonistas y radiotelegrafistas del grupo de Transmisiones; un manicomio donde los guripas, pegados al auricular forcejeando con clavijas o pulsando epilépticamente las chicharras, mantenían a la División en permanente contacto. Arturo siempre había tenido claro que eran ellos, y no los guripas de primera línea, los que más miedo pasaban, porque eran los que tenían una perspectiva global de la situación. Le resultó fácil localizar a Octavio Imaz, y no tanto por su estatura como por su estar; se hallaba inclinado junto a un telégrafo, con unos papeles en la mano, al dictado, y la otra apoyada en la cadera con una elegancia estatuaria. Esquivó el tráfico de uniformes y esperó a que terminase su dictado.

—Buenos días, Octavio Imaz.

Se quitó el casco y saludó, siendo respondido con una mirada examinadora y un significativo brazo en alto. Eran prácticamente de la misma estatura, que era como decir que le sacaban la cabeza al resto de soldados, pero la figura quebrable de Octavio, su rostro macilento, parecían más limados por Rusia.

—Necesitaremos un lugar donde hablar —propuso Octavio.

—Sí, supongo que sí.

—Sígame.

Dejó los folios al telegrafista acompañados de una corta explicación y le cogió la delantera hasta la estafeta, pasando por delante de un impertérrito don Esmerado, sin saludarlo, mostrando de nuevo aquella misteriosa elusión del rango y, lo más importante, sin que éste se diese por aludido. Avanzando por el pasillo, se detuvo ante una puerta situada unos metros antes del gabinete de censura. Allí al lado podía escucharse la cháchara de la Watermann. Octavio entró en la habitación y, tras él, Arturo. Era una especie de almacén sin ventanas, iluminado por una bombilla de luz amarillenta, colmada de sacas de correo amontonadas y material heterogéneo que iba desde máquinas de escribir a ciclostilos, con una mesa y una silla en el centro. Octavio se sentó en un hueco abierto entre las gruesas sacas, elevando un poco la rodilla para palmear su bota, limpiándola de una roña imaginaria, y apoyando luego el tacón sobre el correo para descansar un brazo sobre su rodilla. Le miró como calculando cuánta de la frágil arcilla de la que estaba hecho era moldeable.

—Me preguntaba qué clase de persona sería usted —dijo.

Arturo, que había permanecido de pie, con el casco en una mano y con los pulgares de la otra metidos en el cinturón, frunció las cejas.

—¿A qué se refiere?

—Sí, qué clase de persona busca la verdad. Primero en Madrid, tras *El arte de matar dragones,* y ahora aquí.

—Cumplo órdenes.

—Siempre parece que debe ser usted quien las cumpla —le aguantó la mirada unos segundos más y luego elevó la barbilla y aspiró con fuerza, como si sacase la cabeza de debajo del agua—. Bien, ¿qué necesita?

—Que me hable de la masonería.

—¿Qué parte de ella?

—La que concierne a los castigos por revelar secretos. Aunque también le agradecería que me diera una idea general. Existen ciertos conceptos, el Arte, el Gran Alcahest..., que no tengo suficientemente claros.

—¿Y por qué quiere saberlo?

—Han asesinado a otro guripa, y tengo la sospecha de que tanto éste como el anterior están relacionados con algún tipo de rito masónico.

—¿Y por qué lo cree?

Arturo le sintetizó una parte de las investigaciones, tomando los fragmentos más inofensivos en algunos casos, y en otros destacando lo que se incardinaba con su hipótesis, el testimonio de Ricardo Guerra, la evaporación de la sangre, la misteriosa oración grabada en los cuerpos... Octavio se mantuvo atento e impasible mientras le escuchaba, hasta que al hablarle de las condiciones en que había sido encontrado el cadáver de Agustín Covisa, su mandíbula se tensó y una leve contracción de su mejilla, como si se hubiese pinchado, indicó que algo había disparado sus neuronas. Esperó a que Arturo terminase su exposición y luego habló de una manera deliberada, escuchándose.

—Hasta donde yo conozco, no intervienen animales en los ritos masónicos.

—Eso confirmaría que los caballos en el río no fueron más que un accidente.

—Eso por un lado. Respecto a la primera ejecución, son reconocibles los ritos del castigo en el grado primero de «El Arte». Le recito parte del juramento: «Yo, en presencia del Gran Arquitecto del Universo, y de esta digna, venerable y patentada logia de Masones Libres y Aceptados, regularmente convocada y adecuadamente dedicada por mi propia libre voluntad y acuerdo, sincera y solemnemente prometo y juro que yo siempre ocultaré, esconderé y jamás revelaré parte ni partes, punto ni puntos de los secretos o misterios propios o que pertenezcan a los Masones Libres y Aceptados que puedan en adelante ser conocidos por mí o se me comuniquen en el futuro, todo esto bajo una pena no menor de que mi garganta sea cortada y mi sangre derramada en la tierra...».

—Eso explica la sangre —Arturo no pudo evitar intervenir casi con entusiasmo.

—Sí, pero lo que no me explico son esas frases, «Mira que te mira Dios, mira que te está mirando», me temo que no tengo noticias de que formen parte de sus ceremonias.

—De todas formas me permite eliminar opciones.

—En cuanto a la manera de ejecutar a ese Agustín Covisa...

Octavio se tomó su tiempo y Arturo sintió angustia, una ansiedad que no era más que una forma de impaciencia.

—... Responde al rito de segundo grado —prosiguió—, la fórmula es similar sólo que cambiando el hecho punitivo: «Bajo una pena no menor que ver mi pecho izquierdo abierto, mi corazón arrancado de él y entregado a las aves rapaces del aire, o a las bestias devoradoras de la tierra, como una presa». No obstante, lo que más me llama la atención es el lugar donde le han matado.

—Molewo —apuntó Arturo.

—El monasterio de Molewo, efectivamente. Verá, este tipo de ejecuciones no precisa un lugar concreto, no hay un corpus específico, o sea que aquí te pillo y aquí te mato. Pero eso sólo en lo que se refiere a la masonería corriente.

—¿Es que hay más de una masonería?

—No, no, lo que ocurre es que en todo grupo existen núcleos duros, alas más extremistas, más radicales, y que son los que normalmente poseen más influencia. Dentro de la masonería existe una logia, muy poderosa y muy secreta, una especie de masonería dentro de la masonería, llamados los perfectibilistas. Éstos mantienen una liturgia mucho más estricta y esencial, e incluso diferente en muchos aspectos, más acorde con las raíces de «El Arte», por eso sería posible que el asesino fuera un perfectibilista en busca de un escenario más tradicional, algo en lo que Molewo encaja a la perfección. Lamentablemente todo esto no se lo puedo confirmar.

—Todo coincide entonces. El asesino quería ejecutarles a ambos en Molewo, sólo que con Luis del Águila pasó lo que pasó. Lo que no comprendo es qué tiene que ver la masonería con un monasterio ortodoxo.

—Le sorprenderá lo que tiene que ver, pero aquí ya tendremos que hacer inventario histórico.

—Le escucho.

Octavio cambió de postura y se desabrochó un botón de la guerrera.

—En realidad, el monasterio de Molewo no es sino una fortaleza de la antigua Orden Teutónica que, al cabo del tiempo y una vez abandonada, unos monjes habilitaron como tal —Arturo abrió la boca pero le calló con un gesto de su mano—. Tiene que haberse dado cuenta de que el edificio no parece exactamente la casa del Señor.

—Sí, me he dado cuenta.

—La Orden estaba formada por nobles alemanes, antiguos caballeros del Temple que se escindieron y montaron su propia Cruzada, aquí, contra los eslavos paganos. Los teutónicos organizaron su propio Estado desde Estonia hasta Polonia, siguiendo por supuesto el modelo templario. Y aquí entra la masonería. En esencia, hunde sus raíces en las asociaciones de constructores de Roma, e incluso antes, en Grecia, los dionisistas, sacerdotes de Dionisos, constructores de teatros, que poseían ritos sagrados de iniciación y signos de reconocimiento secretos. La aparición del cristianismo despaganizó a estas asociaciones que... ¿Hay algo que no entienda? —preguntó al comprobar que los ojos de Arturo estaban un poco más abiertos.

—No, siga.

—Como le decía antes, las cofradías de constructores (masón viene del francés *maçons,* constructores) sobrevivieron al amparo de las órdenes religiosas, sobre todo los templarios, que sembraron Europa y Palestina de edificios. Pero ese intento de cristianización nunca cuajó del todo, hubo oscuros grupos mistéricos que conservaron un substrato pagano, la gnosis, hasta acabar imponiéndose y, tras abandonar sus primitivas labores arquitectónicas, le imprimieron a la masonería un carácter laico y político, convirtiéndola en una sociedad secreta.

—¿De ahí todos esos extraños rituales y nombres?

—Seguramente. Es un potaje de creencias, desviaciones heréticas, ritos, símbolos... El Gran Alcahest, la Oscuridad Visible o como quiera llamarlo es un ejemplo de ello; antes era el nombre secreto de Dios, o más bien de un gran Arquitecto Divino, porque son deístas, y ahora es una simple y llana tradición. Y si se ha fijado, en Molewo hay una mezcolanza religiosa peligrosamente rayana en el sacrilegio, sobre todo los *baphomets,* unas cabezas que remiten a antiguos cultos y antiguos dioses.

Arturo recordó la agresividad teológica de las tallas que le habían observado durante toda su visita.

—Inquietante.

—Sin duda. Y también apasionante.

—¿Y cómo es que sabe usted tanto? Se supone que sólo los iniciados están en el secreto.

Octavio ladeó la cabeza.

—He estudiado documentación incautada —su tono indicaba que no añadiría nada más.

Arturo posó el casco sobre una saca y se colocó las manos a la espalda, arrugando la frente.

—De forma que si nuestro hombre, nuestro...

—Perfectibilista.

—... nuestro perfectibilista comete otro asesinato, lo lógico es que vuelva allí.

—Tendría sentido.

—Ya he colocado un retén.

—Una decisión acertada.

—¿Y cuántos grados más hay? —continuó averiguando.

—Dos.

—¿Puede hacerme un resumen?

—Son rituales muy complejos, pero básicamente se va ascendiendo en una jerarquía, aprendiz, compañero, maestro... y por lo tanto el castigo es más duro cuanta más información tienes. En el tercer grado, el juramento habla de un castigo no menor de ser partido en dos, «mi cuerpo y mis entrañas reducidos a cenizas y arrastrados por los cuatro vientos cardinales del cielo», y en el cuarto, el grado supremo, también llamado Arco Real, donde se supone que recibes la iluminación masónica, el Gran Alcahest, o como quiera llamarlo, se le arrancaría la cabeza y sus ojos serían cortados.

—Son penas muy severas. ¿Conoce a más masones en la División?

—Los masones basan su existencia en no existir, en su imposibilidad, y se cuidan muy mucho de revelarse.

—Como los vampiros.

Octavio sonrió por primera vez.

—Sí, en cierto modo.

—Pero entre ellos tienen formas de reconocerse.

—Sí.

Arturo dio dos pasos y le pidió la mano derecha, «¿me permite?». Octavio dudó, pero la voz juiciosa y aplomada de Arturo acabó por vencer su prevención. Su mano era fina, con las uñas cuidadas, pero estaba roja y desportillada, y cuando Arturo ejerció una fuerte presión con su pulgar en la primera articulación, se resintió un poco.

—Artritis —explicó—. El frío.

—Disculpe.

—No pasa nada. Supongo que esto es una forma de identificación entre hermanos.

—Sí. Luego se dice una fórmula, be, o, a, zeta —deletreó, y luego se pasó su pulgar por la garganta, recorriéndola—. Por lo visto, esto se da y se recibe.

—¿Y sabe las señas del resto?

—No, sólo esta de primer grado.

—Pues no le recomiendo ir por ahí pulsando manos si no tiene un conocimiento exacto de los usos, pueden pasearlo.

—Ya me lo han advertido. ¿Usted conoce más formas?

—No, preservan muy bien sus ceremonias, y si esto se lo ha revelado ese Ricardo Guerra, no creo que dure mucho.

«No lo sabe bien...», pensó Arturo. Justo entonces se abrió la puerta y un soldado asomó medio cuerpo, quedando paralizado por su presencia. Un poco confuso, farfulló unas disculpas y volvió a cerrar la puerta. Los dos se quedaron mirándola fijamente, con el vapor de su respiración hilachándose en el aire.

—¿Cómo ve usted el asunto? —Arturo rompió el silencio.

Octavio posó su pierna en el suelo, se acarició una de sus cejas y luego cruzó los brazos; titubeó, pero no como si no supiera qué decir, sino como si tuviese demasiado donde elegir.

—Es probable que ese individuo tenga un grado elevado en la masonería —resolvió—, como mínimo hasta el segundo, eso es de cajón. Y que esté llevando a cabo algún tipo de represalia —miró al suelo y luego derecho a Arturo—, ¿se sabe si los muertos pertenecían a alguna logia?

—No se tiene constancia, por el momento.

—Tampoco es necesario, en el juramento también queda incluido cualquier tipo de agravio contra un hermano, puede tratarse de un ajuste de cuentas con alguien de fuera. Tienen rituales estipulados para ello. Lo que me resulta insólito es que si no se tiene constancia de su pertenencia, el asesino les ejecute utilizando sentencias de diversos grados exclusivas para los miembros... —golpeó el aire con sus manos como si tocasen un teclado—, es como si..., como si fuera una advertencia a alguien que sí fuese un hermano, pero que ignorase su grado, como si tantease y le advirtiera con esa frase... —hizo un movimiento rotatorio con la mano, incitándole a continuar.

—«Mira que te mira Dios, mira que te está mirando» —recordó Arturo.

—Sí, como si estuviera advirtiéndole, como si estuviera buscándole...

—Es una posibilidad —imaginó Arturo—. Pero, si está buscando a alguien, ¿qué pintan aquí esos muertos?

Octavio se encogió de hombros.

—Algo pintarán. Aunque tendrá que esperar a otra víctima para intentar confirmar todo esto, porque seguirá matando, ¿no es cierto?

Arturo intentó sostener la mirada de Octavio Imaz. Su última frase le había cogido desprevenido. Retiró los ojos.

—Eso creo.

Octavio asintió y tironeó de un emblema metálico en su guerrera, con dos manos que se estrechaban entre dos ramas de laurel. Después observó con genuino interés las líneas y espirales de la huella de su dedo corazón.

—No quisiera estar en su pellejo, me refiero al tipo que busca el asesino, no cuando alguien así te tiene entre ceja y ceja. ¿Se da cuenta de que no busca únicamente desquitarse? Quiere también su miedo, le está presionando, y no sólo para que cometa algún error, sino para disfrutar de su pánico.

Arturo se demoró en un abstraído Octavio. A pesar del uniforme, sus gestos, maneras, dicción, todo mostraba su origen aristocrático, su cultura. Arturo no podía dejar de sentir cierto rencor por el lugar que le había deparado la vida en su pirámide, el mismo resentimiento que le había empujado a cambiar Badajoz por Madrid. Se acarició el rostro en busca de algún rastro de barba, encontrando con desagrado unos cañones mal afeitados. Luego, como si todo su pesimismo se hubiera concentrado en sus rodillas, comenzaron a dolerle. No había más remedio que terminar de romper la baraja.

—También hay otra línea de investigación.

Dejó la frase en el aire y aguardó la curiosidad de Octavio.

—¿Qué es?

—Ha muerto un falangista y a continuación un militar. A nadie se le escapa que las relaciones no están precisamente en su... —escogió con cuidado las palabras— mejor momento.

Octavio le miró como si le hubieran abofeteado.

—¿Y eso qué tiene que ver?

—Simplemente me preguntaba si ambas cosas no podrían estar relacionadas. ¿Puedo hacerle esa pregunta a usted?

—Yo soy un soldado más, no veo que...

—Usted es un miembro destacado del Movimiento —le cortó Arturo, optando por no darle respiro—, con un puesto importante en Madrid. ¿Sabe que hay oficiales que se quejan de que no se puede dirigir un ejército donde hay soldados que mandan más que ellos?

—No creo que sea el caso.

—Entonces hagamos una cosa, hagamos como que fuera el caso. Sólo escúcheme, sólo eso. Y esto no volveré a repetirlo. Digamos que yo entiendo muchas cosas. Entiendo que la Falange no es de derechas ni de izquierdas, y que tenía un concepto de España distinto del actual, más innovador, incluso asimilando a los vencidos, y que hay una revolución pendiente; digamos que yo entiendo que todo el mundo dice que estuvo en el teatro de la Comedia con José Antonio, pero que a sus espaldas lo tacha de rojo; digamos que yo entiendo que los camisas viejas siguen defendiendo el programa original, pero que los camisas nuevas y la derecha de toda la vida han guardado todo eso en el baúl de los recuerdos y prefieren el poder, el posibilismo, la mediocridad, es decir, prefieren a Franco —al mencionar tan arriesgadamente al Caudillo, Arturo logró su propósito: despertar su interés—. Sí, digamos, finalmente, que quieren sustituir la brillantez intelectual, a Foxá, a Laín Entralgo, a Sánchez-Mazas..., por cuatro machacas malparidos que confunden el estreñimiento con una atormentada vida interior. Teniendo esto claro, habría un grupo de patriotas dentro de la División que no quiere que su sacrificio sea estéril, y que pretendería que una vez ganada la guerra por los alemanes, éstos utilizasen a la División como el germen de la nueva fuerza política del país. Entiendo que esa posibilidad es ahora mucho más relativa por la situación de los frentes, porque a Franco tampoco se le ha escapado y ha empezado a retirar a los falangistas más importantes para tenerlos a su vera, bien ataditos, y porque después de la destitución de Serrano y de Muñoz Grandes y con las penalidades que estamos pasando, la gente va perdiendo el entusiasmo y cada vez resulta más complicado reclutar gente. Por lo tanto, este mismo grupo podría haber decidido empezar esa nueva España por su cuenta, antes de que sea demasiado tarde. Y aquí entro yo, porque si no estoy enterado de que los invitados están dándose patadas por debajo de la mesa, todo lo que haga son palos de ciego. Simplemente necesito un sí o un no, es muy sencillo. De veras que lo es. Y así yo no molestaré más y no me jugaré la vida a lo tonto. ¿Sí o no?

Octavio frunció los labios y sorbió por la nariz.

—Es una gran pregunta —dijo—, tanto que no le voy a contestar, porque la respuesta nunca estaría a su altura.

Arturo sonrió.

—Aunque sólo fuese para no estorbar, debería aclararme algo.

—¿Quién es usted? —su pregunta comenzaba a convertirse en un estribillo.

—¿Yo? —se quedó pensativo—. De los buenos —improvisó.

Octavio casi sonrió.

—«Mira que te mira Dios»... —tarareó—. A Dios deben de gustarle un montón los imbéciles, porque no se cansa de hacerlos, pero eso no sería un problema si no los remitiera todos a España. Sí, nos lo está poniendo muy difícil Dios. Y algo habrá que hacer. Algo.

No hizo ademán de continuar. Y Arturo tuvo esa sensación de prisa, como si estuviera contando los segundos que permanecía allí. Supo que no había más que rascar. Liquidó la entrevista.

—Me gustó mucho su libro —dijo con sinceridad, sin pretensiones.

—¿De veras? Se lo agradezco.

—Primero dejan de conmovernos las pasiones de los dioses, y luego las nuestras... —citó de memoria.

—Es inevitable, por eso debemos trabajar para que la lealtad al sueldo no sustituya a la de la bandera. Antes —recalcó el antes, que quería decir antes de Franco, antes de la calderilla ideológica, antes de toda aquella inútil degollina— había cosas por las que luchar. No debemos olvidarlas.

Miró a Arturo como quien sabe cosas que el otro desconoce, cosas que no sería sano que supiese o que no tenía calidad para ser su depositario. Y Arturo revalidó su idea de que Octavio era una cifra más a resolver en todo aquel entramado, pero ni disponía de tiempo ni le convendría despejarla. En aquel momento, Octavio Imaz Cadenas estaba en un agujero, y lo primero que uno tenía que hacer era dejar de cavar, pero él no estaba dispuesto, pensó, ni lo estaría nunca. Y lo peor es que ni siquiera fue capaz de admirarle. Terminó por mirar hacia otro lado y buscó una fórmula de despedida que no implicase nada.

—Muchas gracias por su ayuda.

—No hay de qué —contestó—. Y, Arturo... —la frase a medio acabar le retuvo—, no estaría mal que siguiera buscando. Al fin y al cabo, alguien tiene que hacer justicia.

—¿Eso implica un sí o un no?

—Que tenga un buen día.

Octavio se levantó de los sacos, saludó con precisión. Luego abrió la puerta y esperó a que Arturo saliera para apagar la luz. En el pasillo le sonrió con un educado y casi imperceptible movimiento de cabeza y se volvió hacia la habitación de la Watermann. Arturo le vio alejarse considerando que, efectivamente, el Señor no repartía con equidad sus dones. En todos los sentidos. Se colocó el casco con esmero y tiró de su uniforme. Para enfrentarse a la incertidumbre que se alzaba ante él era imprescindible tamizar lo lógico viable, que se nutría de lo imaginable, que a su vez se alimentaba de lo verosímil, y esto de lo probable, ¿y qué era lo más probable?, se preguntó. Él mismo se dio la respuesta: que hubiese un cabrón pasando a cuchillo a la División, y que éste podía ser cualquiera. A pesar de todo, no dejaba de trazar una línea que, lentamente, iba uniendo todos los puntos conocidos hasta cercar lo más parecido a una verdad. Y el próximo sería Paramio Pont.

Tuvo suerte. Después de preguntar a un par de suboficiales le dieron las señas de un edificio adyacente, una especie de vivienda para el antiguo servicio, y la confirmación de que lo más seguro era que Paramio Pont se hallase en él. Arturo salió al exterior y fue bordeando el cuartel general; el disco del sol se transparentaba en el cielo gris dando una luz gélida, en sordina. Las dependencias señaladas se hallaban detrás del edificio principal, una construcción pequeña, maciza, hecha con la piedra y mampostería sobrante del palacete; su designación como base de la compañía de Propaganda indicaba la importancia que se daba en el Reich a la sofisticada creación del doctor Goebbels. No era para menos, consideró Arturo, si se tenía en cuenta que, al albur de las circunstancias, había contribuido a elevar a un oscuro cabo del Ejército a Führer de un pueblo de cincuenta y cinco millones de individuos. Se identificó ante el soldado que hacía guardia en la puerta y entró en el edificio. En la sala alrededor de la cual se articulaban las diversas secciones, pintura, fotografía, prensa..., no encontró toda la actividad que esperaba. Un solitario soldado se le cruzó con una carpeta en la mano, y le aclaró que parte del personal estaba cubriendo una imposición de medallas en Carlos Gardel, o sea, Krasnogvardeisk, según la costumbre de españolizar los nombres rusos, y que el resto tenían una reunión de la que no tardarían en salir. Paramio Pont se hallaba en esta última y podía esperarle allí mismo. Encontró una silla, colgó el casco de una percha fija en la pared y se sentó en una esquina de la sala. Había torres de periódicos y revistas apiladas, y mientras las hojeaba Arturo advertía siempre lo mismo: que la Wehrmacht nunca era derrotada, sino que únicamente sufría reveses, ni que hacía guerra de posición, sino defensa móvil. Aquella mezcla de sugestión y autoengaño, entre los cuales cabían cientos de matices, conformaba el estilo característico de la propaganda nazi. A Arturo siempre le había impresionado la capacidad de sus alquimistas para alterar el valor de las palabras y de las imágenes, o lo que era lo mismo, para crear la realidad. No obstante, reflexionó Arturo, no todo el mérito o la responsabilidad recaía en los nazis, porque toda mentira de esa dimensión no dependía sólo de lo buena que fuera la mentira, sino de que la gente desease ser engañada. En ésas estaba cuando se abrió una puerta en el extremo más lejano de la sala y una fila india de guripas salió en silencio de ella. Arturo se levantó, y cuando localizó a Paramio se dirigió hacia él, saludándole y mostrándole la autorización de Navajas del Río, ya casi convertida en un burujo. Mientras la leía estudió su cara pequeña, casi ratonil, su físico nervioso, de brazos largos, y le calculó unos cuarenta años. Concluyó que parecía un tipo simpático, aunque algo atolondrado. Unas arrugas indecisas se abrieron en su frente.

—¿Y qué necesita entonces?

Hablaba rápido, sin pausas.

—Ver las fotos de Agustín Covisa y hacerle un par de preguntas. No le robaré mucho tiempo.

—No hay problema —sonrió—, qué problema va a haber.

Se enfundó las manos en los bolsillos y le precedió hacia el ala izquierda del edificio. «No me suena su cara», le espetó como un sacerdote que conociera a todos sus feligreses y se sorprendiera de uno nuevo. «No se puede conocer a toda la División», contestó Arturo. «Sí, sí se puede», objetó Paramio. «¿No me diga que conoce a todos los guripas?», preguntó Arturo. «A todos los que se hayan sacado una foto», aseguró Paramio. Arturo no supo si estaba bromeando. «Usted, por ejemplo, no se ha sacado ninguna», añadió. Y se rió bajito. «Salgo mal», argumentó Arturo. El fotógrafo no respondió y entraron en un cuarto. Un olor ácido anegó al momento sus fosas nasales, y la luz que se derramaba desde el gran ventanal abierto en la pared mostró grandes mesas de madera repletas de piletas mediadas de líquido positivador, frascos de diversos tamaños, guillotinas, lupas... y, sobre ellos, una telaraña de cordeles de los que colgaban, a modo de tendal, largas tiras de negativos y fotografías al secado. Paramio se movía entre aquellos trozos de realidad casi epilépticamente, se ponía un lápiz en la oreja, trajinaba con el objetivo de una Leica... Se le notaba a sus anchas, extrañamente feliz. Entretanto, Arturo aprovechó para echar un vistazo a las fotos. La mayoría habían sido tomadas por aficionados con la única pretensión de darles a sus novias, padres o amigos un motivo de recuerdo u orgullo con las típicas poses marciales arma en ristre, o con el fondo de postal de la catedral de Santa Sofía y del Kremlin de Novgorod, o de los palacios y dachas de Puschkin. Curiosamente, entre todas las fotografías, no había una que aludiera al estado real de las cosas; no había un solo encuadre del infinito nevado que les rodeaba, ni una sola alambrada, ni uno solo de los cientos de pecios renegridos que sembraban las llanuras, por la misma razón que en sus cartas no hablaban nunca de la sangre, del miedo, del hambre, y de los calcetines que no se quitaban en cinco meses.

—Y eso que no le gustaban las fotos —comentó bienhumorado Paramio.

—Me ha interpretado mal —dijo Arturo mirando por encima de su hombro—, me gusta ver fotos, lo que no me gusta es verme en ellas.

—Qué curioso. Igual que algunos campesinos.

—¿Quién?

—Algunos de los *mujiks* ni se inmutan cuando casca la artillería o pasan los aviones, y sin embargo se ponen a temblar cuando los apuntas con la cámara.

—¿Por qué?

—Creen que les voy a robar el alma.

Arturo volvió a observar todos aquellos expedientes de vida; a pesar del poco tiempo transcurrido, parecían tener ya esa pátina antigua que hace que todas las fotografías tomadas muchos años atrás se parezcan.

—Tiene sentido —cambió de conversación—. Es usted muy valorado en la División, ¿lo sabía?

Paramio enfundó las manos en los bolsillos y acercó los hombros al cuello.

—Favor que me hace, pero no tienen más remedio. Soy el único.

Arturo sonrió, y Paramio le devolvió la sonrisa, mostrando un espacio vacío a media dentadura.

—Pero se nota que le gusta.

—Sí, sí me gusta. No sirvo para otra cosa.

—¿Lleva mucho en esto?

—¿Que si llevo? Toda la vida. Me tocó una cámara en un sorteo cuando tenía quince años y ahí me entró la afición. Luego hice prácticas en un estudio aprendiendo el oficio, cuando sólo había cámaras de placa, ¿se acuerda?, y luego me establecí por mi cuenta. Estuve de minutero por media España, y por la otra media también, y luego me fui a Madrid a trabajar para periódicos, y luego monté un estudio, y luego llegó la guerra, tuve que cerrarlo y ahora aquí me tiene. Soy un culo inquieto.

Sacó una mano para quitarse el lápiz de la oreja y hurgar con él en la mata de pelos que crecían en su interior. Arturo experimentó algo de grima, pero no era un precio excesivo a cambio de alguien parlanchín dentro de la tónica casi autista de sus interrogados.

—Ayer estuvo en Molewo —lo dejó caer de manera fenicia.

—Menuda, sí. Mira que yo he visto cosas, mira...

—Me preguntaba si ya tiene las fotos.

—Casi todas. Me quedarán un par de ellas.

—Perfecto. Pero primero querría hablar con usted.

—Usted manda —sacó el lápiz de la oreja y lo hizo girar entre sus dedos, despegando la corteza de cera que había quedado adherida a su punta.

—Verá... Cuando vi sus fotos se me ocurrió algo... Se me ocurrió que para hacerlas hay que saber mirar, mirar bien, se entiende. Y a lo mejor, mientras las sacaba, pudo ver algo que a mí se me escapó. ¿Me puede contar algo de Agustín Covisa?

—El muerto —posó el lápiz—. Aunque no se lo crea, he estado pensando mucho en ese Agustín. Y también en el anterior... —intentó recordar el nombre sin mucho interés y sin conseguirlo—. Verá, esto pasó hace tiempo, en mayo del 35 creo que fue. Yo no sé si será coincidencia. No sé. Pero la cosa tiene miga.

—Qué cosa.

—Yo estaba trabajando para el *ABC* cuando el *ABC* era rojo, ¿se acuerda?, quién lo iba a decir, tenían un viva la República bien escrito en la primera página, y pagaban por foto publicada, o sea, que nos moríamos de hambre. Un día me mandaron a la calle Alcalá, yo no sé si recuerda que en esa calle había una agencia de viajes, Cook, se llamaba. Porque usted conoce Madrid, ¿no?

—Sí, sí, continúe.

—Esa agencia era muy conocida, tenía un escaparate lleno de locomotoras y transatlánticos que a mí me gustaba mucho ver, sobre todo los anuncios de cruceros a los países escandinavos, por aquello del sol de medianoche, ¿se imagina?

—No, pero siga.

—Bueno, pues allí, en la trastienda, habían encontrado un cadáver. A mí me mandaron para que le hiciera un par de fotos, era algo rutinario. Pero mira por dónde al fiambre le habían cortado la cabeza y tenía los ojos rajados, como en esa película del perro andaluz, con las gotas del cristalino saliéndose por fuera. Aunque lo raro era que lo habían hecho todo muy pulcro, sin apenas sangre, y habían dejado la cabeza encima de la mesa del despacho como una de esas que se ponen encima del mármol de las carnicerías. Por eso, cuando vi al tal Agustín, pensé: coño, esto se parece, a ver si va a ser el mismo pirado. ¿No es una casualidad?

Arturo confirmó tras sus palabras que las casualidades no existían, todo guardaba una significativa y secreta conexión, aunque el misterioso guionista de la vida fuese un tipo bastante *kitsch*. Según Octavio Imaz, aquél era el ritual para ejecutar a hermanos de cuarto grado. El propietario de la tienda había sido, sin lugar a dudas, un masón, ¿cuál había sido su falta?

—Una golondrina no hace verano —disimuló Arturo, encogiéndose de hombros.

—Puede, pero lo más raro es que mientras estábamos con lo nuestro llegaron un par de individuos, de paisano, que mandaron a todo dios para casa, ordenaron a la policía despejar la calle, cerraron la tienda y a mí me quitaron el carrete y me dieron un toque de que allí no había pasado nada so pena de dormir un par de noches en los sótanos de Gobernación y adiós muy buenas. Al día siguiente el muerto no apareció en ningún periódico, ni en la radio.

Arturo no consideró necesario ampliar los conocimientos de Paramio acerca de la masonería. Aplicó la dosis mínima de interés a su comentario y se frotó una mejilla con las manos.

—¿Algo más?

—Pues que yo recuerde...

—Muy bien. ¿Puedo ver esas fotos?

—No las he revelado todas, ya le dije.

—Podemos hacerlo ahora.

Paramio se acauteló, como si no supiera si invitarlo a pasar al laboratorio o rogarle que esperase fuera. Arturo comprendió su reticencia.

—No le molestaré —aseguró.

Su respuesta no lineal, titubeante, y su manera de tronar los nudillos, empujando su puño derecho contra su palma izquierda, mostraban que todavía estaba organizándose entre el marasmo de su indecisión. Al cabo, le guiñó un ojo amistoso y recuperó sus movimientos nerviosos, ratoniles, animándole con un imperceptible movimiento de cabeza a dirigirse hacia una puerta al fondo de la habitación. Cuando traspusieron su umbral, entraron en una especie de compartimento estanco que no dejaba lugar para dos personas hombro con hombro, y uno tras otro se hicieron hueco en él, apretándose penosamente para poder cerrar la puerta. Un chasquido seco, una línea rojiza de arriba abajo en la siguiente puerta, y al entrar en la habitación se derramó sobre ellos una nublazón escarlata. Ésta era poco mayor que el tabuco de Arturo, y se dispusieron en ella bajo las bombillas teñidas de rojo y las tramillas de cuerdas con tiras de negativos y fotografías muy húmedas todavía. Fantasmas blancos y negros y rosáceos flotando en el aire, cumpliendo a la perfección con el cometido de aquel lugar: transformar la nostalgia irritada en nostalgia melancólica. «Vamos a ello», susurró Paramio. Trabajó unos minutos con la ampliadora, positivando los haluros de plata sobre un rectángulo de papel, y luego se situó al lado de unas baldas sobre las que descansaban cubetas mediadas de líquidos que desprendían un olor ácido, comenzando un ritual en el que la cautela de sus movimientos poco tuvo que ver con la tensión urgente de momentos antes. Sus ojos adiestrados se sincronizaron con sus manos para sumergir, mediante unas pinzas de madera, el rectángulo de papel emulsionado en una cubeta con el revelador, haciéndolo resbalar por el fondo casi con amor. Arturo permanecía muy quieto, ensangrentado por el fulgor rubí de las bombillas, asistiendo a la sobrenatural química que cristalizaba el deseo humano de detener el tiempo. Gradualmente, el rostro de Agustín Covisa fue surgiendo de la eternidad; al principio desdibujado, latente, y luego más y más preciso, hasta que los restos de la nada se licuaron y el muerto quedó nítidamente retratado. Arturo no hizo el menor intento de disimular su admiración.

—Increíble.

Paramio asintió con ímpetu recobrado.

—Salida de hadas. Así lo llamo.

Sacó con cuidado la fotografía chorreante, la sumergió en otro balde con ácido acético, luego en otro con líquido fijador y finalmente la introdujo en un último balde con agua, limpiándola bien de cualquier resto de las combinaciones previas. Después la colgó en el tendedero y la estudiaron al alimón, buscando algo que no hubieran visto en Molewo. No consiguieron encontrar nada, y Paramio se aplicó a la misma nigromancia sobre un par de negativos más. Una hora pasó tan inadvertida como el movimiento de un girasol. En la última fotografía, tomada muy de cerca, tanto que los ojos de Agustín Covisa parecían escrutarles, Arturo tuvo una inspiración.

—Dicen que el rostro del asesino queda grabado en la retina de sus víctimas. Podríamos hacer una ampliación.

Lo dijo con toda la intención, pero el arqueamiento de cejas de Paramio le asestó un manotazo de cordura a su certidumbre infantil.

—La gente tiene mucha imaginación —sentenció con un olisqueo ratonesco.

Arturo agradeció la providencial iluminación que camufló el encarnamiento súbito de sus mejillas. Maldijo de nuevo su imprevisible inocencia. Sin embargo, Paramio se apoyó con cuidado en un balde y casi pegó su nariz a la húmeda película que recubría la foto. Insatisfecho por algo, buscó entre unos negativos hasta dar con una lupa de mediano tamaño que aplicó a la cara de Agustín Covisa. Unos segundos más tarde parecía haberse aplicado la lupa a sí mismo mientras mascullaba algo. Arturo se interesó por sus divagaciones.

—La luz —respondió Paramio con satisfacción—. Mire.

Le entregó la lupa y efectuaron una especie de estrecho paso de baile para rotar en el tabuco y que Arturo pudiera situarse frente a la fotografía. «Mire los ojos, mírelos», le incitó Paramio. Arturo aplicó la lente sobre el granulado blanquinegro; a pesar de toda su atención, no fue capaz de distinguir nada más que unos ojos claros.

—¿Qué se supone que hay? —preguntó.

—Luz —recalcó—. Hay luz.

Arturo seguía sin encontrar una pauta coherente en su pensamiento y, apercibiéndose, Paramio le tomó la lupa y la ajustó a un ojo del cadáver.

—La pupila está contraída. Y es raro, porque si me dice que lo mataron hacia las cuatro, ya estaría anocheciendo. Cuando yo llegué ya no había luz. De hecho, tuve que utilizar el flash.

—¿Y dónde nos lleva eso?

—Había algo que producía luz mientras se moría.

—No sé qué quiere decir.

—Pues que había una hoguera, algo.

—Pero no encontramos nada.

—Las pupilas están contraídas —dijo con cara de haberlo dicho todo.

Arturo aisló su razón del resto de facultades: en principio no recordó que Octavio Imaz hubiese incluido en su relación algo sobre la luz en los rituales, ¿a qué podría deberse? No abundó en el detalle, pero lo tendría presente.

—Tomo nota. ¿Me podría dar una copia?

—Llévese ésta, ya me haré otra. Pero tendremos que esperar un poco, todavía está húmeda.

—¿Cuánto cree que tardará en secar?

—Veinte minutos, a lo más.

—Pues esperamos.

Paramio asintió y salió primero, seguido de Arturo. Ya en la habitación, cogió una pipa que había sobre una mesa, al lado de un marginador, y golpeó su boca contra la palma de la mano.

—La luz —redundó, comprobando que no quedaba escoria en la cazoleta—. La luz es lo más importante, por algo fue lo primero que hizo Nuestro Señor Dios —empezó a cargar la pipa con hebras de tabaco que sacaba de una carterilla de fumar—. ¿Y cómo va lo suyo? —se interesó.

A Arturo le llamó la atención que la pregunta hubiera sido hecha sin la habitual ansia chismosa o morbo ibéricos. Quizás por eso se sinceró.

—Jodido.

El fotógrafo sonrió con comprensión, mostrando el hueco dental de nuevo. Encendió la pipa. El sabroso olor del tabaco se extendió por toda la habitación.

—No sé por qué el tabaco sabe mejor aquí que en España —dijo contemplando las primeras volutas de humo.

Mientras Paramio se concentraba en fumar, Arturo se paseó por la habitación indagando aquí y allá, hasta que se fijó en unas cámaras, dos Leicas con el objetivo apuntando al techo. Recordó la extraña afición de Paramio a perderse por Puschkin.

—Se comenta que se juega la piel en sus fotos... —dijo por hacer tiempo, señalando las cámaras.

—Hago un álbum al margen de las fotos del trabajo. Mire —chupó su pipa y le indicó unas carpetas con la boquilla—, abra aquélla.

Arturo se acercó a las carpetas y tiró del elástico de la señalada. En ella había fotografías de diversas clases, pero sobre todo retratos de soldados, algunos posando y otros tomados al bies, sin que ellos parecieran advertirlo. Arturo cogió una, mostrándosela a Paramio con una expresión interrogativa.

—No, no, perdone, me he equivocado, es la otra carpeta. Ésa es la de Cecilio.

—¿Don Esmera... —Arturo rectificó sobre la marcha—, esto, el sargento Cecilio? —preguntó con sorpresa.

—Sí, el sargento. Me trae muchas fotos a revelar, le gusta mucho.

—Vaya, qué casualidad.

No acababa de imaginarse una vena lúdica en don Esmerado. Obedientemente, cerró la carpeta y cogió la de al lado. En su interior había una pila de fotografías; barajó algunas: un arroyo arrastrando miles de pétalos blancos y rosados; olas en un lago, detenidas, heladas en un frágil equilibrio térmico; telas de araña con pétalos pegados por la lluvia, goteando; soldados haciendo paellas o restregándose con nieve recién caída, en pleno enero, para asombro de los nativos...; todas eran hermosas o amables, pero, inesperadamente, las imágenes empezaron a cambiar. Se volvieron oscuras, siniestras, soldados rusos hundidos en la nieve hasta el vientre, inmóviles, con el brazo derecho extendido indicando el camino, muertos que los alemanes utilizaban como señalizadores de tráfico; secciones de casas mostrando sus entrañas, rodeadas de oscuros escombros; tanques desventrados, con sus conductores volcados sin vida sobre las torretas; la humillación en los ojos de los amputados, en el hospital, que hablaba no sólo de la pérdida de un miembro, sino de la pérdida del orgullo; niñas rusas, que envolvían bombas de mango con retales de tela como si fueran muñecas... Todo lo que nunca aparecería en las revistas o periódicos, confirmando que la fotografía no sólo daba testimonio de la realidad, sino que también podía manipularla. Arturo miró a Paramio, que gozaba del placer de ver desconcertado a su interlocutor. En ese momento sonaron unos apresurados golpes en la puerta. El fotógrafo dejó su pipa en equilibrio sobre la mesa y fue a abrir. Mantuvo una corta conversación con un guripa y volvió.

—Tengo que marcharme, hay trabajo. Espere un momento.

Se dirigió al cuarto de revelado; no tardó en regresar con su copia, todavía algo húmeda. La manejó como si fuera pan de oro y la introdujo en el interior de un plástico. Se la entregó.

—Tome. Y tenga paciencia con lo suyo. Todo se logra con paciencia.

—Se me está acabando —se condolió—, no soy ningún santo.

—La paciencia no tiene nada que ver con la santidad —le dijo sorprendido.

—¿Y con qué tiene que ver?

—Con la inteligencia, con qué si no.

Cogió su pipa, el equipo y las cámaras. Arturo le siguió y se despidieron en la entrada del edificio. Cuando se quedó solo, buscó el sol como si lo hubiera perdido; pugnaba por abrirse paso entre el velo blanco que opacaba el cielo. A lo lejos, distinguió los puntos inquietos de unos aviones; formaciones de Stukas en triple cuña dirigiéndose a bombardear Leningrado. Los siguió hasta que desaparecieron. Se estaba preguntando cómo volvería a Mestelewo, cuando algo captó su atención. En un alero del edificio, un pájaro blanco, de pico corto, con la garganta y la cola azules; una mullida bolita que planeó hasta posarse en la nieve y avanzó a pequeños saltos, picoteando, jugueteando, dejando unas delicadas huellas. Tras unos cuantos botes, se quedó quieto mientras un ligero viento pasaba los dedos por sus plumas, hasta que desplegó sus alas y volvió a elevarse. Tanta belleza en el mundo, y tan pocas ocasiones para que aquella belleza coincidiera con un instante de paz. Recordó las fotos. Las hermosas. Las grotescas. Recordó a Zira. Ellos también volaban, pero bajo, mucho más bajo.

El camión que le dejó en Mestelewo se detuvo en medio del inusitado frenesí que bullía en el acantonamiento; unidades motorizadas, artillería arrastrada por tonantes autorremolques, soldados desfilando en columnas o arracimados en carros o subidos en los armones de los Flak... Arturo esquivó como pudo el tumulto y se dirigió a su tabuco. Cuando llegó, Espinosa le estaba esperando en la puerta. Se notaron cansados y apenas hablaron; tras saludarse, entraron en el cuarto y tomaron asiento en el catre y en la silla, uno enfrente del otro. Espinosa sacó una petaca metálica, desenroscó el tapón, echó en él un par de dedos de vodka y se lo ofreció a Arturo. Éste lo apoyó en el borde de los labios, dio una sacudida y se echó el líquido directamente en la garganta, sin tocar el paladar. A continuación el sargento lo rellenó para sí mismo y ejecutó un movimiento idéntico. Luego lo enroscó, guardó la petaca y rompió el silencio.

—El capitán Larios le envía recuerdos y le invita a que siga buscando una pasión. Me dijo que usted lo entendería.

—Me parece que ya no entiendo nada —dijo Arturo, súbitamente desanimado.

—¿No lo entiende o ya no le apetece entenderlo?

Espinosa no dejaba de hacer muescas en la culata de su permanente mala hostia. Arturo le miró con lasitud.

—Gracias —respondió.

—¿Por qué?

—Por no compadecerme.

—Usted no quiere que le compadezcan.

—A lo mejor sí.

Espinosa se envaró de repente, acentuando su fisonomía predadora.

—No, seguro.

«A lo mejor sí», volvió a pensar Arturo.

—Y de todas formas, eso da igual —prosiguió Espinosa—, porque tenemos que apurar. Cada vez queda menos tiempo.

—¿Cómo están los ruskis?

—Ya se han liado la manta a la cabeza, lo único que falta por saber es cuándo van a atacar. Ayer cazaron a otro espía en el cuartel general, y no hay día que no haya algún rifirrafe.

—Así que vamos a contrarreloj.

—¿Tiene algo más que hacer?

—Irme de vacaciones, ganar los catorce...

—Parece que ya se va recuperando.

—A la fuerza ahorcan.

Espinosa amagó una sonrisa; parecía que ese día la úlcera le había dado una tregua.

—Respecto al cadáver de Agustín Covisa no hay gran cosa —comenzó—. Le arrancaron el corazón bien arrancado con un cuchillo o algo por el estilo. Sobre la causa de la muerte no hay dudas, y la hora, entre las dos y las cuatro, está confirmada por el capitán Larios —se tomó un segundo para repasar lo que tenía en la cabeza—. El cuerpo conservaba la sangre —rehiló—, y no hay signos de violencia, salvo en las muñecas, por las cuerdas con que le ataron, y por la frase que le grabaron en la piel. No fue un trabajo tan limpio como el anterior, pero fue igual de eficaz.

Arturo pensó en las pupilas de Agustín Covisa.

—¿El capitán dijo algo de los ojos?

—Algo como qué.

—No sé, algo.

—No, no dijo nada de los ojos.

—¿Y qué hay del círculo donde se movía Agustín Covisa?

—He preguntado por ahí. Era un tipo popular, bromista, bien considerado. Bebía lo normal, y nada de aficiones tipo violeta. Todo lo contrario que Luis del Águila.

—¿Sabe si le notaron nervioso o algún comportamiento fuera de lugar?

—No, que yo sepa.

—Es raro. Si habían eliminado a Luis del Águila y él tenía algo que ver en esta historia, no podía estar tranquilo. En fin, ¿alguna conexión con el páter?

La mención del páter Ramón provocó un destello en los ojos de Espinosa.

—No tengo noticias —contestó.

Arturo asintió y señaló una bolsa sobre la cama.

—He mirado sus cosas. Nada, humo de pajas. Y respecto a lo que he averiguado...

Sólo tardó unos segundos en catalogar lo que debía y no debía saber Espinosa sobre sus pesquisas, incluyendo en la parte positiva las acotaciones de Octavio. Se lo explicó todo prolijamente.

—O sea —resumió Espinosa—, que ese Ricardo Guerra tenía razón con lo de los masones.

—Perfectibilistas.

—Perfectiloquesea. Así que podemos descartar definitivamente otra guerra civil.

—Sí, creo que podemos fiarnos de Octavio Imaz. De otra forma, habría un empate entre los falangistas y el Ejército, y sería mucha casualidad que ambos se devolvieran la pelota del mismo modo.

—Y, entonces, ¿a quién buscamos?

—Por lo que contó Misha, un tipo alto y delgado, lo suficientemente fuerte como para cargar con Luis del

Águila. También es alguien que está ejecutando una venganza por el rito masónico, y que está muy cabreado, ya que con Luis se cebó y con Agustín Covisa tuvo una fuerte discusión. Sí, alguien muy listo, que se mueve con facilidad y que lo más seguro es que sea de Valencia.

—Yo soy de Valencia —apuntó Espinosa.

—Ya, no quería ponerle en un aprieto.

—Ese día estaba en Carlos Gardel, en comisión de víveres. Tengo gente que lo puede corroborar.

—Gracias. Pues eso es lo que buscamos.

—¿Y ahora?

En la última sílaba, el teléfono sonó con fuerza. Arturo lo descolgó. Tras unos segundos a la escucha, en los que su expresión fue tornándose cada vez más pétrea, acabó por colgar. Miró a Espinosa.

—¿Ahora? —repitió, cogiendo la carta de Luis del Águila y guardándola junto con la foto de Agustín Covisa—. Ahora vamos a ver más de lo que podamos olvidar.

11. Los pilotos de combate adoran la luna llena

Era el día en plena noche. Los poderosos haces de luz de los reflectores buscaban los aviones con una variedad de tonos y movimientos, según encontrasen una nube, un avión o la oscuridad, que resultaba alucinante. Oleadas de Junkers se sucedían sobre Leningrado llevando el horror en sus panzas, mientras los antiaéreos seguían su rastro llenando el cielo de súbitas rosas de pólvora. Los bombardeos nocturnos se realizaban con idéntica puntualidad; desde las ocho de la tarde hasta las cuatro de la mañana, la Luftwaffe dejaba caer bombas y bombas sobre la ciudad para martirizarla tanto física como psicológicamente. El tenebroso espectáculo tenía, sin embargo, una belleza perversa. Extraños resplandores rojizos, luminarias espectrales, grandes fantasmas fosforescentes. La noche se quemaba, se enroscaba como una hoja al fuego, pero ningún ojo humano podía esquivar, al menos durante unos breves instantes, la visión de su abrasamiento. Entre los miles de ojos que eran testigos de ello, se hallaban los de Arturo, que tenía un solo pensamiento en su cabeza: en algún lugar, otros ojos contemplaban lo mismo, los ojos del asesino.

—Vamos. No se distraiga.

El soldado que le apresuraba era el mismo que, tras la misteriosa voz que le indicara un sitio y un lugar, le había recogido con un vehículo y se había dirigido hacia Krasny Bor, cumpliendo la palabra del comandante Reyes Zarauza. En el transcurso del viaje, le había entregado un somero informe sobre Galo Rodríguez, alias «Tiroliro», que había leído detenidamente. Según el mismo, era el jefe de una sección de asalto del 262 en la fábrica de cocodrilos, la posición más feroz de todo el frente. Condecorado en múltiples ocasiones por su valor, temido tanto por sus enemigos como por sus amigos, su talento para hacer tablas con la Parca era únicamente el penúltimo capítulo de una vida dedicada por completo a una personal y encarnizada partida contra ella. La guerra en España le había sorprendido en El Escorial, donde fue detenido junto con su padre y dos hermanos. Presos inicialmente en San Antón, acabaron siendo protagonistas de los tenebrosos sucesos de Paracuellos del Jarama, y tras ser testigo de cómo las milicias populares pasaban por las armas a su familia, también él, con tan sólo veinte años, se había encontrado ante un pelotón de fusilamiento. Un segundo antes de que sonara la descarga se había desmayado de puro terror, y auxiliado por el convulso y siniestro ajetreo de aquel día, fue enterrado vivo en una fosa junto con un montón de cadáveres. Cuando despertó en aquel terrible trance, se vio obligado a permanecer inmóvil, horas y horas, hasta que, furtivamente, en la oscuridad de la noche, pudo abrirse paso entre los muertos. De aquellos barros estos lodos, y Galo Rodríguez se había quedado desarbolado, caracterizándose por una conducta inquietante y un aborrecimiento fanático del comunismo. En un momento dado del trayecto, se habían desviado por un camino de rollizos hacia un bosque que se adentraba en sí mismo, alejándose de la carretera. Al fondo de un túnel vegetal, vislumbraron un grupo de isbas; a menos de cien metros fueron detenidos por un retén que les pidió seña y contraseña. Una enorme luna llena empezaba a tomar el cielo, iluminándolo todo y concretando cada hombre y cada objeto, permitiéndole a Arturo descubrir en los alrededores a dos patrullas más; fue entonces cuando pensó que aquello iba muy en serio. El soldado respondió con precisión y los soldados les conminaron a dejar allí el coche, confiscándole su arma a Arturo y guiándole siempre un paso por detrás.

—Vamos, vamos —repitió el guripa.

Dejó de mirar hacia Leningrado y siguió andando. Hacía frío, tanto como para obligar a sus prácticos a abrigar sus fusiles ametralladores, y cuando llegaron a la entrada de la isba más retirada —un extraño letrero en francés, «FRISEUR», señalaba su anterior y surrealista condición de peluquería de señoras—, lo hicieron agarrotados. Allí repitieron el protocolo de consignas. Cuando entraron, hallaron un interior similar al de todas las isbas: la misma penuria, el mismo tufo caliginoso, las mismas velas Hindemburg y una lamparilla que iluminaba una Virgen de Kazan. Bajo su admonición, ocho jugadores de violeta estaban sentados en un suelo de tierra aplastada alrededor de una especie de maestro de ceremonias, inmersos a su vez en otro círculo exterior formado por numeroso público, congregado mayoritariamente para apostar. Aquello parecía la sociedad de naciones, uniformes del ejército aliado finés, vlasovistas rusos, miembros de unidades turcas, croatas, flamencas, rumanas, noruegas... y, por supuesto, SS alemanes y soldados. Arturo había llegado a tiempo de presenciar el inicio de una partida y se mezcló entre el auditorio, observando cómo el oficiante mostraba un revólver Nagan soviético, abría el tambor y a continuación insertaba una bala. Luego, cerrando el arma con un seco chasquido, hizo girar el cilindro y lo ocultó con una mano antes de entregársela a uno de los jugadores. Éste agarró el revólver con decisión; la tensión fue entonces tan tangible como la asfixiante atmósfera. Llevaba un gorro de piel de cabra y unas botas laponas de cuero de reno con las puntas hacia arriba, y tenía unas facciones duras y huesudas, hermosas, dignas de los héroes del *Kalevala*. Sin dudarlo, se colocó el cañón bajo el mentón y apretó el gatillo. El chasquido vacío del percutor provocó inmediatamente un murmullo, un estremecimiento de cuerpos y un intercambio de dinero. Sin más contemplaciones, el celebrante recogió el arma y efectuó la misma liturgia con todos y cada uno de los participantes, sin que ninguno de ellos encontrase la eternidad. Cuando sonó el último disparo en falso, el acompañante de Arturo le indicó en un susurro que uno de ellos, un tipo pequeño y feo, era Tiroliro. En ese momento fue consciente tanto de que podía perder a un testigo fundamental como de su estupidez al no haber considerado que podría estar jugando; intentó arreglar aquel tremendo lapsus abriéndose paso entre la concurrencia, pero el guripa le tiró del brazo y le amenazó en voz baja: «Está prohibido detener la violeta». No tuvo tiempo para argumentar; ya se había insertado otra bala más en la recámara, iniciando una segunda vuelta, en la que nadie se encontró tampoco con las órbitas vacías de la muerte. La tercera bala fue introducida sin solución de continuidad; todo el mundo era consciente de que las probabilidades se iban estrechando. Tiroliro mantuvo en su turno el mismo gesto granítico de las ocasiones precedentes, gesto que conservó cuando un atronador estampido estalló a su lado, pulverizando con una lluvia de sangre y sesos a los espectadores que se apiñaban detrás del desafortunado jugador. La muerte había triangulado por primera vez pólvora, metal y suerte, y el baile de buitres se intensificó. Retiraron el cadáver y el círculo se apretó. No ocurrió nada más. Arturo endureció las mandíbulas con asco, pero mantuvo el tipo con el deseo contradictorio de que nadie más muriese y de que muriesen todos menos Galo. La salvajada continuó hasta que sólo quedaron Tiroliro, un turco, y una recámara vacía. El silencio era tan profundo que casi se podían contar las pulsaciones en las venas; el árbitro volvió a ejecutar su ceremonia como un sacerdote que rindiese culto a un dios cubierto de vendas y sangre. Comenzaría Galo. Pero éste ni siquiera se dio tiempo para pensar; rápida, eficazmente, apretó el gatillo sin ni siquiera parpadear. Esta vez un murmullo mezcla de temor reverencial y estupefacción recorrió la habitación. Era el turno del turco; tenía una tez oscura, barba recortada y unas cejas negras y espesas sobre sus ojos como trozos de carbón. Cuando se la ofrecieron, apretó la culata con fuerza, aunque con un ligero temblor debido a la adrenalina. Su voluntad era firme, pero el hilo rojo del miedo fue enhebrándole con lentitud a medida que elevaba el cañón hasta su barbilla, demudando su rostro y terminando por imprimir a su pulso un ritmo cataléptico. Fueron unos segundos de incertidumbre, pero el suicidio es un acto de fe, y aquel hombre no tuvo la suficiente. Derrotado, bajó el arma con total desaliento, hasta que su muñeca quedó floja en el suelo. Las palabras de Erundina del Águila regresaron a la cabeza de Arturo. «¿Cuál es el valor de toda esta degradación, Luis del Águila?», se preguntó, «¿a qué todo este padecimiento?». «Es una forma de penitencia...», respondió Espinosa en su mente, «... una penitencia tal que pone su vida en manos de Dios... porque la culpa es a veces tan grande que no cabe lugar para el perdón».

—¿Quiere hablar con él o no?

La pregunta insidiosa de su guía le sacó bruscamente de sus reflexiones.

—¿Cómo dice?

—Tiroliro va a jugar también la siguiente, por eso se lo digo —le aclaró.

—¿Dónde está?

El soldado le indicó que le siguiera y le condujo por la abarrotada habitación hasta una cortina que separaba un pequeño catre del resto. Galo Rodríguez se hallaba sentado en el borde, con una taza de latón en la mano y los ojos clavados en un punto ciego. Tenía una barba cerrada, la nariz chata, como si la tuviera aplastada contra un cristal, y unos ojos globulares cuya mirada le recordó otros ojos, los del miembro del *Einsatzgruppen*. Su uniforme se hallaba atomizado por diminutas gotas de sangre. El guripa se acercó al oído de Tiroliro y le habló unos momentos. Galo miró a Arturo; definitivamente era uno de esos tipos que hacen que la gente baje la mirada o encuentre cosas más interesantes que hacer en sitios alejados de él. Arturo se cuadró.

—¿Qué quieres? —le dijo Galo con sequedad.

Arturo no tenía un plan preestablecido, sabía únicamente que era sólo la actitud lo que hace que te persiga el lobo.

—Luis del Águila —resumió con aspereza.

—Luis del Águila está muerto. Como lo estaremos todos.

—¿No quiere saber quién lo mató?

—Ya sé quién lo mató.

Arturo arqueó las cejas con incredulidad.

—Pues si me lo dijese me ahorraría mucho tiempo.

Galo Rodríguez sorbió lo que había en la taza sin dejar de mirarle; era algo con muchos grados, por la vaharada que le llegó a Arturo. La madera de la isba chascó por el frío.

—Se mató él mismo —contestó—. Hace muchos años.

Arturo no dejó que su decepción fuese tangible.

—Puede, pero alguien acabó el trabajo hace ocho días. ¿Qué le contó?

—Óyeme, da igual lo que me contara, te aseguro que él no habría querido preguntas. Todo está como tiene que estar.

—Yo no lo creo.

—Es tu problema.

Arturo no se rindió y le resumió lo que había sucedido en los últimos días; a continuación sacó la foto de Agustín Covisa.

—¿Le conoce?

Apenas se dignó a mirar.

—No.

—Pues éste sí habría querido preguntas. Y justicia.

—¿Justicia? Ya la están repartiendo.

—Entonces querría tener una charla con quien esté haciéndolo, porque tenemos dos conceptos diferentes de ella.

—No me parece.

—Pues si no le parece suficiente ayudarme por la justicia, hágalo por la verdad.

—No hay nada que buscar, nos entierran con ella —zanjó con insolencia.

Terminó su taza y se encerró en sí mismo. Arturo aventuró dónde podía hallarse ahora: una noche, hacía siete años, enterrado bajo un montón de cadáveres. Hay gente que para sobrevivir a algo tan devastador se aferra a la belleza, pero él se había aferrado al odio, que le había abierto paso entre la carne y el hedor de los muertos, pero que había dejado plantada en él una semilla de oscuridad. En cierta manera, era lógico que comprendiese más al asesino que a la víctima. Sin saber por qué, quizás porque no se le ocurrió otra cosa, Arturo se acercó y presionó con su pulgar en la primera articulación de su mano.

—¿Qué cojones haces? —reaccionó con rudeza.

—Estaba comprobando una cosa —no dio tiempo para explicaciones—. Va a morir más gente.

—Es lo normal en una guerra. La gente se muere.

—Morirán inocentes.

—¿Por qué estás tan seguro?

—¿Y por qué lo está usted de que no?

Galo Rodríguez hizo caso omiso y extendió la taza al guripa que le había acompañado, apuntando a una botella llena de algo transparente.

—¿Qué le contó del páter? —insistió Arturo.

Galo volvió a menear la taza.

—¿Y de Valencia?, ¿qué pasó en Valencia?

Galo le miró con estoicismo casi botánico.

—Responda —le ordenó Arturo.

—¿Y si no lo hago?, ¿qué vas a hacer?, ¿apuntarme con una pistola?

Arturo sintió un trallazo de ira, deudora de su antigua graduación; una mezcla de rabia, frustración, miedo... y de un manotazo le arrancó la taza de la mano, que rebotó con un sonido metálico contra los troncos de la pared. Galo Rodríguez se levantó y se le acercó; se percibía el esfuerzo que hacía por dominarse, su cuello surcado de venas azuladas, hinchadas.

—Dame una razón para no matarte.

—Búsquela usted si le da la gana —se plantó Arturo.

Los ojos vidriosos de Galo se le hundieron en la carne. Arturo empezó a contar los segundos, sin mucha esperanza de poder sostener su mirada. Pero, al poco y para su sorpresa, comenzó a ver en sus ojos la intermitencia de una duda. Había algo tras su fachada que se desmenuzaba con facilidad, como atacado por termitas de conciencia. ¿Qué era lo que le hacía vacilar? Sus neuronas empezaron a hablar desesperadamente entre sí, buscando un hilo del que tirar. Hasta que dio con él.

—Déjeme enseñarle algo.

Rebuscó en los bolsillos de su uniforme y sacó la carta que Luis del Águila le había escrito a su hermana.

—Lea.

La inexpresividad del rostro de Galo quedó compensada por su gesto de coger el papel. Empezó a leer. Arturo esperó a que llegase hasta el penúltimo párrafo. Porque los monstruos siempre están solos. Porque incluso ellos necesitan compañía. «Ahora tengo un amigo que he hecho y que también me comprende. Le decimos Tiroliro, pero se llama Galo y mira si es que hasta los rusos le tienen miedo.»

—Era su amigo —reiteró Arturo cuando Galo levantó la vista, agachándose luego para recoger la taza y ofrecérsela.

Galo la cogió y le devolvió la carta; después fue a llenarse él mismo la taza, volviendo a sentarse en el catre.

Echó un trago. Arturo no se había equivocado; poco a poco algo germinaba en su interior, corroyendo toda su petrificada soledad.

—No hablaba mucho —comenzó entrecortado—, nunca lo hizo. Yo tampoco, así que nos entendíamos. Algo había pasado antes de venir, en Valencia, nunca me lo contó pero lo dejó caer, alguna vez, borrachos. Algo por lo que merecía la muerte, pero la muerte no le quería, ¿entiende? —levantó los ojos—. La muerte le había husmeado, le rondaba, pero Luis no le tenía miedo, y cuando a ella no se lo tienes no te quiere.

Dio otro sorbo a la taza. Arturo no intentó sólo leer sus palabras, sino también sus inflexiones, sus silencios.

—¿Algo más? —dijo al cabo.

—Sí —contestó Galo—, un nombre. Se le escapó uno durante una borrachera.

—¿Cuál?

—Teresa, Teresa Estruch, o Estrella, o Estrada... No estoy seguro, yo también estaba muy mamado.

—Teresa Estruch —repitió Arturo.

—Eso es. Ese nombre le comía por dentro.

Justo entonces un soldado apartó la cortina y se interpuso entre ellos dos.

—Es la hora —informó a Galo.

Galo le miró con la expresión relajada de quien piensa: estoy dispuesto. No había mucho más que decir, así que se levantó lentamente, cruzó la cortina y volvió a sumergirse entre las imprecisas siluetas que hormigueaban en la habitación. Arturo no había sabido si ponerse firme o abrazarle; aguardó unos segundos en una postura indecisa y luego le siguió. Antes de salir, aún pudo distinguir la figura de Galo sentado en otro corro mortal: la superficie resquebrajada de un héroe. Un héroe que, efectivamente, no conocía el miedo, pero tampoco la esperanza.

Una luna del doble de sus proporciones normales iluminaba Leningrado. Una luna de una hermosura trágica que dejaba expuesta a la ciudad. Explosiones retumbando sordamente. Relámpagos distantes. Sirenas estridentes. Mientras se alejaban en el coche, Arturo pensó que todo aquello había sido ruso, que ahora era alemán y que en nada volvería a ser ruso, y en medio, todo aquello. ¿Valía la pena? De lo único que estuvo seguro era de que no quería morir allí.

No quería.

No allí.

Mestelewo.

Veinte edificios diseminados en mil metros cuadrados.

Mecánicos, farmacéuticos, abogados, campesinos, torneros, soldados.

Escribiendo cartas, limpiando armas, recordando, comiendo, disparando, riendo, gritando, fumando.

El día blanco como el papel.

Aves que giraban en largas y cambiantes uves en el cielo.

Un viento helado sobrevolando las copas de los árboles.

El Sslavianka, duro, lívido, con silencio y peces cristalizados en su interior.

Eran las nueve y media de la mañana, y la nieve crujía bajo los pies de Arturo mientras cruzaba Mestelewo en dirección a los barracones, en busca de Espinosa. Excepcionalmente, aquella noche había dormido como si se hubiera acostado siglos atrás, lo que le permitía un pensamiento claro. Con las primeras luces había hecho una llamada a la estafeta para comprobar si habían encontrado alguna carta, y luego otras dos, al comandante Reyes Zarauza y al capitán Isart, en referencia a los antecedentes de los soldados y sobre el páter; acerca del correo y los guripas no había nada, pero a cambio tenía un informe detallado de la Segunda sobre el páter Ramón, y una relación de sus avíos tras la «visita» que le había hecho la gendarmería que le harían llegar esa misma mañana a la plana mayor de Mestelewo. La competencia del comandante Zarauza y del capitán Isart, en un mundo donde la contingencia reinaba los siete días de la mayoría de las semanas, era algo alentador. Más tarde, había buscado a Trinitario para mostrarle la fotografía de Ricardo Guerra, sin que aquél pudiera identificarle; aún le restaba comprobar el dato de su cana al aire para que su coartada siguiera intacta, pero optó por hacer la vista gorda, ya que eso requeriría volver a Puschkin y el tiempo apremiaba. Mientras caminaba, la cinta de Moebius que se había puesto en funcionamiento esa mañana y que enlazaba anverso y reverso de sus obsesiones se iba acelerando: las pupilas de Agustín Covisa se mezclaban con la inocencia de Alexsandr, la desesperación de Luis del Águila, la terrible belleza de Hilde, el misterioso páter Ramón, los rituales perfectibilistas...; caballos, vampiros, bárbaros germanos...; la violación de Zira... Caos, fractura, vértigo... «Mira que te mira Dios, mira que te está mirando»... Busque una pasión..., búsquela... Teresa ¿Estruch?, ¿Estrella?, ¿Estrada?... Arturo no tenía otra opción que dejar que todo aquello se acumulara en su cabeza, hasta que alcanzase un punto crítico que transformase la cantidad en calidad. ¿Cuándo sucedería?

—Arturo.

Una voz interrumpió la barahúnda en su cabeza, y en el espacio de un pensamiento su expresión cambió de la concentración perpleja a la alegría. Era Aparicio.

—Buenos días, mi cabo.

La figura de luchador de Aparicio le tapó el horizonte.

—Buenos días —saludó con una enorme sonrisa y el grueso libro que llevaba en la mano.

—Le veo contento para toda la que está cayendo —aludió al grave salmodio de fondo de los cañones.

—No es para menos: ayer me tocó el Flaco.

—¿Y eso qué es?

—Pues una porra que tenemos hecha entre unos cuantos. Antes la llamábamos el Gordo, pero tal como están las cosas.

Arturo se sintió de nuevo como en casa.

—Enhorabuena.

—Gracias. Claro que no se puede comparar con las pifias que montas tú...

La irónica alusión a Zira pretendía ser cordial, y así la escenificó Arturo a pesar del mordisco que le propinó a su conciencia.

—¿Y quién no quiere un plan con estas *panienkas*?

—Cualquiera, cualquiera —agravó ligeramente el gesto—. ¿Y cómo va lo tuyo?

—*Hier sterbe ich, kann nicht anders.*

—El alemán —bufó desdeñoso—, menudo idioma, no se entiende nada.

—Digo que la cosa está de bigotes.

—Ya sabes que me tienes para lo que necesites.

—Lo sé, y se lo agradezco mucho —Arturo tuvo una súbita premonición—. Oiga, ¿no conocerá a alguien de confianza que me pueda servir de conductor?

—Yo mismo.

—Sí, pero usted tiene trabajo. Me refiero a que pueda disponer de él en cualquier momento, sin aventurismos.

—Pues el Antonio.

—¿Quién?

—El Antonio. Acabo de dejarlo ahora.

Aparicio se giró y llamó a voces al tal Antonio dirigiéndose hacia un grupo de rusos que en esos momentos fumaban un cigarrillo cerca de un barracón. De entre ellos salió un chaval joven, de rasgos tártaros, con una sonrisa tan indeleble que parecía pegada con cola. A medida que se acercaba, Arturo tuvo un *déjà vu,* hasta que pudo identificarle como el conductor del trineo que les había llevado a Espinosa y a él a Molewo. El ruso también pareció reconocerle y su sonrisa se amplió unos grados.

—Aquí está, el Antonio —le presentó Aparicio palmeándole en la espalda con el libro—; conduciría hasta un avión si le dejaran.

Antonio le miró con una pasividad servicial que rozaba la estulticia. Arturo estaba indeciso.

—¿Seguro?

—Descuida, es más listo de lo que parece, ¿eh, Antoñito? —le pegó un guantazo en la espalda que casi lo desencuaderna—. Es un crío a la buena de Dios; lo hicieron prisionero el año pasado después de un ataque de los rojos. Cuando los suyos se retiraron, él se quedó entretenido con un jamón que había en un búnker. Al echarle el guante estaba feliz, imagínate. Y, ya ves, la sonrisa no se le ha quitado desde entonces. Nadie tuvo el valor de liquidarlo, así que se lo entregamos a los alemanes.

—¿Y por qué sigue con nosotros?

—Se les escapó y volvió a la División. Después del jamón debía de creer que esto era Jauja. No podíamos hacernos cargo de él, así que lo dejamos frente a sus líneas y lo echamos a andar.

—¿Y entonces? —dijo Arturo con pasmo *in crescendo*.

—Entonces regresó a la media hora. Después del hambre que pasaría en Leningrado nos dio que para deshacernos de él habría que pegarle un tiro. Así que, entre pitos y flautas, la guripancia decidió adoptarlo. ¿Qué ibas a hacer?

—Es el hombre que busco —determinó Arturo sonriendo—, pero que esté a mano. En cualquier momento lo voy a necesitar.

—No tenga cuidado, le diré que a partir de ahora se quede rondando por la plana mayor.

—*Bols'shoye spasibo. Bols'shoye spasibo* «Muchas gracias. Muchas gracias» —le agradeció también a Antonio, que respondió a su vez con una larga y entusiástica parrafada; mientras lo hacía, Arturo distinguió el título del libro que llevaba Aparicio—. Ya veo que ha pasado por la biblioteca de la División, no sabía que le gustaba la lectura.

Aparicio le miró desorientado.

—¿Perdona?

—Cervantes. *El Quijote* —le señaló el libro.

Aparicio levantó el libro un poco confuso.

—Ah, dices esto. Es que voy a las letrinas.

—Sí, leer ayuda a hacer del cuerpo.

Aparicio seguía sin comprenderle.

—Sí, claro. ¿Tú también necesitas papel?

Abrió el libro mostrando la mitad de sus hojas arrancadas, y Arturo sufrió un violento rubor, maldiciéndose a sí mismo.

—No, creo que ahora no —dijo con prisas—. Bueno, me voy a lo mío.

—Y yo a lo mío —se despidió Aparicio.

Antonio sonrió. Una sonrisa deslumbrante, con todas sus piezas. Indicaba que también él iría a lo suyo.

La búsqueda dio sus frutos y no tardó en encontrar a Espinosa. Se hallaba frente a un tanque alemán, con una mano en los eslabones de hierro de su oruga y la otra en el pitillo. Arturo se sorprendió de la presencia de aquel inmenso y espectral Tiger en medio de Mestelewo. Se colocó al lado de Espinosa, en silencio y, como él, admiró su cañón del 7,5, sus ametralladoras MG del 7,92, sus ocho metros de longitud. Todo en aquel mastodonte estaba sincronizado con la muerte, cada ángulo de su blindaje, cada engranaje, cada tornillo.

—Acojona, ¿eh? —dijo Espinosa.

—Vaya si acojona. Por lo que veo, los alemanes se han apiadado de nosotros.

—Quia, lo que pasa es que se les quedó seco y la División era lo que más cerca les caía. Los pilotos han ido a pedir unas latas de gasolina.

—Ya me extrañaba.

Espinosa echó una calada, se abrigó en su mutón y apuntó al cañón.

—Un solo ojo, como un cíclope —le dijo a Arturo.

—A los fuertes les suele bastar uno. Hasta Dios tiene un solo ojo.

La inocente frase despertó un abismo familiar en la mirada de Espinosa.

—Cierto —echó otra calada—. «Mira que te mira Dios»... ¿Sabe? Antes pensaba que Dios elegía hombres o palomas para reencarnarse, pero ahora creo que eso no tiene ningún sentido. Dios nunca podría escoger una envoltura tan frágil. Él sólo podría hacerse carne en esto —apuntó al carro de combate.

—Pues menos mal que está con nosotros —Arturo señaló la hebilla metálica de su cinturón con la inscripción *Got mit uns,* «Dios con nosotros».

Su gracia no logró ablandar la expresión aguileña de Espinosa, que habló como en trance.

—¿Usted cree que ahora importa de qué lado está Dios?

Arturo se quedó frío. Por alguna causa, el aguijón oculto en Espinosa estaba haciendo sangre. No se lo deseaba, pero también consideró que era el estado ideal para ayudarle a presionar al páter Ramón.

—Podemos preguntárselo al páter —intentó que su tono continuara siendo jovial.

—¿El páter?

—Un pajarito me ha dicho que él sabe más cosas de las que nos ha dicho.

—¿Y qué más le contó ese pajarito?

—Que pasó algo en Valencia y que hay de por medio una tal Teresa.

—Así que el páter sabe.

—Sí, el páter sabe.

Su expresión fue la de una bestia a la que excitasen al pasarle una barra de hierro por los barrotes de su jaula. Parecía haber olvidado que hacía sólo unos días se había confesado con él.

—Entonces habría que ir a verle —decidió.

—Estoy de acuerdo, mi sargento —convino como si hubiera sido Espinosa quien hubiera tomado la iniciativa—, pero una cosa —continuó su teatro—: Hay que meter el convoy, en eso estamos de acuerdo, pero le rogaría que tengamos la fiesta en paz.

Espinosa torció los labios en un gesto que, en el mejor de los casos, quería sonreír, y en el peor, quejarse de un mordisco ulceroso.

—No sólo depende de mí —dio una última calada al pitillo y lo tiró.

—Basta con ser cortés.

—Nada que objetar, si no fuera porque la gente confunde cortesía con debilidad.

Hubo una leve punzada inquisitiva en sus cejas, como desafiándole a responder. Arturo optó por no hacerlo y se agachó para coger un puñado de nieve. La tamizó entre sus dedos, pensativo.

—Está bien —capeó—, ya hemos perdido demasiado tiempo. Empezaremos por la plana mayor, nos han enviado unos papeles sobre el páter Ramón.

—Ya estamos tardando.

Miraron por última vez la silueta acorazada del Tiger y parecieron llegar a la misma conclusión: su fuerza, como la fuerza de la Wehrmacht, residía en el movimiento, el estancamiento significaba la derrota. Así que empezaron a caminar hacia las oficinas de la plana mayor. A medida que transcurría la mañana, el invierno iba bajando la plomada; los termómetros de alcohol cedían centímetros hasta menos treinta mientras el cielo se iba cerrando como una plancha. Cuando llegaron a la plana, unos rusos limpiaban parsimoniosamente de nieve algunos accesos con unas largas palas. En las oficinas les entregaron los oficios, la biografía del páter y una relación de sus avíos, que leyeron con atención. El dossier no daba soluciones liminares, pero sí algunas pistas preliminares. Volvía a hablarles de los cuadros paramilitares que había organizado en Teruel para comenzar en Rusia su particular Cruzada, y antes y después, de su violento papel en el levantamiento de julio en España como páter en la Segunda Bandera de la Legión, y luego en la campaña de Rusia. Daba la impresión de estar revisando la hoja de servicios de algún caudillo militar, en vez de la vida de un sacerdote. En una nota esquinada, a mano, el comandante Zarauza también le advertía de unas hemorroides que sufría el páter, pendientes de una operación en cuanto regresase a España; detalle anecdótico si no le forzasen a usar morfina habitualmente, un tratamiento que le había generado una seria dependencia.

—Vaya con el páter —dijo Espinosa.

—No nos interesan sus vicios.

—Nunca se sabe.

—Vamos, tiene que aclararnos ciertas cosas.

Salieron de la plana mayor, no sin antes haber indicado sus posibles ubicaciones a fin de estar localizables, y se dirigieron a la iglesia de la División. Allí, un soldado que hacía las veces de monaguillo les informó que el páter estaba despiojándose en los baños turcos. Los baños de vapor habían sido la novedad más comentada en Rusia, una modalidad de aseo que había tenido un éxito raro entre los guripas, la mayoría remisos a todo lo que tuviera que ver con el agua, salvo el bautismo. La isba donde se hallaba la sauna indicada no quedaba lejos, junto a la línea de ferrocarril, y era fácilmente reconocible porque estaba tan inclinada que parecía formar parte de un decorado expresionista. No tardaron en plantarse en su puerta. Al entrar les recibió el habitual olor excremental; al fondo, entre un apero de labranza y un barreño para abluciones, estaba la pequeña habitación herméticamente cerrada que servía de sauna. A juzgar por el uniforme doblado con cuidado sobre un banquetín y las botas alineadas a su lado, alguien parecía estar sudando dentro. La galleta de paño morado en el bolsillo derecho de la guerrera confirmó que se trataba del páter. Picaron en el habitáculo, y cuando oyeron un pasen, Arturo la entreabrió y metió sesgadamente la cabeza, recibiendo una dolorosa bocanada de calor que le hizo cerrar los ojos. El páter estaba sentado en la balda superior de un anfiteatro en miniatura, en calzones, desdibujado por la densidad del vaho. Su cuerpo fibroso brillaba por las miríadas de gotas de sudor que lo cubrían.

—Disculpe que le interrumpa, páter, pero es necesario que hablemos —forzó una nota de confusión simulando que, como sabueso, continuaba insensible a sutilezas y complejidades.

—Acabo de entrar —se excusó con su poderosa voz.

—Lo entiendo, pero esto es urgente.

—Mire, acabo de entrar y no voy a salir —advirtió con inflexiones arenosas—, y no se puede tener la puerta abierta.

Arturo parpadeó con fuerza para aliviar sus ojos lacrimosos, y cerró la puerta. Sin vacilar, se quitó el casco, pasó la mano por su pelo perfectamente alisado hacia atrás, y empezó a desabotonarse el traje de invierno.

—Empiece a despelotarse, mi sargento, hoy toca ponerse a hervir.

Espinosa hizo un ademán de puro hastío, pero empezó a desvestirse. Sus respectivas siluetas de alambre fueron emergiendo de bajo los sucesivos pliegues de ropa. Se contemplaron en calzones con cara de circunstancias; ridículo no bastaba para definir su aspecto, pero mantuvieron un silencio orgulloso. «Adentro», instó Arturo. Agarró la Tokarev —por si a los ruskis les daba también por un baño—, y penetraron en aquella atmósfera asfixiante, ocupando las gradas más bajas de la sauna para soslayar el calor. No les sirvió de mucho: al instante el sudor arrollaba su piel. El páter Ramón se colocó de lado, pasándose una mano para retirar el sudor de sus rasgos mestizos. Sus músculos arqueados y cobrizos contrastaban con sus cuerpos lechosos y magros.

—La pistola se va a calentar —le advirtió el páter a Arturo.

—Estoy más tranquilo con ella.

El páter gesticuló resignado.

—Pues entonces bienvenidos. Esto es un invento, ya veréis cómo os mejora la circulación. Tomad estas ramas y flagelaos un poco.

Les entregó unas ramas verdes de abedul.

—Gracias —respondió Arturo, dejándolas a un lado—, a ver si podemos arreglar esto rápido.

—Esperad...

El páter sacó agua con un cazo de un pequeño cubo y la echó sobre unas piedras recalentadas, desprendiendo al instante densas, hirvientes nubes blancas que casi asfixiaron al sargento y a Arturo, obligándoles a inclinarse hacia delante con la cabeza entre las manos.

—Así mejor, ¿no? —le preguntó a Espinosa.

Éste pensó en meterle la cabeza entre las piedras.

—Sí, padre, así mejor.

—Padre —intervino Arturo cuando pudo respirar—, la cosa está castaño oscuro y necesitamos su ayuda más que nunca.

—Pero ya lo habíamos hablado. No sé qué más puedo hacer, aparte de rezar a Dios.

—Dios también va a tener que echarnos una mano.

—¿Y cómo?

—Dándole licencia para hablarnos de Luis del Águila.

El tic en los labios del páter se intensificó.

—Eso no puede ser, y no hay vuelta de hoja.

—¿Le suena el nombre de Teresa?

El nombre le hizo apretar los dientes. Negó con la cabeza, pero un titubeo previo había indicado que estaba mintiendo.

—Teresa Estruch, Estrella, Estrada... o algo por el estilo —repitió Arturo—. Un amigo de Luis nos dijo que hablaba mucho de ella.

—Da igual de lo que hablase o lo que a mí me contara, quedó entre Dios y él.

—Y también entre usted, padre —terció Espinosa pendenciero.

Arturo no se había equivocado: con Espinosa todo era cuestión de temperatura.

—Y usted, padre —le secundó con su gesto más asilvestrado—. Creemos que Luis del Águila jugaba a la violeta por algo que sucedió en el pasado, algo relacionado con esa Teresa. Y como le supongo enterado de que quien lo mató se acaba de cargar a otro guripa, Agustín Covisa, también le quería preguntar si le conoce o Luis le habló de él.

—No. No a todo.

—Ya... —se miró en el brazo un eccema rojizo que empezaba a impresionarse—. Pues le aseguro que este Agustín no será el último. Ambos fueron ejecutados mediante un ritual masónico que...

—¿Masones? —le interrumpió visiblemente contrariado.

—Sí, padre, masones —intuyó una falla y le resumió las charlas con Guerrita y Octavio Imaz—. Como puede ver, un masón está ejecutando a buenos católicos, y nuestro deber, «su» deber, es detenerle.

El páter inclinó la cabeza y pasó la palma de su mano sobre su calva, desde la frente hasta la nuca, lentamente, empapándola de sudor y apretándolo en su puño, como si lo exprimiera. Alzó el rostro.

—No puedo hacer nada —respondió.

—Por favor, padre, nosotros queremos que...

—En esta vida lo que uno quiere no suele ser lo que le conviene —le cortó—, y yo no voy a romper mis votos por un miserable.

Arturo estaba confundido, no esperaba aquel rapto de honor.

—¿Ni siquiera por un miserable rojo? —cizañó.

—Ni siquiera.

—Nos obligará a hablar con el general.

—¿Me estás amenazando?

—Ni se me ocurriría, sólo queremos saber lo que ocurrió.

—También Lucifer quiso saber demasiado, y ya ves lo que le pasó. Hace calor, ¿eh? —volvió a escaldar las piedras, con la consiguiente ráfaga hirviente—. Como en el mismísimo infierno.

Arturo agachó otra vez la cabeza; estaba empezando a deshidratarse y sintió mareos. Pensó en Alexsandr, «... mientras llevéis un niño... podréis atravesar incluso las llamas del infierno». Pero allí sólo podía contar con Espinosa. Le miró; se mantenía inmutable, como una de las fórmulas químicas de su currículum. Sin embargo, para su alivio, éstas parecían comenzar a imponerse a su fe.

—Como en el infierno, sí —comenzó Espinosa—. Incluso huele a azufre.

El páter Ramón le observó suspicaz, pero no dijo nada.

—Quiero confesarme, padre —añadió.

—¿No lo habías hecho ya?

—Peco mucho.

—Aquí no podemos.

—¿Por qué, padre? Dios está en todas partes.

—¿Te estás riendo de mí? ¿No tuviste suficiente la última vez?

—No, padre, déjeme confesarme, por favor.

No acabó de decidirse.

—Mañana mismo podría morir, padre —le apretó con prudencia.

Inesperadamente, el páter hizo una rápida señal de la cruz.

—Ave María Purísima —aprovechó Espinosa.

—Sin pecado concebida.

—Yo me confieso, padre, de que he pecado.

—¿Cuándo has pecado, hijo?

—El año pasado.

—¿Me estás buscando las cosquillas? —su tic labial se disparó.

—No, padre, de verdad, déjeme contarle, déjeme...

El páter Ramón entreabrió los labios, a punto de replicar con una frase demoledora, pero se contuvo.

—Dime.

Espinosa asintió.

—Fue el año pasado, en Novgorod. Salí a estirar las piernas con un compañero aprovechando que los ruskis no tiraban; Novgorod estaba desguazada, pero había cosas bonitas que ver, sobre todo para los que veníamos de la Bolsa. Es la ciudad más antigua de Rusia, y paseamos por sus calles, lo que quedaba de ellas... Estuvimos en el Kremlin, en algún palacete, visitamos la catedral de Santa Sofía... Encontrábamos de todo, iconos, fotografías, cachivaches de todo tipo... Estuvimos entretenidos. Hasta que llegamos a un parque, padre.

Se detuvo, y Arturo, que a pesar de estar cociéndose había permanecido absorto, vislumbró entre la niebla su inquietante parecido con una de esas máscaras de picos afilados que llevaban los médicos de la peste. Y entonces lo supo. Supo que, al fin, iba a escuchar el secreto de Espinosa.

—Dime —le alentó el páter.

—El viento, padre —se pasó la mano por el escuálido pecho, limpiando con sus manos arrugadas la película de sudor—. El viento nos había acompañado durante todo el andar. Ruinas, ruinas y más ruinas. Arrancaba chirridos de los herrajes de los balcones, de las ventanas rotas, de los asideros de los faroles; el viento zarandeaba puertas desencajadas, hacía volar hojas de libros desencuadernados, miles de hojas. Y el viento también se había metido en aquel parque. Entramos con él. Era un parque infantil, vacío, todo removido por las bombas. Allí había unas barquitas metálicas y columpios, y el viento las mecía y las hacía gemir; eran como llantos, como lloros. Y entonces pensé, padre, pensé: ¿dónde están los niños? No había encontrado un solo niño en Novgorod. ¿Dónde estaban, padre?

—Se los habrían llevado.

—No sé, padre, de verdad que no sé. Durante la guerra vi morir a muchos amigos, pero nunca dejé de creer en Dios; perdí a mi madre, pero Dios fue mi consuelo; una neumonía estuvo a punto de llevárseme a un hijo, pero incluso en los peores momentos recé a Dios. Pasé hambre, sed, frío; vi cosas que nadie debería ver, pero Dios fue siempre mi sustento. Hasta que vi todas aquellas barquitas y columpios, moviéndose con el viento... ¿Qué ha hecho Dios, padre? —se le quebró la voz.

—Estás cansado, hijo —contemporizó el páter—. El diablo aprovecha esos momentos de debilidad para hacer mella en la fe y apartar al hombre del camino de la virtud.

—Sí, estoy cansado.

—Claro, hijo.

—Estoy cansado de Dios.

El páter desorbitó los ojos; incluso Arturo se sobresaltó. El sacerdote casi trituró sus palabras.

—¿Sabes lo que acabas de decir?

—Lo que ha oído.

—Tú no estás bien.

—Tampoco lo estaba Luis del Águila, por eso jugaba a la violeta, ésa era su penitencia, y usted lo sabía.

—Se ponía en pecado mortal, ¿cómo iba a ser su penitencia?

—Dios, el diablo, a Luis le daban igual, también estaba cansado. ¿Y qué le decía usted, padre?

—Yo le perdoné sus pecados. Dios le perdonó sus pecados.

—Pero él no se perdonó. No podía. ¿Qué hizo en Valencia, padre? ¿Quién es Teresa?

—Eso no importa. Has blasfemado, hijo, tu alma está en pecado mortal. Arrepiéntete.

—Querría, padre, pero ya no puedo, ¿porque sabe lo que de verdad no le perdono a Dios?

El páter se crispó de ira.

—Es Dios quien te tiene que perdonar a ti, desgraciado —gritó.

La sonrisa de Espinosa fue febril.

—Lo peor, lo que no le perdono —continuó—, es que estaba allí, mirando aquellos columpios, y no fui capaz de llorar, padre. Después de ver tantas cosas horribles deberíamos compadecernos, lo deberíamos hacer, pero ya no somos capaces de sentir nada, ni siquiera de fingirlo. Eso es lo que no le perdono a Dios.

El silencio se elevó en forma de nublazones blancas, velos de hirviente seda. Al cabo, el páter Ramón juntó sus cejas hasta formar casi un puente y habló con esa amabilidad que se emplea con los discapacitados. «¿Quizás su paciencia provenía de la culpa?», pensó Arturo.

—Cuando los corderos se pierden en el monte se les oye llorar. Así los localiza el pastor.

Espinosa adoptó un gesto a medio camino entre la guasa y la mordacidad.

—Esta vez ha llegado antes el lobo, padre.

Aquello fue demasiado. El páter Ramón tensó sus brillantes músculos, le miró tenebroso.

—¿Desde cuándo los demonios están bautizados? —le espetó con rabia; miró también a Arturo—. Perros, no sois dignos del sol que os alumbra; Dios os mira y pesa vuestros actos, deberíais poneros de rodillas e implorar que vuestro castigo...

De pronto, la puerta se abrió con brusquedad y asomó un fusil Nagim ruso, provocando que el miedo se enroscase en sus gargantas. Reaccionaron al instante; el páter y Espinosa agarraron precipitadamente el ánima del fusil, y Arturo cogió su pistola, pero el metal caliente le achicharró la mano, soltándola con un gemido. Se produjo un violento forcejeo hasta que un grito fuera les detuvo.

—Por los clavos de Cristo, ¿qué hacéis?

A continuación asomó la cara de un hermoso y estupefacto guripa, que acabó de liberar su fusil con un último tirón. Observó el gesto angustiado y decidido de los ocupantes de la sauna, con la adrenalina aún diluyéndose en su sangre; luego siguió sus ojos hasta el Nagim y comprendió.

—Lo siento, son más suaves de retroceso —se disculpó abrumado, consciente de lo anodino de su defensa—. ¿Arturo Andrade? Vengo de la plana mayor, en la iglesia me dijeron que estaría aquí.

—Soy yo.

Le saludó con premura.

—Nos han avisado de Molewo...

Bastó con esa palabra para que comprendieran que la casualidad les había brindado su favor. Arturo cogió la pistola con cuidado y salieron precipitadamente del habitáculo, comenzando a vestirse.

—¿Qué ha pasado? —preguntó Arturo.

—Lo tienen cercado. Lo sorprendieron en uno de los claustros con un guripa.

—¿Le ha matado?

—No llegaron a tiempo.

Arturo apretó los labios y negó con la cabeza.

—¿Cómo pudo entrar sin que lo detuvieran? —gruñó Espinosa.

—No le puedo decir.

—Está bien, te vienes con nosotros.

Terminaron de ponerse el traje y los correajes. El cura les observaba de pie junto a la puerta de la sauna. Todo su cuerpo relucía por el sudor, cada uno de sus músculos perfilados como por un anatomista. Arturo le devolvió la mirada.

—Todavía no hemos acabado —le retó.

—Aquí le espero.

Puso fin sumariamente a la entrevista y golpeó la espalda de Espinosa y la del guripa para que le siguieran. Ahora lo más urgente era encontrar a Antonio.

La calma más absoluta reinaba en Molewo. Sus formas arquitectónicas, desleídas por la pulimentación eólica, se alzaban como un gigantesco escollo en un mar ártico. Una masa nutrida de copos había empezado a caer sobre sus cúpulas, y un frío despedazante se colaba entre la infinita voluntad plástica de sus erráticos movimientos. Arturo, de pie junto a la troika, apretó el hombro de Antonio y sintió la dureza del hueso y la blandura de la carne. Los caballos relinchaban nerviosos, moviendo suavemente la cabeza.

—Tú nos esperas aquí, ¿entendido, Antonio?

Antonio sonrió con aparente idiocia, desmentida por la eficiencia con la que les había transportado hasta el monasterio. Arturo le devolvió la sonrisa, enturbiada por el fugaz vértigo que experimentó durante unos segundos, obligando a su alma a dejar de oprimir su cuerpo e iniciando una trabajosa marcha por la nieve. La colosal puerta del monasterio estaba abierta; entraron vigilantes, intentando fijar la mira de sus armas en cualquier cosa que se moviera. Recorrieron los pasillos con rapidez, espiados por los *baphomets* tallados entre la enigmática heráldica de sus paredes; esqueletos harapos comenzaban a aparecer en cada esquina, custodiando en sus cabezas el secreto que los volvía locos. Llegaron hasta el patio donde yacía abatida la estatua de Lenin; dos gendarmes, con la gola metálica reglamentaria colgando del cuello, estaban atrincherados detrás de uno de los muretes. Arturo se acuclilló junto a ellos seguido del resto, que formó un círculo a su alrededor. Se saludaron con la marcialidad que permitía la situación.

—¿Cómo ha sido?

—Tuvimos que dejar la guardia en los calabozos porque había follón en los pasillos —explicó un soldado con los ojos diminutos—, creímos que se habían colado unos partisanos, pero era sólo una trifulca de estos pirados. Fue sólo un momento, pero cuando volvimos nos encontramos a ese cabrón en el patio haciendo de las suyas. Le dimos el alto, pero fue más rápido y empezó a disparar. Casi nos acribilla.

—¿Le visteis la cara?

—Llevaba un pasamontañas.

Arturo no necesitó saber más. Se asomó con cautela al murete; el resplandor crudo de la nieve inundaba todo el patio, engrosado milímetro a milímetro por el humor errático de la nevada. Estudió el escenario como si fuera un cuadro, encontrando la firma a la izquierda de la estatua derribada: un soldado hundido boca abajo en un charco de sangre helada. Había sido destazado parcialmente con un hacha abandonada a su lado. Aquél era el castigo para el tercer grado de la masonería, recordó Arturo. A continuación, recorrió con sus ojos el murete de enfrente, buscando trazas del asesino, que no dio señales de vida. Volvió a resguardarse y apoyó la espalda contra la piedra; el vaho de su agitada respiración se desflecaba en el aire.

—¿Estáis seguros de que sigue allí?

—Hostia, seguro —aseveró el otro guripa, con una barba escarchada.

—A lo más ha encontrado alguna salida.

El gendarme lo negó y para demostrarlo enredó el cinto de su máuser en el antebrazo, se apoyó en el murete, apuntó con cuidado y efectuó dos disparos. Nada más agacharse una ráfaga corta de fusil ametrallador limó el borde del murete.

—A mí me lo va a decir —se quejó poniendo su mano sobre el casco, como si éste fuera a volar.

Arturo observó uno por uno los cuatro rostros que aguardaban sus órdenes. Debido a la sauna, sentía la piel hipersensible, como si le fuera a subir la fiebre. Tenía que pensar con claridad. Y rápido.

—Está bien —decidió—, lo quiero vivo. No tiene escapatoria, así que esperaremos. Tú y tú —señaló al retén—, os colocáis en las dos esquinas del claustro. Tú —apuntó con la barbilla al soldado que les había dado el aviso—, te quedas conmigo de apoyo. Y usted, sargento, avise por radio que manden refuerzos.

—¿Y usted?

—Intentaré hablar con él. Vamos.

Palmeó con fuerza sus guantes y el grupo se dispersó siguiendo sus indicaciones. A continuación apoyó su fusil contra la piedra y se dio la vuelta, elevando sus ojos unos centímetros por encima del borde.

—¿Me oyes? —gritó—, me llamo Arturo, Arturo Andrade —el eco de su nombre reverberó entre las bóvedas y columnas—. Se acabó, ¿me entiendes? Estás rodeado. Lo sé todo, los perfectibilistas, los castigos, las duchas donde mataste a Luis del Águila, lo de Agustín Covisa... Tendrás un juicio como Dios manda, te lo prometo. Pero esto se acabó. Responde.

Sus voces quedaron sin respuesta, una ausencia que la nevada intensificaba. Arturo oyó su propia respiración, vio cómo el vaho se difuminaba en el aire. El tiempo pasaba y decidió tirarse un farol. Abocinó las manos alrededor de la boca, gritó con todas sus fuerzas.

—También sé lo de Teresa.

Desde algún lugar de la penumbra brotó la ráfaga azulada de un fusil ametrallador, que instantáneamente fue devuelta por el retén. Arturo se cubrió y ordenó un alto el fuego. Los disparos fueron cesando hasta detenerse por completo; estaba satisfecho, porque aquello no había sido una montonada de balas, sino de pruebas. Se acomodó para esperar, sólo tenían que hacer eso. Espinosa regresó al poco, arrodillándose a su lado.

—¿Qué ha pasado? He oído disparos.

—Creo que le he dicho algo que no le ha gustado —respondió Arturo.

Su rostro expresó perplejidad, pero se concentró en lo que tenía que contarle.

—En la plana mayor dicen que los refuerzos ya estaban en camino.

—¿Cómo que ya estaban en camino? Si no habíamos avisado.

—Intercesión divina —apuró sarcástico.

—Aquí hay algo raro...

De repente, su extrañeza se concretó en un griterío jalonado de disparos.

—¿Qué cojones...?

Una irreal y atropellada marea de locos comenzó a inundar el claustro, atestando las galerías e incluso exponiéndose a la nevada. El pánico se reflejaba en sus rostros famélicos.

—¿De qué huyen? —se preguntó Arturo en voz alta.

—¿Ruskis? —arguyó Espinosa con frialdad, montando su arma.

—Ni idea, pero vamos a enterarnos —se dirigió al retén—. No os mováis de donde estáis, ¿me oís? Vigilad a ese cabrón.

Pero justo cuando se disponían a investigar, irrumpieron en el claustro dos soldados alemanes que, al verles, se quedaron a un par de metros de ellos, igual de perplejos e irresolutos. Aún se hallaban calculando su siguiente paso, cuando a sus espaldas apareció un tercero; éste, al descubrirles, no dudó un segundo en encañonarles ordenando que soltasen sus armas. Sus ojos muertos, su rostro patibulario, le resultaron familiares a Arturo. *«Einsatzgruppen»*, brilló de repente en su mente. Era el SS que casi le había volado la cabeza a Alexsandr. Al comprobar que también él le había reconocido, el miedo se hizo una bola en su estómago. A pesar de las maldiciones de Espinosa, obedecieron; todos menos el guripa de la barba, que se acercó a los alemanes enarbolando el puño y cagándose en sus muertos. Las órdenes del SS fueron fulminantes y fue reducido violentamente, colocándolo junto al resto contra una pared. Pese a los temores de Arturo, el SS se desentendió de ellos y se ocupó de organizar al resto de alemanes, que no habían dejado de entrar. Por sus órdenes, comprendió que se habían dedicado a aparcear a los locos como si fueran ganado, agrupándolos en el claustro. Cuando quedaron conformes en que no faltaba ninguno, formaron un cordón para evitar fugas y esperaron. A los pocos minutos apareció un oficial. Al verle, Arturo recordó el comentario de Reyes Zarauza: «Magia Negra... Hacen desaparecer a la gente». Era Wolfram Kehren. Al igual que Espinosa, llevaba un enorme abrigo de mutón, y tras saludar, se quitó la gorra en un ademán teatral para seguidamente estudiar la situación con su rostro geométrico e inexpresivo. Pero cuando Arturo se quedó pálido fue al ver entrar a Hilde. Aunque su presencia fuese lógica, no acababa de entrar en su razonamiento; muy arropada en un abrigo de piel, era chocante ver su rostro, hermoso y gélido como una marea en invierno, bajo un casco de acero. A pesar de ello, no perdía ni un ápice de su fascinación; desgraciadamente, el altísimo precio que había que pagar por ello lo había soportado Zira. Siguió mirándola, sintiendo que el núcleo esencial de su ser iba derritiéndose hasta convertirse en un cúmulo informe de sentimientos, impotentes para la acción, hasta que con el deseo llegó el recuerdo de la oscuridad, desordenada, llena de minas y cavernas que había entrevisto durante la fiesta. Recordó también las palabras de Kehren, «una raza tiene el derecho natural a dominar o incluso exterminar a naciones más débiles... Los soviéticos son *Untermenschen,* y por ello tienen que dejar paso a sus nuevos amos». Recordó la manera del capitán de mirar el bosque durante el fusilamiento del gemelo. Recordó el tenebroso fetiche de la higiene social nazi. Angustiado por la conciencia de lo que iba a suceder, intentó llamar la atención del capitán, detener el movimiento de cuchilla de la esvástica, que había comenzado a girar. Wolfram Kehren le vio, pero no alteró su helada expresión ni le prestó más atención; quien sí le respondió fue Hilde: puso el índice sobre los labios, incitándole a callar. Sin dilación, Kehren dio órdenes exactas y entraron en el claustro un par de soldados más —hasta ese momento escondidos— con una máquina que colocaron en posición, enfilando a los desgraciados en la cruz de su retículo. El resto de SS también apuntaron sus armas. El terror se fue adueñando de las víctimas, gritos, lamentos, lloros; algunos ejecutaban insólitas gesticulaciones, como si así pudieran alejar el destino o la muerte. En un momento dado descubrió a Misha, abriéndose paso entre la muchedumbre, llamándole a voces con desesperación.

—*Feuer.*

La orden de Kehren sonó seca, inesperada, y la muerte cayó sobre todos aquellos desgraciados como si alguien hubiese volcado sobre ellos un ataúd con todo lo que llevaba dentro. La máquina fue devorando la cinta de cartuchos con pequeños tirones convulsivos, en ráfagas cortas pero continuas, acompañada por fusiles ametralladores y pistolas, tragándoselos a todos. Después de que cientos de casquillos tintineasen sobre el suelo, el servidor de la ametralladora tuvo que cambiarle el cañón al rojo vivo con un guante de amianto. Luego siguieron disparando. En la burbuja de tiempo que se creó, Arturo los observó a todos, a Kehren, a Hilde, a los SS; la pereza en sus ojos que ya había observado en el *Einsatzgruppe,* como si su cerebro fuera siempre más rezagado que sus manos. Y comprendió que eran ellos, ellos eran los nuevos emperadores. Extraños para sí mismos y para el mundo, sin nociones de pasado o de futuro; niños egoístas y solitarios jugando en un purísimo cielo de crueldad, matando sin odio, sin motivo, inaugurando así para el mundo una época implacable. *«Halt, Halt»,* la siguiente orden de Kehren fue saltando de un lado a otro de los hombres, deteniendo paulatinamente los disparos hasta que sólo se escucharon ráfagas sueltas. Los alemanes no tardaron en internarse entre aquel laberinto de muertos para rematar a los vivos, disparándoles a bocajarro en las cabezas. Los tiros retumbaban en las bóvedas.

—¿Por qué? —se desesperó el guripa de ojos diminutos.

Una pregunta de fácil contestación y respuesta imposible, pensó Arturo. Los SS seguían ejecutando su atroz tarea cuando, inesperadamente, entrando en la nevada por un extremo del claustro, apareció un soldado con la cara oculta por un pasamontañas. Se descolgó el fusil ametrallador que llevaba colgado del cuello, y elevó ligeramente las manos, mostrando las palmas. Luego avanzó entre los cadáveres acribillados. La sorpresa de Arturo fue compartida por todos, que no supieron cómo reaccionar. Cruzó el centro del claustro y entró en el corredor donde se hallaban; sus botas tropezaban con los casquillos de cobre, que sonaban como cascabeles, rompiendo el onírico silencio que se había creado. Llegó hasta Kehren y, como si supiese que los lobos no morderán a los lobos, lo sobrepasó y salió por la puerta. Años después, Arturo ni siquiera acertaba a hacer una lectura racional de lo sucedido: quizás esperaba un demonio malévolo, una representación de la muerte; quizás se había preparado para enfrentarse a todo menos a un hombre. Fue Espinosa quien tuvo que cruzar aquella línea invisible con una sonora maldición, lo que forzó a Arturo a salir del marasmo y entre forcejeos con los alemanes explicarle a Kehren cómo se les acababa de escapar el asesino. El capitán pareció tan desconcertado como él, pero acabó por ceder ordenando que les devolvieran sus armas. Arturo buscó por última vez a Hilde, su presencia, que seguía confirmándole que sería tan imposible tenerla como dejar de amarla, para salir luego a escape con el sargento. No tenían ninguna duda sobre la dirección a tomar, y el criminal no había tenido tiempo para alejarse mucho. Corrieron por los pasillos del monasterio doblando esquinas, atropellándose en los escalones, hasta que entre su ansiedad y su miedo logró hacerse un hueco la esperanza: al fin reconocieron el pasadizo que conducía a los calabozos. Sobre el espolón de roca que lo señalaba no encontraron la linterna de dinamo; eso significaba que el asesino podría haberla cogido y que habían tomado la decisión correcta, pero también que no tendrían luz. Se miraron; no había tiempo para dudas. Entraron en el rectángulo negro del pasadizo con las armas preparadas y avanzando con precaución, guiándose por las paredes. Un tapiz leproso de hongos les llenaba los guantes de una sustancia resbaladiza, como si las piedras sudasen; la oscuridad fluía y refluía, sofocante, mientras buscaban alguna rendija de luz que les guiase hasta la salida. Inusitadamente, no se oían los golpes metálicos ni los chillidos de los condenados. Arturo estaba a punto de hacer un comentario cuando, entre las sombras, hubo una que se contorsionó, y luego otra, y otra, hasta que el abismo entero les miró. Una turba de famélicos espectros se les echó encima buscando sus ojos, sus cuellos; en su huida, el asesino había abierto las celdas con el fin de retrasar a quienquiera que le siguiese. Arturo ni siquiera alcanzaba a ver sus rostros, y en un principio tanto el sargento como él se resistieron a disparar, hasta que sus violentos abrazos les obligaron a abrir fuego. Las ráfagas iluminaron fugazmente puertas, bóvedas, paredes; manos tendinosas, caras inmundas, cuerpos haraposos... Por falta de espacio, Arturo tuvo que soltar el fusil y usar su Tokarev disparando a quemarropa contra todo lo que intentaba agarrarle. Fueron momentos de angustia, acrecentada por el silencio con que se desarrolló la pugna. Tras el último disparo, un espeso y acre olor a pólvora lo inundó todo.

—¿Está bien, Arturo? —se oyó preguntar a un fatigado Espinosa.

—Sí, mi sargento, algo magullado pero bien, ¿y usted?

—He estado mejor. No perdamos tiempo, ahora nos saca ventaja.

Arturo sintió cómo una mano le tanteaba en la oscuridad y le empujaba hacia delante. Muy al fondo, descubrieron una rendija luminosa que se agrandaba y estrechaba. Siguieron el fino sedal de luz hasta la salida y abrieron del todo la puerta, mecida por el viento. En el exterior, sufrieron unos segundos de deslumbramiento y desorientación. Cuando sus ojos se reacomodaron al exceso de luz, comprobaron que el invierno se había quitado la máscara neutra y se había puesto otra terrorífica. El viento les aplastaba la ropa y formaba globos en sus espaldas, dificultándoles la respiración como si se hubieran arrojado en paracaídas, mientras la nevada arreciaba en remolinos de nieve de infinita voluntad metamórfica. Esos mismos copos eran los que caían sobre el cadáver degollado del SS que yacía tirado a pocos metros de la entrada. Los alemanes habían hecho sus deberes y colocado centinelas en cada posible vía de escape, pero eso no había detenido al asesino.

—Mi sargento —el grito de Arturo provocó que éste siguiese la dirección de su brazo.

Su mano apuntaba hacia la vena grisamarillenta del bosque, donde una figura se recortó brevemente contra los árboles antes de desaparecer.

—No nos saca tanto —dijo Espinosa—. El *doiche* le entretuvo.

Sin rezagarse, siguieron la vía abierta en la nieve hasta la orilla de bosque. El rastro zigzagueaba pendiente abajo entre los troncos, buscando la ribera del Sslavianka. Apuraron el paso con la certeza de que si lograba cruzar el río se les escabulliría en Mestelewo. Sudorosos, rebozándose en la nieve, lograron tenerle de nuevo a la vista a punto ya de cruzar el río. Le dieron el alto sin ningún resultado, y Arturo, desesperado, se apoyó con precipitación contra la corteza plateada de un abedul, afirmó el arma contra el hombro y, tirando del cerrojo de su fusil, respiró profundamente, apuntó y disparó. Un mínimo surtidor de hielo brotó un metro a la izquierda del fugitivo. Éste se detuvo. Se tomó su tiempo, pero acabó por volverse con lentitud. En apariencia se rendía; sin embargo, Arturo no acababa de creerse que todo fuera a resultar tan sencillo. Siguieron avanzando con precaución; Espinosa no estaba dispuesto a permitir una nueva ceremonia del desconcierto y le dejó claro que no habría una segunda vez.

—Las manos sobre la cabeza —aulló.

El desconocido cumplió la orden con parsimonia. Aunque se hallaban todavía lejos y no pareciese tener armas de fuego, cada paso que les aproximaba les producía una extraña inquietud, casi una premonición. En una de las últimas rampas, Arturo trastabilló y cayó de culo, resbalando unos metros. Espinosa iba detrás y se acercó para ayudarle. Entonces sonó el disparo. Arturo se sobresaltó y miró al desconocido, que les apuntaba con una pistola humeante; luego buscó a Espinosa. Seguía de pie, a su lado, aunque su rostro estaba descompuesto; el acto de respirar se le había vuelto consciente, doloroso, pero logró permanecer firme hasta que un hilillo de sangre empezó a caerle por una comisura de la boca. Entonces su fusil ametrallador le resbaló de entre las manos y se desplomó hacia atrás, hundiéndose en la nieve. Arturo no se movió; el desconocido le apuntaba, pero no se decidía a disparar, como si esperase algo. Los segundos latieron hasta que, de improviso, retrocedió, cada vez más rápido, para acabar girándose y comenzar a correr hacia la otra orilla. Arturo tardó unos momentos en comprender el juego: es la posibilidad de elegir lo que nos complica la vida. El asesino le daba a escoger entre seguir persiguiéndole o intentar salvar a su amigo. Sin embargo, podía haberles matado a ambos, ¿por qué no lo había hecho? Arturo se lanzó sin pensar hacia Espinosa y reclinó su cabeza contra su pecho. Percibía la palidez y el tacto rígido de su cuerpo; le quitó el casco, desabotonó su abrigo de mutón y le abrió la guerrera. La sangre salía a borbotones de un agujero en el estómago, se derramaba capilarmente en la nieve, un rojo oscuro que se iba desleyendo en rosa. Sacó unas vendas del macuto para hacerle una primera cura; un gemido sordo salió de los labios del sargento.

—Esto no es nada, mi sargento, un tiro de sedal —le animó Arturo—. En una semana está usted con la familia.

La sonrisa del sargento se volvió una mueca torturada. Burbujas de sangre manaban de su boca. Con las cejas fruncidas y el gesto crispado, articuló a duras penas unas palabras.

—Me han arreglado la úlcera.

Arturo sonrió con tristeza. Notaba que con cada respiración una bocanada de alma le salía a toda prisa del cuerpo; terminó el vendaje, se pasó uno de los brazos del sargento por los hombros, lo alzó y lo cargó junto con los macutos y las armas. «Ánimo, mi sargento, un esfuerzo.» Rodearon Molewo a trancas y barrancas hasta encontrar la troika de Antonio, que en cuanto los vio le ayudó a mover al herido. Ni siquiera Aparicio, y eso es algo que le agradecería toda la vida, hubiera sido capaz de conducir la troika con la delicadeza y velocidad con que lo hizo el ruso. Tumbado de espaldas, con las manos intentando detener la sangre que encharcaba las vendas y Arturo sujetándole para evitar que se zarandeara, Espinosa apretaba los labios y preguntaba cuánto quedaba para Mestelewo.

—Poco, mi sargento —mentía Arturo—. Ya casi estamos.

Bajo una nieve copiosa llegaron al hospital de campaña, donde unos camilleros le recogieron y lo llevaron con rapidez a un quirófano. Arturo les siguió como arrastrado por la corriente. Era una sala amplia, y los sanitarios depositaron el cuerpo en una de las mesas de operaciones. A los pocos minutos, el capitán Alfredo Larios entró en la habitación con la bata blanca arremangada, acompañado por unos ayudantes. Vio a Arturo y al herido. Sin un comentario, le preguntó qué había sucedido; en cuanto Arturo le resumió los hechos, el comandante hilvanó un rápido reconocimiento de Espinosa junto con un rosario de órdenes. Desnudaron al herido, le limpiaron la herida, tintinearon pinzas, bisturís, tijeras... Arturo se apartó a una esquina y Larios se ajustó un embozo de tela blanca sobre su boca. A partir de ese momento sus palabras fueron igual de ahorrativas que sus movimientos. El olor a alcohol se mezcló con el sudor, y mientras Espinosa se estremecía bajo un sueño de éter, Larios buscaba con ferocidad cualquier rastro de vida que pudiese coser a su cuerpo. Arturo espió la batalla en el rostro cerúleo del sargento, hasta que en un momento dado éste se transformó en algo distinto, como cuando de un familiar recién fallecido decimos que ya no parece la misma persona; un instante casi incognoscible, ese misterioso momento en que el alma se retira del cuerpo dejándolo tan muerto como una casa abandonada. «Mi capitán.» El soldado que controlaba el pulso no pudo ser más explícito. Larios, con la frente sudorosa, se empleó a fondo en su oficio y tiró con fuerza de todos los hilos para traer de vuelta su hálito como si fuera una cometa. Al cabo, todo fue inútil. El capitán, agotado, se quitó con parsimonia el embozo y buscó a Arturo.

—Había perdido mucha sangre. Hubiera sido un milagro. Lo siento.

Tres horas. Aunque Arturo no fuese consciente, era el tiempo que había durado la operación. Ciento ochenta minutos en los que había permanecido de pie, tenso, en un extrañamiento fuera del tiempo. Tras las palabras del médico, Arturo retrocedió aturdido, buscando la pared, apoyándose y dejándose resbalar, caer, hasta sentarse en el suelo. Luego empezó a rezar. Rogó por que fuera capaz de llorar. Aunque sólo fuera una lágrima. Porque si no, supo que se volvería loco.

12. Termópilas

La muerte de Espinosa le había afectado más de lo que hubiera creído. Cinco días después de su entierro, se repetían en su cabeza todas las secuencias como una bola de demolición, golpeándole una y otra vez. Creía relacionarlo con su querencia por la figura paterna de Espinosa; una simple ilusión, pero que le había ayudado, junto con los rituales geométricos de la milicia, a bordear la frustración elemental que se había ido depositando en aluvión desde Madrid. Pero ahora había desaparecido, igual que sus padres, y de nuevo su vida parecía sobrevolada por una maldición que hacía desaparecer a las personas cuando más las necesitaba. Contempló el limo oscuro que había dejado el café en el fondo de su taza, aspirando el olor que incensaba su tabuco. Una aciaga incertidumbre le embargaba. A pesar de todo, esos días había proseguido las pesquisas; la nueva víctima se llamaba Joaquín Tiempo Meneses, militar de veinticinco años, soltero, natural de Gamonal de Ríopico, provincia de Burgos, destinado con la compañía de zapadores del 262, en Krasny Bor. Durante la guerra había estado en Somosierra con la primera bandera de Falange de Burgos, luego continuó dando el callo por Levante con los Cazadores de Melilla y acabó en el frente del Ebro y Cataluña con la tercera división legionaria. También le habían grabado la continuación de la oración infantil: «MIRA QUE TE HAS DE MORIR». Todo perfecto, si no fuese porque para venir a Rusia se había alistado en el banderín de enganche de Barcelona. En resumen, que no era ni falangista ni masón ni se había enganchado en Valencia, lo que implicaba que aquellos datos no se sumaban a los previos, sino que los anulaban, y todo volvía a formar un revoltijo en su cabeza. Para más inri, la búsqueda general de elementos criminales en la División y de conexiones masónicas en particular en el banderín de enganche de Valencia no acababa de ser concluyente, así como tampoco el registro del correo —incluido el de Joaquín Tiempo Meneses y las cartas en posesión de Erundina del Águila—. Lo estudió todo otra vez, hacia delante y hacia atrás, pero el debe y el haber continuaban dando un saldo negativo. De nuevo, los principios quedaban reducidos a acontecimientos y las leyes no eran sino circunstancias, sumiéndole en la incertidumbre. Únicamente contaba ya con el convidado de piedra del páter; con un nombre cierto, Teresa, y un apellido incierto, Estruch, Estrella, Estrada... y con aquella pupila contraída que le había señalado Paramio Pont. Puestos a hilar fino, también daba vueltas por su cabeza por qué el asesino no le había disparado en el Sslavianka. Y Dios seguía mirándole... Posó la taza y se levantó del catre para encajar bien una madera chamuscada que amenazaba con caerse fuera de la estufa. El fuego abrazó la corteza, encendiéndola. Se volvió a sentar, se quitó una legaña. Y Zira, pensó, la había buscado por todo Mestelewo sin resultados; para explicarle que había cosas que no se podían explicar, cosas como el alma humana; para pedirle perdón. Se tumbó y cruzó los brazos sobre sus ojos. Una cortina negra se cerraba en su interior; todo se conjuraba para tentarle y olvidar la lucidez, para sumergirle en la magia gregaria y rendirse. Pero la bola continuaba su demolición. «Alguien tiene que hacer justicia», le decía Octavio. «¿Dónde están los niños, padre?», repetía Espinosa. Alexsandr. Alexsandr. Su rostro aterrado tras el arma de aquel alemán. Cierra los ojos. Ciérralos, Alexsandr. Porque somos portadores de niños, porque mientras llevemos un niño, podremos eludir el mal bajo el manto de la inocencia, cierra los ojos, atravesaremos ríos, atravesaremos tempestades, ciérralos, pequeño, podremos atravesar incluso las llamas del infierno.

¿Dónde?
¿Dónde están los niños, padre?

Arturo se levantó. Su noche toledana había terminado. Por primera vez fue consciente de que la lógica no le ayudaría en el caso más que el tarot o los posos de té, y no tuvo reparos en tentar a una güija mental. No había respuestas, de acuerdo, pero todavía quedaban muchas preguntas y, sobre todo, a quién hacérselas. Pero para ello necesitaba un permiso especial. Pensó en Navajas; sin embargo, tanto la inminencia del ataque ruso como su propia desidia no le señalaban como el más adecuado para concederlo; pensó en Reyes Zarauza, «a veces, las únicas leyes válidas son las que no están escritas». Descolgó el teléfono de la horquilla y pidió comunicación con el cuartel general. El comandante no tardó en ponerse y le explicó sus planes. Cuando terminó, el silencio posterior pareció dotar de ojos al teléfono.

—¿Está seguro de lo que dice sobre el páter? —preguntó.

—La manzana nunca cae lejos del árbol, mi comandante.

—¿Y tiene conciencia de lo que va a hacer?

—Sí.

—¿Y si se equivoca?

—Usted sigue queriendo encontrar al asesino, ¿no?

—Sí, pero le repito la pregunta.

—Siempre me puede fusilar.

Un gorjeo parecido a la risa indicó que la respuesta parecía satisfacerle.

—Hubiera sido usted un buen torero —reiteró—. ¿Qué necesita?

—Sólo necesitaba su visto bueno.

—Y lo tiene, guripa, lo tiene...

El comandante no consideró necesario prolongar más la conversación y colgó. El auricular empezó a hormiguear como si fuese una concha que hubiera absorbido todos los mares. Arturo también colgó y empezó a preparar el macuto con un termo de café, raciones de hierro, un libro y la Tokarev. Luego, mientras se vestía para el frío, pensó en el calor del Mediterráneo. Pensó en Espinosa. Y deseó que hubiera llegado al cielo una hora antes de que el demonio se hubiera enterado de su muerte. Un cielo en el que ya no creía, lleno de muchachas vestidas de huertanas, barquilleros con torres de obleas tostadas, cohetes, fallas y música de banda. Y, por supuesto, un tanque a sus puertas para darle la bienvenida.

La proa del invierno había enfilado con fuerza todo el frente, haciendo descender el termómetro casi hasta menos cuarenta grados, lo que convertía el frío no en una ausencia de calor, sino en algo afirmativo, rotundo. Bajo su imperio, con un cielo claro, envuelto en un halo gélido, Mestelewo aguardaba en una tensa espera; se hablaba de una concentración de más de cuarenta mil rusos, con cientos de piezas de artillería, órganos de Stalin, y numerosos carros de combate T-34 y KW-1 en el saliente de Kolpino, en Krasny Bor, esperando para comerles el alma. La inminencia del ataque y la proporción de tres a uno se reflejaba en los movimientos de la División que, aunque atareados, no dejaban de impresionar por su serenidad; hombres extraordinariamente jóvenes que reforzaban trincheras y limpiaban sus armas con toda la calma con que Arturo se imaginaba se habrían comportado los espartanos en el paso de las Termópilas. Mientras buscaba a Aparicio por todo el acantonamiento, se sintió orgulloso de aquella demostración de fuerza, mucho más verdadera que la de los rusos, reducida únicamente a la esfera material. Acabó por dar con el cabo en unas cuadras; se hallaba bajo unas agujas de hielo que pendían del techado, junto a un caballo. Su cabeza se hallaba casi a la misma altura que la del animal mientras le ajustaba adecuadamente un atalaje de cuero, adornado con coronas de bronce, y le acariciaba sus crines sobre el largo arco de su cuello. Arturo se imaginó al caballo encabritado, montándose encima de otros para escapar de la trampa helada del Sslavianka; moviéndose como una fantasmagoría, entrando y saliendo de una niebla que tachaba todas las formas...

—Buenos días, mi cabo —se cuadró frente a Aparicio; de inmediato le anegó un olor fuerte, tibio, mezcla de estiércol y sudor—. ¿Le han jorobado otra vez el camión?

—Arturo... —su rostro se ensombreció—. Supe lo del sargento. Lo siento.

—Estas cosas pasan, mi cabo.

Aparicio comprendió que su compasión no debía notarse. Acarició el caballo, que relinchó y corveteó.

—No, el camión tira bien —dijo cambiando de tema—, sólo estaba ayudando a un amigo —señaló a un soldado al fondo de la cuadra, cargando un fardo de paja.

—Está flaco —señaló Arturo, acariciando también al caballo.

—Aquí a los únicos que les han aumentado el rancho es a los de enfrente —apuntó con su barbilla hacia Kolpino.

—Siempre se ceba a los animales antes de enviarlos al matadero. Mal asunto.

—Sí, va a haber pim pam pum.

—Pues habrá que sacarles otra vez las castañas del fuego a los *doiches*, ¿no cree?

—Qué remedio.

Arturo mostró su conformidad y levantó la barbilla, vigilando el cielo.

—¿Y cómo ve el tiempo? —le preguntó al cabo.

—¿El tiempo? —Aparicio pareció desconcertado—. Pues aguantará, supongo.

—¿Usted cree?

—Sí, no hay nubes. Pero el frío seguirá de aúpa, eso seguro.

—A lo mejor nieva.

—¿Nevar...?

Aparicio supo entonces que Arturo de lo último que quería hablar era del tiempo. Pasó su enorme mano un par de veces por el lomo de lija del animal, que golpeó el suelo con sus herraduras.

—¿Y cómo va lo tuyo? —le facilitó.

—El demonio puede adoptar muchas formas. Una de ellas es la que estoy buscando.

Aparicio se hizo cargo de la dificultad de la empresa y apoyó la mano en una de las aletas de su enorme nariz, soplando los mocos. Luego ejecutó la misma operación en el lado contrario.

—Eso para el demonio.

Sonrió y se quedó tan ancho. Su cara de niño permanecía extrañamente intacta tras la cicatriz.

—Usted me dijo hace poco que estaría para lo que necesitase —comenzó Arturo, estudiando todos los modos del gris con que la nieve se espectraba bajo sus pies—. ¿Le gustaría ayudarme ahora?

Aparicio carraspeó.

—¿Y qué hay que hacer?

Levantó la mirada.

—No tendrá que hacer nada, sólo estar, por si las cosas se desmandan.

—¿Y con quién hay que estar? —inquirió astuto.

Arturo le hizo un resumen de sus pesquisas, separando hechos de probabilidades y, con la bendición de Reyes Zarauza, lo orientó todo hacia el páter. La mención del sacerdote hizo que Aparicio apretase los labios y volviera a prestarle una atención excesiva al caballo. Pero

Arturo no se rindió; sabía que el mundo era una cadena de coacciones. De todo tipo.

—Mi cabo —atacó—, yo ya no confío en nadie. La única persona de la que me fiaba era el sargento. Y le aseguro que ahora sólo me queda usted.

—Es un cura... —objetó Aparicio.

—Se lo pido por favor...

—No sé, de verdad...

—Por favor...

—Es un cura —repitió.

—Sólo me queda usted...

Aparicio respiró con fuerza, desprendiendo densas nubes de vapor. Golpeó levemente al caballo con alegre arrogancia.

—¿Y tú cómo lo ves?

La cabeza equina piruetéó con fuerza, relinchando y obligándole a tirar de sus riendas. Aparicio articuló un mohín conformista.

—Si se entera mi madre, me descoyunta —le aseguró a Arturo.

—Yo no se lo diré.

—Eso espero, por su bien.

—Se lo agradezco, mi cabo. De veras.

Aparicio se encogió de hombros y se volvió para reclamar a su amigo, ofreciéndole las bridas. Luego, con un movimiento brusco, se palmeó los hombros ateridos y se persignó.

—Cuando quieras.

Arturo sintió entonces que, por primera vez en aquella persecución, él era el gato. «Ahora no te enredes con la madeja», se reprochó.

—¿Podremos disponer durante unas horas de la isba donde hicimos la fiesta? —le preguntó.

—No creo que haya problemas.

—Muy bien. A partir de ahora, usted no se preocupe por lo que yo diga o haga, seré el único responsable.

Agarre el chopo y permanezca a mi lado, nada más. Vamos, no hay tiempo que perder.

Su primer destino fue la capilla ortodoxa. En uno de sus laterales alguien había hecho un gran muñeco de nieve con un bigote a lo Stalin y le había clavado un par de bayonetas en su frígido corazón. Entraron en el templo sin avisar; afortunadamente, no tendrían que echar las redes por un Mestelewo bullente de actividad: el páter se hallaba en mitad de la nave, entre los largos bancos de madera, recogiendo unos pedazos de escayola que se habían desprendido del techo debido al impacto de algún proyectil. Se detuvieron junto al último de los bancos, y cuando éste reconoció a Arturo, compuso una mueca de hastío.

—Lárgate de la casa de Dios —le ordenó con su potente voz.

—No vengo a confesarme, páter —contraatacó con decisión, pero sin excitarse—. Sólo vengo a preguntarle por última vez. ¿Qué le dijo Luis del Águila? ¿Quién es Teresa?

Los rasgos mestizos del páter Ramón se crisparon.

—Te repito que cojas el portante y te marches por donde has venido.

Arturo no quiso extender un diálogo que sólo demoraría lo previsible.

—Mi cabo —le señaló al páter—, sáquelo fuera y espere.

Aparicio ni siquiera se descolgó el máuser; sencillamente se colocó entre Arturo y el páter con la contundencia de quien es muchos años más joven, muchos años más fuerte y, por lo tanto, muchos años más violento, y le rogó que le acompañase. El páter comenzó a proferir amenazas coléricas, atrabiliarias, e hizo un amago de acercarse a Arturo que fue rápidamente neutralizado por Aparicio.

Éste le reiteró la orden, pero el páter continuó sin hacer ningún ademán de seguirle, por lo que el cabo, ceñudo, se vio obligado a montar el máuser. En ese momento el tic labial del sacerdote tembló de ira, pero acabó por abrigarse, coger el casco y salir dando un portazo. Cuando Arturo se quedó solo, se fue directo hacia la cómoda donde se guardaban los utensilios del rito; los informes del capitán Isart apuntaban que era allí donde habían encontrado los avíos del vicio del páter, aunque sus hombres lo habían dejado todo como estaba. Arturo sacó la botella de fino La Ina —vacía— con que el páter les había agasajado en su última visita, los vasos, y la caja de cartón de las pastas —también vacía—. Luego sacó una estola, una cajita con los óleos, un cáliz en estuche de madera, un breviario —que se abría siempre por la misma página: la manera de ayudar a bien morir—, y a continuación encontró lo que buscaba. La bolsa era de un terciopelo granate suavísimo, que se abría y cerraba estrangulándola mediante un cordón de seda. Arturo desató el cordón y registró el contenido. Satisfecho, volvió a cerrarla y la guardó en su macuto. Antes de salir, echó un último vistazo al gran icono de mosaico con la Virgen, los ángeles y los santos de frondosas barbas rodeando al Pantocrátor magnífico e imperturbable. Dios le seguía mirando. Pero él le aguantó la mirada, con dureza, con rencor. Cuando estuvo seguro de que Dios la habría retirado, salió fuera.

La pareja le esperaba junto al muñeco de nieve; unos segundos fueron suficientes para apercibirse del error que había cometido dejando al cabo a solas con el páter. Aquél se hallaba como hechizado, permitiendo que el silbido de una lengua bífida lamiese sus oídos mientras un cuerpo se iba desenroscando entre las ramas del árbol del Bien y del Mal. Esta vez fue Arturo quien se interpuso entre ambos; sacó su Tokarev y se enfrentó al páter sin paliativos, como un tigre lo hace con otro tigre.

—Andando, padre.

—Y tú tampoco te librarás —el páter prosiguió con Arturo la persuasiva retórica que había empleado con Aparicio—. Te condenarás por esto y tu alma se consumirá en las llamas del infierno. Como ya lo está haciendo la de tu amigo.

Sus palabras congelaron el rostro de Arturo.

—No debería haber dicho eso.

—Digo lo que me sale de los cojones.

—El sargento Espinosa no se merece eso.

—El sargento se merece eso y mucho más.

Arturo reprimió la tentación de apoyarle el cañón en la frente y volársela.

—Vamos, tengo que cumplir mis órdenes, padre.

El páter no se movió.

—¿Órdenes? ¿Quién está por encima de Dios?

—Esto no tiene nada que ver con Dios. Esto es sólo humano —remedó a Espinosa—. Empiece a andar —subrayó su orden con un giro de la pistola.

—No tienes huevos para usarla, es un farol —decidió el páter—, y los faroles se apagan haciendo así —sopló sobre su puño cerrado y después lo abrió.

Arturo miró la Tokarev perplejo, como si fuera la primera vez que la veía. Luego se la guardó.

—Tiene razón, yo no podría pegarle un tiro. Pero lo que sí podemos es pegarle una somanta de hostias entre Aparicio y yo, y después a ver...

Su tono, junto con la severa mirada de Aparicio, debió de convencer al páter de que aquello sí se atreverían a hacerlo. Se tragó su orgullo.

—¿Adónde vamos?

—De momento, detrás de mí.

Arturo señaló el camino y abrió la marcha en fila de a tres. No tardaron en llegar hasta el grupo de isbas donde habían celebrado la fiesta. Llamó a Aparicio para que fuese a hablar con el *starassa* a fin de incautar por el tiempo que fuese necesario la isba que necesitaban. El ruso, amigo de todos porque tenía miedo de todos, cerró un trato con el cabo y no se demoró en desalojarla. Ésta no resultaba difícil de identificar: era la única que no parecía en ruinas. Entraron por turnos; en su interior, todo continuaba harapiento y menesteroso, aliñado con aquel hedor —«Chanel ruso», lo bautizaron los guripas— que parecía pegarse a la piel.

—Siéntese allí —le impuso Arturo al páter, indicándole un camastro sobre un colchón de paja.

El páter cumplió la orden sin mucha prisa y se sentó sobre unas mantas, quitándose el casco de acero. Al tiempo, Aparicio se arrimó al calor del horno de ladrillos mientras Arturo se acercaba a una mesa y colocaba sobre ella el casco y el macuto. Abrió este último y extrajo el libro, un termo de café y la bolsita blanca de la ración de hierro, colocándolos en una esquina. Cuando comprobó que mantenía la atención de sus dos acompañantes, extrajo la bolsa de terciopelo, la abrió y de su interior sacó dos estuches, uno de cuero marrón, rígido, otro de color negro, y una goma de color blanco. Alineándolos meticulosamente como si estuviera colocando las piezas para una partida de ajedrez, estudió la reacción del páter. Éste se había puesto lívido, comprendiendo al fin su astucia, pero no pronunció palabra. Arturo sonrió; desde el momento en que el páter había sacado a relucir al sargento, no ignoraba que aquello se había convertido en algo personal, y su revancha consistiría en demostrarle lo rápido que tardaba la vida en borrar las convicciones, igual que un castillo de arena tras un golpe de marea. Exactamente como le había sucedido a él. Sin piedad, abrió el estuche marrón; contenía tres agujas hipodérmicas y una jeringuilla de cristal encajadas en unos moldes. A continuación abrió el estuche negro, con cinco ampollas de morfina para uso sanitario en su interior. Miró al páter. Todavía esperó unos minutos para comerle más la moral. Luego habló.

—En efecto —comenzó con teatralidad—, ¿qué pueden hacer los hechos frente a la aplastante convicción de la fe? —cogió una ampolla y se agachó para dejarla con cuidado en el suelo de tierra—. Luis del Águila era débil, no tuvo la suficiente fe para soportar el dolor —bajo su bota se escuchó un sonido de cristal machacado; la mirada del páter fue un evidente intento de asesinato—. Sí —continuó—, ni siquiera el sargento Espinosa tuvo la fe necesaria para hacer frente a sus dudas —cogió otra ampolla y la puso en el suelo—. Porque ya lo dice la Biblia: «La fe mueve montañas» —la pisó con saña y colocó otra en su lugar—. También lo dice San Marcos: «Según vuestra fe os sea hecho», ¿me equivoco, padre? —el páter no respondió—. Y Fray Luis de León dice algo; algo que me repetían mucho en la inclusa: «Uno acaba en la manera en que vive y cuales son los ejercicios de cada uno, tales son los sucesos y tales los paraderos cuales son los caminos...» —Arturo afectó titubear—. Aunque esto no sé si tiene mucho que ver con lo de antes —hizo estallar la ampolla con más encono todavía—. Pero aquí está usted para darnos otra lección, padre —le mostró la penúltima ampolla—, para mostrarnos el poder de la fe, para demostrarnos que se puede vencer a los demonios —la dejó caer y la pisó; cogió la última y se la guardó en la guerrera—. Y por eso... aquí le dejo con el suyo, páter.

Introdujo los estuches en su macuto, cogió el libro, el termo y la ración de hierro y se retiró a una esquina de la isba, acomodándose sobre un mojón de heno, el mismo donde había violado a Zira. Aparicio había sido testigo de la escena en silencio, armando poco a poco las piezas del puzle que se le brindaban hasta alcanzar cierta noción de lo que acontecía. Al fin entendió que su misión se limitaba a ser testigo de la lucha titánica que se desarrollaría entre dos voluntades, en la que no importaba quién poseyera más fuerza, sino quién podía resistir más tiempo. Una vez asimilado eso, se acercó al páter y le ofreció comida y agua cuando lo necesitase, pero éste le miró despreciativo y se replegó tras su soberbia. El cabo se encogió de hombros y regresó a la vera del horno, donde se quitó el macuto, el casco y los guantes, apoyó el máuser contra una pared, y se instaló como mejor supo. Miró las cifras fosforescentes de su reloj. Eran las dos y cuarenta y siete minutos. 9 de febrero. El tronar de los cañones sonaba débil pero audible; el sol continuaba hirviendo en su gélido holocausto. Echó un último vistazo a la habitación. Arturo, mientras leía su libro con ceño fruncido, masticaba una galleta de harina concentrada que había sacado de la bolsita blanca. El páter Ramón había empezado a mascullar unos rezos, «*Judicame, Deus, et discerne causam meam de gente non sancta, ab homine iniquo et dolor erue me...*» (Hazme justicia, oh Dios, y defiende mi causa contra los impíos, líbrame del hombre perverso y pérfido...). Fórmulas para sobreponerse a lo cotidiano. Aparicio también empleó las suyas y sacó tabaco de liar y una baraja; rellenando con picadura un papel, lo enrolló, lo ensalivó y le introdujo una boquilla. Con la primera calada, girando la cara de lado para expulsar el humo, empezó un solitario. A partir de entonces el tiempo transcurrió de una manera extraña, como si la isba fuera un oasis atemporal donde se refutaban las leyes de la física, quedando limitado al exterior, donde sí, la oscuridad iba creciendo imperceptiblemente, hasta que completó su imperio y Aparicio se vio obligado a encender unas velas. Cuñas de luces y sombras se mezclaron entonces con las acogedoras y cambiantes gamas de rojo del horno, cubriendo y descubriendo a unos habitantes como salidos de un sucio y caótico cuadro de Grosz. El páter continuaba errando como una rata en la nada de su laberinto, con una palidez cada vez más acentuada; la abstinencia corroía su voluntad lentamente, como el ácido el metal. Al mismo tiempo, Arturo flotaba en un sueño agitado, delatado por la rapidez con que sus ojos se movían bajo los párpados. En ocasiones sufría movimientos espasmódicos, como una marioneta a la que de repente sorprendieran tirones del cordel. Las velas casi se habían fundido en un charco de grasa, cuando Aparicio le apretó levemente el hombro para despertarle. Arturo se fue deshaciendo con lentitud de la sensación esponjosa del sueño, como saliendo de una hibernación.

—Arturo, el páter quiere hablar.

El susurro acabó de espabilarle. Se levantó quitándose las legañas; los deseos volvían gota a gota, la sed, el hambre, la justicia... La oscuridad, como en los momentos previos a la Creación, tapaba las ventanas.

—¿Qué hora es? —le preguntó al cabo.

—Las seis de la mañana.

Asintió. Las horas que preceden al amanecer son las más oscuras. Observó al páter. Seguía sentado, pero ahora parecía un cuerpo sin esqueleto, flácido, palidísimo, con la frente cubierta de gotas de sudor.

—Por favor... —le dijo con voz ronca.

Era la primera vez que utilizaba esas palabras.

—¿Cree que ya no necesitaremos una dispensa papal? —dijo Arturo con laconismo.

—¿Qué quiere?

La esclavitud es una de las relaciones humanas más profundas. Arturo consideró disfrutar un poco más de su pánico, de hecho le apetecía hacerlo, pero no había tiempo, debía bastarle su derrota.

—¿Qué pasó en Valencia y quién es Teresa?

El páter se pasó la mano por los labios, todavía luchaba por no perderse el respeto a sí mismo. Ése era el primer paso para la derrota de los hombres, para todas sus desgracias.

—Fue antes de venir para acá, todo ocurrió un par de días antes.

Arturo no dijo nada.

—Eran miembros de la División —prosiguió—, les reclutó un tipo, a él y a otros.

—¿Cuántos?

El páter no contestó. Arturo sacó la ampolla.

—Cinco, eran cinco. Los reclutaron para un trabajo especial, tenían que ir a un piso en Valencia.

—¿Quién era ese tipo?

—Luis no sabía quién era.

—¿Formaba parte de la División?

—Lo más seguro.

—¿Cómo que lo más seguro? No me haga perder el tiempo —se impacientó Arturo.

—Sí, sí, era de la División.

—¿Y no sabía quién era?

—No lo sabía, de verdad. Luis no lo volvió a ver.

—¿Ni siquiera le dijo si era alto o bajo?

—No, no dijo nada.

—¿Qué grado tenía?

—Tampoco lo sabía, de verdad. No llevaba uniforme, se presentó con un oficial que le avaló.

—¿Y qué pasó?

—Fueron en coche a un piso de Valencia. Todos de paisano, con armas, de noche. Les habían explicado que aquélla era la casa de un peligroso masón, un tipo importante, y que tenían que detenerle. Y que no debían contar a nadie lo que ocurriera aquella noche.

—Suena todo muy raro.

—También se lo pareció a Luis, pero cumplía órdenes.

—¿Qué calle era?

—No se acuerda, era de noche y no conocía Valencia.

—Continúe.

—Cogieron un coche, de madrugada. Era una casa elegante, entraron a la fuerza, pero no encontraron a quien iban a buscar. En su lugar estaba la mujer. El que les reclutó se enfadó mucho y dijo que pusieran la casa patas arriba.

—¿Y luego?

El páter respiró entrecortadamente. Sudor gélido, frío del alma.

—¿Luego? —repitió Arturo con severidad.

—Mandó que forzaran a la mujer. Todos.

De repente, las piezas encajaron. Porque el mal es un viejo conocido, porque el mal tiene corazón humano. Todas las notas sueltas empezaron a conformar una tétrica melodía de rencor y venganzas, en la que discernir entre víctima o verdugo resultaba demasiado taxativo, y Arturo no se sentía con capacidad para hacerlo. Y ahora que el porqué había cedido su preponderancia al quién, tampoco acertaba a valorar la trascendencia de continuar. Se dio cuenta de que él podría vivir con las preguntas, sólo con ellas. Miró a Aparicio. También había preguntas mudas en sus cejas levantadas. La diferencia es que él necesitaba respuestas. Arturo recordó las pupilas contraídas. Recordó que Joaquín Tiempo Meneses no había estado en Valencia. Recordó que el asesino le había perdonado la vida en el río, pero que se había llevado la de Espinosa. Sí, quizás se engañaba, a lo mejor también él las necesitaba.

—¿Cuál era el apellido de Teresa, Estruch, Estrella, Estrada...? —preguntó conciso.

—Estrada, Teresa Estrada.

—Teresa Estrada —meditó unos momentos—. ¿Le comentó Luis algo acerca de Agustín Covisa o Joaquín Tiempo Meneses?

—No, no me dijo nada, pero basta ya —el páter se levantó exasperado, con el tic labial desquiciado—, dame eso.

Arturo no se movió y el páter dio un paso atrás. Endureció el gesto.

—El dolor no purifica, ¿se da cuenta de ello, padre?

—Dámelo.

—El dolor embrutece.

—Dame eso.

—¿Y cómo se lo explicó a Luis del Águila, padre? Él no buscaba perdón, sabía que nunca se perdonaría haber hecho aquello, él buscaba penitencia. ¿Qué le contó acerca del dolor?

El páter apretó los puños para que no le temblasen más las manos. Tenía los ojos desorbitados, gotas de sudor en los labios. Su cuerpo se retorcía, convertido en espejo del dolor que experimentaba, «como un gusano cuando se le corta en dos», pensó Arturo.

—La fe, padre, la fe es una cuerda a la que podemos agarrarnos, pero también de la que nos pueden colgar. Fe y dolor, padre.

Faltaba poco. Un interrogatorio no se basaba sólo en el miedo, sino en el ansia por contar, la necesidad de confesarse.

—Debe de ser duro, padre, recibir tantos pecados y que no haya nadie que le escuche. Tanta conciencia. Tanta soledad.

Sentía conmiseración. Sentía repugnancia. «Como un gusano.»

—Le absolví —estalló el páter—. De todos sus pecados. Luis hizo lo que debía, pero no lo quiso entender. Era una roja. Una puta roja. Mil veces tenían que haberla follado, y mil veces tenía que dar gracias a Dios de que la hubieran dejado con vida.

Las abominaciones quedaron en el aire, espantosas, incontestables. Arturo comprendió que no había más, que aquello era todo. Buscó la ampolla en su guerrera y se la mostró al páter. Éste se acercó a la mesa con ansiedad, subiéndose la manga de la guerrera; a lo largo de todo el brazo, en la parte interior, había entre cincuenta y setenta puntitos amoratados con un núcleo negro en el centro, en un fino dibujo que recorría las abultadas venas. Cogió la jeringuilla de cristal, le embocó una aguja, y con ayuda de los dientes se ajustó la goma al bíceps, con fuerza. Miró la ampolla con angustia y expectación. Arturo visualizó los pasos siguientes, la carga de la jeringuilla, la búsqueda eficaz de un pedacito de vena virgen donde hundir la aguja, la aguja clavada, sacando un poco de sangre para mezclarla con la morfina, la inyección, el coletazo dulce y abrumador de la morfina... Pero, a despecho del páter, cortó la secuencia con brusquedad volviéndose hacia Aparicio. Su mirada incrédula expresaba lo que Arturo ya sabía, que aquello le sobrepasaba, que debería estar en su pueblo, de donde no tenía que haber salido, trabajando con su padre y siendo objeto del orgullo mal disimulado de su madre. Sintió algo de compasión. Aparicio, grande como un toro, tan niño, era un pedazo de lo mejor que había en España, la honestidad, la rectitud, el empuje, la inocencia, pero a su alrededor había grandes fuerzas, incomprensibles para él, un mundo en el que nadie le había advertido de que existían curas morfinómanos que incitaban a la violación de mujeres, por muy rojas y por muy putas que fuesen. Le puso la mano en la mejilla. Casi se la acarició.

—Mi cabo —no pudo evitar decirle—, pase lo que pase en esta guerra, siga siendo como es.

Aparicio, sin tener claro cómo interpretarle, acabó ruborizándose. Arturo sonrió y le entregó la ampolla, que en sus enormes manos parecía mucho más frágil. Después le susurró al oído:

—Espere dos horas antes de dársela.

A continuación, haciendo oídos sordos a los improperios del páter, recogió la impedimenta y salió de la isba.

La mañana resultaba extraña, igual a todas las demás mañanas pero absolutamente distinta, como el primer día de una guerra, o el último. Eso Arturo lo había notado en cuanto la nieve crujió bajo sus botas. Lo único que seguía siendo familiar era el frío, sus apretados estratos, que le recibieron como un viejo amigo. Inspiró con fuerza. A pesar de su efecto estimulante, se sentía fatigado, con los nervios desgastados. Descubrió un tocón en un punto intermedio entre la isba y los árboles y decidió sentarse. Se descolgó el macuto y buscó el termo; todavía quedaba una taza de café. Desenroscó el tapón y bebió directamente de él. Pequeños y relucientes granos de café fueron diluyéndose en su sangre, en templado contraste con el frío circundante. Rebuscando, encontró también una lata sobrante de la ración de hierro y algo de chocolate. El desayuno estaba servido. Entre bocado y bocado, el amanecer prosperaba, dándole al cielo la apariencia de un bloque de hielo de opalescente claridad. Pequeños pájaros, oscuros, ejecutaban erráticas acrobacias sobre la vena verde del bosque. Varios planos se agolpaban en su conciencia. Hastío, frustración, alivio, sorpresa, cansancio... Se hallaba cerca del final, pero no de la solución. Y quizás ya no fuera posible dar con ella. No obstante, lo paradójico, lo que realmente le llenaba de pasmo, era que toda aquella muerte tenía que ver con el amor. Dio un mordisco al chocolate y organizó preguntas, nombres, fechas antes de hacer otro intento de resolver sus dudas. El asesino había ejecutado su venganza escrupulosamente, pero ¿cómo había sabido con certeza cuáles eran sus objetivos? ¿Habría podido su mujer describírselos de una manera tan vívida como para marcarlos sin lugar a dudas? Evocó las sospechas de Octavio Imaz acerca del aparente tanteo que efectuaba el perfectibilista al aplicar los castigos de forma aleatoria, como si no tuviese claro a qué grado pertenecía el inductor, o como si no supiese ni siquiera si los muertos eran masones. Por el testimonio de Misha, era evidente que el asesino había interrogado a Agustín Covisa en Molewo; presumiblemente también a Joaquín Tiempo Meneses; ¿había hecho lo mismo con Luis del Águila? ¿Qué información obtuvo? Por más que intentaba recomponer aquel jarrón, había fragmentos que no aparecían por ninguna parte: ¿cuál era la razón última de aquel «Mira que te mira Dios»? ¿Qué significaban las pupilas contraídas de Agustín Covisa? ¿Tenía algún sentido que el asesino le hubiese perdonado la vida? Y todavía quedaban dos culpables por ejecutar... La escena del alucinante paseo de su hombre cruzando el claustro de Molewo ante la hipnótica inmovilidad de alemanes y españoles le hizo aflojar ligeramente la mandíbula; o aquel individuo tenía hielo en las venas o actuaba con la indiferencia que da la desesperación. Arturo terminó por sucumbir a la apatía de los puntos muertos. Todavía tenía en el paladar el aroma del café; agitó el termo por si quedaba algo, pero al encontrarlo vacío, recogió lo que restaba de su desayuno y se quedó mirando un punto indeterminado del cielo. Observaba la llegada de la luz, poco a poco, convirtiendo el azulado amanecer en un cielo de yeso, cuando, súbitamente, toda la línea del frente se encendió con una oscura llamarada, seguida de un profundo temblor. El fuego de cientos de piezas de artillería, un redoble continuado, bárbaro, ensordecedor, en el que los sonidos de salida y explosión dejaban de distinguirse, anunció el esperado día del Juicio. Aunque las sienes parecieron explotarle bajo el casco de acero, Arturo no fue capaz de moverse, fascinado por el resplandeciente muro de llamas que se elevaba en el cielo. Los soviéticos habían empezado a barrer la vanguardia española desde el Ishora hasta Krasny Bor, y en sólo dos horas el regimiento 262 sería borrado del mapa y todas las líneas desbordadas por batallones y tanques pesados, pero él sólo podía imaginarse a Dios retratándoles continuamente, su mortalidad, su menudencia, un fogonazo de magnesio tras otro. Se mordió el interior de los carrillos. De repente, una imagen hizo que su cuerpo se quedase duro como un pedazo de granito. Un detalle diminuto había atraído su atención, por casualidad, al igual que lo hace un punto de un cuadro, un rostro entre la multitud. Al tiempo, una red de disparos eléctricos, en todas direcciones, iba asociándolo con otros datos que mantenía apilados en los escondrijos de sus circunvoluciones cerebrales, hasta que una posibilidad fue haciéndose más real y una ráfaga de entendimiento cruzó su rostro. «Las fotos...», murmuró. Misterios... No existían los misterios, todo había estado ahí, delante de sus narices, de sus jodidas narices. Salió apresuradamente echándose el macuto a la espalda, y rogó por que, a pesar de que el rodillo soviético hubiera empezado a moverse, Antonio siguiera al pie del cañón. Cuando llegó a la plana mayor, y para su admiración y alivio, Antonio continuaba andurreando en torno a ella, impasible en medio de la barahúnda que se había organizado en Mestelewo. La sincera, beatífica alegría con que le recibió fue la única tregua que recordaba en dos días.

—Antonio, tenemos que llegarnos al cuartel general. Ya.

Antonio ni siquiera abrió la boca; empleó a fondo la sonrisa encolada en su cara y le apremió a seguirle. Caminaron con pasos rotundos hasta la troika; su fidelidad llegaba al punto de haber escondido el vehículo tras un almacén en previsión de posibles incautaciones. Extrañamente, los caballos permanecían serenos en medio del caos; Arturo ya tenía observado que había algo al inicio de las batallas que borraba siempre su primer espanto. Arrancaron hacia Pokrosvskaia bajo las toneladas de artillería que palpitaban sobre sus cabezas, y Antonio afeitó curva tras curva con la misma firmeza utilizada para trasladar a Espinosa. Al otro lado del Sslavianka, el cuartel general sufría esporádicamente las consecuencias de la acometida soviética; los cañones rusos punteaban los alrededores entre estruendos de humo, tierra y nieve. Antonio esquivó uno y detuvo la troika en el leve altozano del palacete, frente a la entrada principal. Arturo se bajó de un salto y urgió al ruso a ponerse a cubierto en el bosque. A continuación salió disparado hacia las líneas clásicas del cuartel mientras accionaba el cerrojo de su fusil. Esta vez nadie le detuvo y entró en el vestíbulo; el organismo preciso y funcional que hasta ese momento había trabajado sin interrupción parecía haber sido atacado por un cáncer que hubiera alterado su estructura, arruinando su eficacia. Sus ojos buscaron la entrada de la estafeta; allí, bajo el marco, dejó el macuto y, tras pensárselo unos segundos, dejó también el máuser y optó por sacar su Tokarev, más manejable. Comprobó la munición, montó el percutor y entró con maneras furtivas. No parecía haber nadie en el mostrador y siguió pasillo adelante hasta el gabinete de censura de la Watermann. Allí tampoco encontró a ningún guripa; las cataratas de sobres y postales, el abeto adornado con las bolas, los carteles taurinos... Todo parecía haber sido abandonado unos momentos antes. Dio media vuelta y reanduvo el pasillo; acotaba sus siguientes opciones cuando, a la altura del almacén donde se había entrevistado con Octavio, escuchó un ruido de arrastre, como si alguien hubiera movido una silla o un mueble. De inmediato, se quitó el casco y pegó su perfil a la puerta. Escuchó con todo el cuerpo, tratando de captar algo. No tardó en repetirse la fricción, una tos seca y los pasos de alguien que recorre una distancia corta. Después volvió a repetirse el arrastre y cesaron los pasos. Arturo apretó con fuerza los dedos de los pies, como quien se dispone a dar un salto; pensó en entrar violentamente, hundiendo la puerta, pero luego comprendió que era un disparate y picó con los nudillos, aunque apretando la pistola. Al otro lado no hubo respuesta. Volvió a llamar. Tampoco en esa ocasión hubo contestación. Arturo aplicó el oído una vez más a la madera y luego, muy despacio, agarró la manilla y la hundió con suavidad. Al empujar, la puerta se abrió sin dificultad. En el almacén, cercado por las sacas de correos y los ciclostilos, había un hombre. Estaba sentado de perfil a la pequeña mesa, con la espalda muy recta, en el centro del círculo luminoso que derramaba la escasa bombilla. Tenía las manos a la vista, sobre las rodillas, con el uniforme arremangado a la altura de los codos, y los ojos fijos en la baraja de fotografías que había diseminada sobre la mesa, colocadas como si estuviese haciendo un solitario. El hombre no se volvió ni efectuó movimiento alguno, pero Arturo no dejó de encañonarle. El terror tenía a veces una apariencia vulgar, incitando a subestimarlo, y por eso mismo tuvo miedo; no el terror colectivo que se respiraba fuera, sino uno individual, que no podía repartirse ni diluirse. Allí estaba, por fin, el vampiro. Reunió fuerzas para hablar.

—Se acabó. Queda detenido.

Una sola arruga, transversal, cruzó la frente del hombre. Arturo aguantó la respiración.

—Ahora sí se acabó todo —se limitó a contestar.

Arturo no comprendió lo que quiso decir, pero su corazón dio un bote cuando el hombre levantó su mano y se desabrochó un botón de la guerrera. Podía tener calor. Podía ser un tic. Podía esconder un arma.

—Como vuelva a hacer algo sin avisarme, le pego un tiro —dijo conciso, sin amenaza ni hostilidad.

—Perfecto. Discúlpeme.

Todo eran preguntas sin contestar a su alrededor. Y Arturo era consciente de que el miedo y la curiosidad iban unidos. Tenían tiempo.

—Todo empezó con las fotos —le explicó.

—¿Qué fotos?

—Las que tenía que revelarle Paramio.

—Ah.

—Las vi por equivocación. Después las relacioné con otro detalle —recordó las pupilas de Agustín Covisa—. Porque usted le sacó una foto a Agustín Covisa, ¿no es cierto?

—Sí.

—Con flash. Porque apenas había luz.

—Sí.

—Eso pensaba. También había otras cosas; usted era alto, podía moverse con facilidad por el frente... Reconozco que me despistó un poco su carácter, no daba el tipo, pero después pensé que sí, que no hacía más que cumplir un plan meticulosamente, casaba con sus maneras metódicas. Pero nada habría servido si no me hubiera enterado de cómo se apellidaba Teresa. Teresa era su mujer, ¿verdad?

—Sí —le respondió a Arturo, quien creyó distinguir un temblor imperceptible.

—Siento lo que pasó en Valencia, créame.

—Ya no hay remedio.

«Pero usted se lo intentó poner», pensó Arturo.

—Teresa... —prosiguió—, Teresa Estrada. Era su apellido de casada.

—Sí.

—También es su apellido, mi sargento. Eran demasiadas casualidades. Estrada. Cecilio Estrada.

El sargento Cecilio Estrada, «don Esmerado», se giró unos grados. Le devolvió una mirada infectada de vacío. Su rostro, atezado y anguloso, enmarcado por sus solemnes patillas, mantenía incluso en aquella querellosa escena su ceremonia.

—Le felicito.

El sargento lo dijo sinceramente. Luego volvió a mirar al frente.

—Me quedan algunas preguntas... —formuló Arturo casi con timidez—. Creo saber las respuestas, pero...

—Pregunte —se adelantó Cecilio.

Arturo se pasó la lengua por sus labios cuarteados.

—La noche que mató a Luis del Águila, usted se quedó dentro de las duchas.

—Le estuve siguiendo y me vi obligado a actuar sobre la marcha. Un guripa casi lo estropea todo —Arturo pensó en Trinitario—, pero pude improvisar y no se dio cuenta de la suplantación.

—¿Y los caballos?

—Aunque se levantó la niebla, pensé que soltando los de aquel establo se crearía más confusión y para mí sería perfecto. Luego cargué el cuerpo en uno, pero ocurrió lo que ocurrió. Mala suerte.

—La estampida, la rotura del hielo...

—Sí.

—Quería llegar a Molewo para cumplir los rituales perfectibilistas...

Arturo aguardó la reacción de Cecilio, pero no hubo ninguna. Sopesó sus siguientes palabras.

—Fue una suerte tener Molewo cerca para ejecutar sus ritos. Lo que no entiendo es por qué aplicar todos esos castigos a gente que no eran hermanos.

—No era a ellos a quien quería castigar.

—¿Entonces?

—Ellos sólo fueron herramientas. Cumplieron órdenes. Debía hacerse justicia, sí, pero el verdadero culpable era otro.

—¿Un hermano?

—Sí, un traidor —su rostro se arrugó, como si hubiera tomado un sorbo amargo—. Me traicionaron, y sólo un hermano de grado elevado podía saber quién era yo y dónde vivía.

—¿Por qué le traicionaron?

—Para hacer méritos, para eliminar testigos molestos... Ya no importa.

Una explosión cercana hizo que los muros retemblasen; un chorro de polvillo cayó del techo y la bombilla bailó, esparciendo luces y sombras por todo el almacén. Arturo esperó a que ésta dejase de moverse para continuar.

—¿Y a quién busca?

—No lo sé —se sinceró.

—Sabe por qué le traicionaron, pero no sabe quién. No me lo acabo de creer. Ha tenido que hacer memoria, no puede haber muchos que se la tuvieran guardada de esa manera.

—Yo manejaba cierta información en la hermandad, hay muchos candidatos, se lo aseguro.

—¿Por eso interrogó a Agustín Covisa?

—Era la única manera de encontrar al verdadero culpable.

—¿También habló con Luis del Águila y Joaquín Tiempo Meneses?

—Con Luis del Águila no pude.

—¿Y cómo dio con ellos?

Cecilio miró las fotos que tenía delante. Las fue cambiando ligeramente de lugar como si así pudieran darle una respuesta. Un rapidísimo destello de racionalidad hizo que Arturo comprendiese.

—Por eso sacaba fotos a todo el mundo.

—Aún tenía contactos en Valencia —contestó—, y pude enrolarme para acá. Logré que me destinasen a la estafeta y ahí comencé la búsqueda. Poco a poco, entre el correo y muchas preguntas, fui localizando a los que se habían enganchado en Valencia. Luego les hacía una fotografía y se la enviaba a Teresa. Si ella me la devolvía...

Un odio indecible, mezclado con dolor, se dibujó en sus rasgos.

—Y si su esposa le ayudó a identificarles a ellos, ¿por qué no al jefe?

Cecilio Estrada sufrió una momentánea suspensión del juicio, y estudió a Arturo con la misma atención con que le estudiaba a él. Una sombra de amenaza y reproche cruzó rápidamente su cara. Los dedos de Arturo se engarfiaron a la culata de su pistola.

—Él nunca se dejó ver... —su voz tembló, a punto de romperse—. No quería correr riesgos porque... porque quiso dejar con vida a Teresa, quería que yo la viera, que me contase lo que le hicieron. Teresa quedó muy... —volvió a atragantarse—, Teresa no estaba en condiciones de ayudarme, pero pudo escuchar una conversación sobre la División, sobre su marcha inminente.

Era evidente que no se lo estaba contando todo, nadie actuaría con esa inquina sin un motivo, pero no le preguntó más. En ese aspecto, Octavio Imaz había sido clarividente, y el sargento, posiblemente igual que su anónimo culpable, había buscado el miedo, ir acorralándole mediante una alambrada de sangre y pánico que le cercaba tanto como le presionaba. ¿Qué merecía él entonces por lo que le había hecho a Zira?, se preguntó.

—Por si le sirve de consuelo, Luis del Águila estaba arrepentido. Sufrió mucho por lo que había hecho.

Arturo lo dijo como si pudiera reequilibrar el mundo, como si pudiese compensar lo que le habían hecho a Cecilio años antes, lo que él le había hecho a Zira noches antes.

—No me sirve —respondió Cecilio con dureza.

—Pues debería.

—¿Debería?

Cecilio escupió la palabra, y fiel a su estilo conciso, memorioso, comenzó a hablar, catárticamente, sin prisas, borrando el presente y arrastrándole también a él fuera del tiempo, a un lugar desquiciado, una minúscula parte de su interior donde la sexualidad, el hambre, el deseo... habían sido abolidos y se proyectaba hora tras hora la salvaje violación de su mujer. «Busque una pasión»..., recordó Arturo, «porque una pasión siempre es una razón, y qué pasión más poderosa que el odio»..., «alguien encerrado en un pasado autosuficiente, condenado a la eterna repetición de su ciclo-obsesión»..., «un no-muerto»..., «un no-vivo». Un vampiro. Cuando Cecilio Estrada dejó de hablar, Arturo se sintió extrañamente reconfortado, porque, a pesar de sus crímenes, éstos eran mensurables, tenían un porqué; lo otro, el vacío, el absurdo, el horror, los emperadores extraños, Molewo, le producía un pavor infinito. Dejó que el sargento regresase poco a poco de su terrible abismo; siguiendo su rastro de pecados, se dio cuenta de que tal acumulación de impureza, paradójicamente, le dejaba puro, liberado de todo pecado. Y el odio que Arturo había podido sentir hacia él se fue volviendo débil y pálido, un odio que no oscurecía su sangre. Pero todavía quedaban algunas preguntas brillando en su memoria.

—«Mira que te mira Dios...» —recordó mientras enfundaba su Tokarev—, me pregunto dónde encajaba eso en los ritos.

—«Mira que te mira Dios, mira que te está mirando, mira que te has de morir, mira que no sabes cuándo» —completó Cecilio—. Teresa lo repetía una y otra vez, una y otra vez, como una niña pequeña, mientras la golpeaban, mientras aquellas bestias la... —negó con la cabeza—. Yo quería que jamás lo olvidasen. A todos se lo grabé antes de matarles.

—Comprendo. También me filtró cartas, ¿no? Por eso no aparecía nada.

—No había mucho que filtrar.

—¿Y por qué no me disparó en el Sslavianka?

Cecilio guardó un silencio cauteloso. Luego habló con un tono desapasionado.

—¿La verdad?

—Por favor.

—Se me encasquilló el arma. Y ya sé que no sirve de nada —tosió un poco—, pero no quería matar a su amigo. Fue un mal tiro.

Otro violento cañonazo hizo temblar la habitación, con el consiguiente chorreo de polvo y el baile esquizofrénico de la bombilla. Arturo no quiso abundar más en ello, ciertos enfrentamientos sólo producen derrotas. La bombilla, en un vaivén cada vez más corto, volvió a detenerse.

—Sólo hay una cosa que no entiendo —ultimó Arturo—. Joaquín Tiempo Meneses no se enganchó en Valencia, sino en Barcelona. ¿Cómo fue posible que estuviera en su casa?

Cecilio giró el cuello y le miró extraño y fugaz, como si le sorprendiera verlo o no supiera para qué estaba allí.

—Acaban de llegar hoy —dijo señalando las fotos sobre la mesa.

Arturo no entendió a qué venía aquello, pero siguió su mano y observó quince fotografías, quince rostros, quince momentos irrepetibles.

—Le envié quince —añadió.

«Ahora sí se acabó todo», la primera frase del sargento adquirió entonces sentido. «Teresa se quedó muy...», y sus palabras interrumpidas completaban la magnitud de la tragedia. Porque Teresa le había mandado el rostro de su asesino, que en su mente trastornada era el rostro de cualquiera que sirviese en la División, de cualquiera que su marido le enviase. Porque Teresa se había vuelto definitivamente loca. Luis del Águila había sido culpable, pero Cecilio ya no podía estar seguro de no haber asesinado a dos inocentes. «Cuando hablé con ellos juraban que no sabían nada», comenzó a murmurar, negando con la cabeza. Arturo también recordó que, según Espinosa, al menos Agustín Covisa no había mostrado signos de intranquilidad tras la muerte de Luis del Águila. Y entonces, en todo aquello, vislumbró una especie de lección, algo que no era capaz de formular, relacionado con la lucha contra los errores, la mala suerte y la propia conciencia. Víctimas, verdugo... La línea resultaba imposible de trazar cuando no tenías opciones donde elegir. «Y nos apiadamos de los que son dañados —pensó Arturo—, pero quién, quién se apiadará de los que dañan». Apretó la mandíbula; Cecilio movía de nuevo las fotografías, con movimientos precisos, eficientes, como si así pudiera darle una segunda vida al pasado: aquello era una manera de rezar. Pero siempre era preciso saber cuándo las cosas llegaban a su fin, esencial para no convertirse en un vampiro. Por eso Arturo se dio la vuelta silenciosamente y salió de la habitación. En el vestíbulo agarró a un guripa y le informó de lo que pasaba, llevándole hasta la puerta del almacén con la orden de mantener bajo arresto al sargento Estrada hasta que le enviase un gendarme. Echó un último vistazo a la puerta; en el almacén, Cecilio Estrada, «don Esmerado», seguía cayendo en el más terrible y hondo de los precipicios: el solipsismo humano. Y sólo necesitaba una cosa, una sola cosa, que Arturo no dudó en proporcionarle. Buscó la llave de la luz y le dio la vuelta. Ahora ya podía tocar la oscuridad.

La línea del horizonte era una raya verdinegra cubierta por una bruma iluminada desde su interior por resplandores rojizos. No eran las ocho de la mañana y las tropas soviéticas de asalto, tras la maceración artillera, habían roto las líneas escalón tras escalón apoyadas por las oscuras e imponentes moles de los T-34 y los KW-1. Esporádicos aviones con las estrellas rojas de cinco puntas se precipitaban sobre los españoles, desprendiéndose de racimos de bombas y barriendo el suelo con los centelleos de sus ametralladoras. No quedaba nada, zanjas deshechas, búnkers arrancados de cuajo, nidos volados; un revoltijo de hoyos humeantes, maderas, cascotes y cadáveres. Pero, para sorpresa de las siluetas fantasmales que les iban cercando, los guripas seguían defendiendo el sector, a golpes de culata, a bayoneta, a dentelladas, a puñetazos. Cantando. En ese momento, totalmente ajeno, Arturo salía del cuartel general con la decisión de que allí no pintaba nada y que lo mejor sería volver a Mestelewo para ayudar en lo que pudiese. A través de la olla de grillos que rodeaba el palacete localizó a Antonio y le ordenó regresar al acantonamiento. El regreso fue mucho más arduo de lo que esperaban; la carretera se hallaba atestada de vehículos y grupos de heridos en dirección a Mestelewo, mezclados con el flujo de tropas de refresco que se dirigían a Krasny Bor. El espectáculo que les aguardaba en la explanada frente a la puerta de servicio del hospital resultó sobrecogedor. Ambulancias Volkswagen, camiones LKW, camionetas Opel-Blitz, motocicletas Krad con sidecar, furgones del Deutsche Post, trineos, troikas, carretas... Todo cargado de heridos sangrantes, convulsos, con los uniformes chamuscados y el alma volatilizada. Arturo descendió del vehículo despidiéndose de Antonio con un fuerte abrazo, y le liberó definitivamente. De inmediato se orientó en aquel maremagno y se puso a descargar heridos y a transportar camillas, pugnando por abrir brecha en los atorados pasillos del *Feldlazarett.* La marea de heridos no remitía, haciendo prácticamente imposible encontrar camas disponibles para todos, y debido al retemblor de los cañones, cada vez más intenso, flotaba en el aire la amenaza de que los soviéticos pudieran sobrepasar las líneas de retaguardia y completar su carnicería en Mestelewo. En uno de los viajes se detuvo fatigado; expulsó con fuerza el vaho, dilatando las aletas de la nariz. Alguien le pasó una cantimplora llena de coñac y dio un trago; tras devolverla, echó un vistazo general antes de volver al tajo. Para su sorpresa, corriendo al fondo, entre dos barracones, creyó distinguir la infantil figura de un niño con un prodigioso parecido con Alexsandr. Aunque no estaba seguro, Arturo abandonó su trajín y se dirigió hacia la esquina por donde había desaparecido. Cuando llegó no encontró ni rastro de Alexsandr; anduvo de un lado para otro buscándole, pero no encontró a nadie. Vaciló; el fantasma de la nieve avanzaba en líneas ondulantes sobre su superficie, arrastrado por ligeras ráfagas de aire. ¿Su agotada imaginación le estaba jugando una mala pasada? Iba a regresar cuando escuchó un trotecito, el crujido sobre la nieve de unos pies minúsculos. Provenían de la izquierda, de un almacén de víveres. Apretó el paso hacia él y lo rodeó por completo, con idéntico resultado. Cuando volvió a plantearse si estaba sufriendo algún tipo de alucinación, escuchó una risa clara, inocente. Volvió a seguir su rastro, y tras un centenar de pasos se encontró de repente en el último lugar que hubiera podido imaginar ese día. Frente al edificio de Carnización, prisionero de su pecio metálico, el pastor alemán, visiblemente más enflaquecido pero sin perder ni un ápice de su atemorizante presencia, le vigilaba con la cabeza inclinada y los colmillos al descubierto, brillantes de baba. Arturo fue el primer sorprendido; ¿había existido realmente Alexsandr? ¿O era su conciencia, personificada en el crío, quien jugaba con él como un tramposo trilero? En todo caso, parecía como si extraños nudos fácticos bajo la superficie aparentemente uniforme de la realidad, en medio de todo aquel odio y devastación, lo hubieran dispuesto todo para una ceremonia de la reconciliación. Un acto de secreto equilibrio de la naturaleza. Si así fuera, Arturo no iba poner ningún obstáculo; se quitó el casco y el macuto y los colocó en un pequeño túmulo junto con el fusil. El perro seguía inmóvil, rechinando los dientes, emitiendo un gruñido grave entre ladrido y ladrido; Arturo se agachó junto al compás que delimitaba su cadena y extendió la mano justo hasta el borde. La única arma que portaba era la paciencia, una cantidad ingente, porque estaba dispuesto a esperar lo que hiciera falta para sanar la herida que él mismo había abierto. El animal comenzó su carrera en ese momento, con el pelo erizado, liberando su exceso de fuerza, casi volando, hacia el cuello de Arturo. Sus músculos tiraban de la cadena con el mismo ímpetu con que lo había hecho día tras día desde su último encuentro, con todo su peso y estrellándose de continuo, tan violentamente que los guripas que pasaban por allí creían que había enloquecido o se llevaban sustos de muerte si ignoraban que había una cadena. Hora tras hora se había lanzado a la carga, con los eslabones chasqueando tras de sí, hacia el vacío, sabiendo que volvería a aterrizar dolorosamente en el suelo, hasta que quedaba exhausto por completo. Por las noches, permanecía bajo el pecio del camión, tendido en silencio, como si estuviera enfermo, acumulando fuerzas para recomenzar al día siguiente. Por eso corría ahora como nunca lo había hecho, oyendo detrás la danza de la cadena, porque gramo a gramo de su peso, había arrancado milímetro a milímetro a la gravedad el centímetro necesario para que su negro morro pudiera sobrepasar el tope de su cadena y hundir sus dientes en la carne de Arturo. Pero nada de esto podía saber Arturo cuando, articulando una mueca de asombro, sintió unos colmillos clavarse profundamente en su hombro, siendo derribado por todo el peso del animal. Su yugular se había salvado por una fracción de segundo gracias a un movimiento reflejo que le había ladeado a la derecha, evitando así una dentellada fatal, pero el pastor alemán había hecho ya una presa irreversible con la intención de dilatar su vínculo de sangre hasta la descuartización. Los movimientos a izquierda y derecha de sus fauces zarandearon a Arturo como un muñeco de trapo; aunque se revolvía con desesperación, su traje se iba tiñendo de sangre, excitando aún más al animal, que progresivamente iba agotando sus fuerzas. En los instantes previos a su muerte, empapado en sangre y sudor, Arturo siempre había esperado ver algo con certeza, auténtico, algo equivalente a la verdad que había en su muerte, pero cada mordisco, cada empellón que le acercaba al final le mostraba que debería conformarse con el vacío, y recordar cuando se apagase el mundo lo único que, precisamente por ser lo que más temía, tenía presente: el rostro de Hilde. Se había rendido ya, esperaba la dentellada fatal, cuando un caño de sangre le salpicó el rostro; el chorro le cubrió la cara, espeso, caliente, viscoso, como si el animal le hubiera abierto por fin la yugular. Pero cuando el perro se derrumbó a su costado, se dio cuenta de que aquella sangre no salía de su cuerpo, sino a borbotones del tajo sanguinolento que había en el cuello del pastor alemán. Arturo reunió las pocas fuerzas que le quedaban para arrastrarse de espaldas, dolorosamente, alejándose del cuerpo que se convulsionaba como pinzado por impulsos eléctricos. A los pocos metros se detuvo y se sentó en la nieve, llevándose una mano a su destrozado hombro. A pesar del frío, el calor le abrasaba la mueca de dolor de su cara; una sensación desagradable se fue extendiendo por todo su cuerpo a medida que el sudor se secaba y la ropa se le pegaba a la piel. Buscó a su salvador. Entonces, el miedo regresó. En un fragmentado semicírculo, cuatro soldados rusos, embozados en grandes blusones blancos y con «naranjeros» en sus manos, le vigilaban mientras a sus espaldas se desplegaba un nutrido contingente de partisanos. Los soviéticos, al hilo de la ofensiva, habían desencadenado un ataque de baja intensidad por la retaguardia y, de repente, lo que más temían se había materializado: el enemigo recorría las calles de Mestelewo. Sin embargo, la defensa, aunque anárquica y sin mandos, se estaba organizando ya con un español detrás de cada fusil decidido a disparar hasta el último cartucho. Arturo continuó aguardando las intenciones de aquellos fantasmas —el segundo por la izquierda todavía agarraba el machete con el que había decapitado al pastor alemán—, con un ruido de fondo de tableteos y explosiones, y el relampagueo de los arcos ígneos de un lanzallamas que lengüeteaba entre los edificios. Al no obtener respuesta alguna, optó por sonreír, extendiendo la mano libre con la palma hacia fuera. La reacción no se hizo esperar. El culatazo en el rostro de Arturo fue fulgurante, salpicando con un arco escarlata la nieve a su costado. Tan aturdido como desconcertado, se palpó con la lengua y escupió un diente ensangrentado. Cuando levantó la vista, uno de los rusos, el más adelantado, efectuó otro culatazo en falso, obligándole a esconder su rostro tras el brazo. Permaneció en esa posición, quieto, semidoblado. Al fondo, una explosión voló una isba, dejando una nube de humo y polvo gravitando sobre sus ruinas y alcanzándoles con la ráfaga de aire caliente de su onda expansiva. Ni siquiera entonces Arturo se atrevió a moverse. Hasta que escuchó unas palabras.

—*Posmotri na meña* «Mírame».

La voz tenía un timbre femenino que le resultó extrañamente familiar.

—*Posmotri na meña* —repitió.

Arturo fue desovillándose con infinita prevención, hasta fijar sus ojos en su verdugo. Éste tenía el rostro cubierto por una capucha abrochada frontalmente que sólo dejaba entrever sus ojos. Empezó a desabotonarla con morosidad, hasta que el último botón dejó a la vista su cara, provocando en Arturo una mueca de estupor. El soldado siguió hablando, frío, desapasionado.

—*Alexandr moi brat. Seichas my s toboi kvity. V sleduschi raz kogda tebia uvizhu, ja tebia ubiu!* «Alexsandr es mi hermano. Ahora estamos en paz. La próxima vez que te vea, ¡te mataré!».

Y para dar fe del hierro de sus amenazas, apoyó el cañón de su «naranjero» sobre la frente de Arturo. Éste hizo correr sus ojos a lo largo del ánima del arma, hasta posarlos otra vez en los ojos de Zira. Los miró, se entregó a ellos, viajó a través en busca de una razón, la respuesta a todo. Recordó una frase oída durante la fiesta en la isba: «Más espías que piojos». Y en su mente comenzaron a brotar de entre la maraña de imágenes la de una anónima «mamuska» azotando a Alexsandr a la entrada de la iglesia el día que le tiró bolas de nieve; la de la huidiza mujer de burda pelliza y toquilla en la cabeza que tomó al rusito bajo su protección después de que el SS cediera en su presa. Arturo comprendió. Arturo dejó pasar entre los dos algo más frío que el viento. Arturo asintió en silencio. No tenía sentido asegurarle que lo sentía. «Lo siento.» «Lo siento.» No tenía sentido decirle que ella había sido el precio por Hilde. No, no lo tenía. Zira aún le estuvo mirando un rato, sin decir palabra, con los ojos muy abiertos, hasta que retiró su arma, volvió a abotonarse la capucha, y gritó una orden que restalló en sus oídos seca, lacerantemente. De inmediato, los soldados se internaron en la marea roja que había fluido sin descanso a sus espaldas. Lo último que vio de Zira fue su figura desapareciendo entre el humo y el fuego de Mestelewo.

Arturo se levantó trabajosamente. Hacía un frío de no haber nacido nunca o de haber muerto hace mucho, y se sentía como si hubiera recorrido un sendero lleno de zarzas. La sangre manchaba su hombro izquierdo, y sus facciones machacadas se hinchaban a ojos vista. El cadáver del pastor alemán yacía de costado, en un charco de sangre color vino. A su alrededor, todo eran disparos y explosiones; tosió al inhalar con profundidad el aire cargado de cordita. Contempló la destrucción, que se extendía como el círculo de sangre que rodeaba al perro. Soldados entre el humo gris y la nieve, por todas partes, disparando, cayendo, dando alaridos, llorando. Los emperadores extraños habían comenzado su oscuro reinado, centrífugos, desintegradores. Divinidades negras que negaban al mundo. Solitarios niños, al fin. Pero Arturo no desesperó y reclamó para sí a Alexsandr. Sois portadores de niños. Los niños destruían el presente, pero eran los únicos capaces de construir el futuro. Recordad que mientras llevéis un niño, podréis eludir el mal refugiándoos bajo el manto de la inocencia. Los únicos que se atrevían a señalar la desnudez del emperador. Atravesaréis ríos, atravesaréis tempestades, podréis atravesar incluso las llamas del infierno. Los únicos que podían sostener ya la esperanza.

Arturo miró cara a cara a la derrota. Recuperó su casco, empuñó el fusil, comprobó su munición, las cartucheras, y se abotonó bien el cuello de su uniforme. Cuando vio venir hacia él al primer partisano, a la carrera, con la larga bayoneta calada, apuntando a su pecho, no sintió miedo. Apuntó con cuidado y apretó el gatillo. Al no producirse ningún disparo, comprendió por qué el ruso cargaba a la bayoneta. También a él se le había congelado el arma.

Índice

Este libro
se terminó de imprimir
en los Talleres Gráficos
de Fernández Ciudad, S. L.,
Pinto, Madrid (España)
en el mes de octubre de 2006